DROIT AU BUT 1-4

Collection complète

Autres succès de Gordon Korman:

La trilogie *Everest*
La trilogie *Naufragés*
La trilogie *Sous la mer*
Super menteuse

Gordon Korman

DROIT AU BUT 1-4

Collection complète

Couverture de

Greg Banning

Texte français d'Isabelle Allard

Catalogage avant publication de Bibliothèque et Archives Canada
Korman, Gordon
[Slapshots. Français]
Droit au but 1-4 : collection complète / Gordon Korman ;
texte français d'Isabelle Allard.

Traduction de la collection Slapshots.
Sommaire: Les flammes de Mars — L'équipe de rêve -- L'imposteur -- La folie des finales.
ISBN 978-0-545-99039-4

I. Allard, Isabelle II. Titre. III. Titre: Slapshots. Français.
PS8571.O78S6314 2008 jC813'.54 C2008-903112-1

ISBN-10 0-545-99039-4

Édition publiée par les Éditions Scholastic, 604, rue King Ouest,
Toronto (Ontario) M5V 1E1 CANADA.

6 5 4 3 2 1 Imprimé au Canada 08 09 10 11 12 13

Table des matières

Gordon Korman

DROIT AU BUT 1

Les Flammes de Mars

À Lord Stanley,
merci pour la coupe

Chapitre 1

Une équipe Cendrillon.

Il n'y a pas plus beau sujet pour un journaliste sportif, qu'il travaille pour *Sports Mag* ou la *Gazette* de l'école élémentaire de Bellerive. Malheureusement, je travaille pour la *Gazette*. Salaire : zéro dollar. Mais je sais qu'un jour, je travaillerai pour un magazine bien connu ou pour la télévision. Tout ce qu'il faut, c'est beaucoup de travail... et un peu de chance.

L'aspect chance consiste à trouver un sujet sur lequel écrire : un grand athlète, une saison surprenante, un entraîneur hors du commun ou, mieux encore, une équipe Cendrillon qui fait une remontée.

C'est difficile. Certains journalistes n'ont jamais leur grand moment. Heureusement pour moi, quand je me suis réveillé ce matin-là, les désavantagés parfaits me sont pratiquement tombés dans les bras.

J'avais dû interrompre ma consommation de gros bonbons durs (vous savez, ces bonbons monstrueux qu'on peut sucer pendant des heures et des heures), et j'étais donc de mauvaise humeur... jusqu'à ce que j'entende la nouvelle. Un babouin n'aurait pas pu passer à côté. Tout le monde dans l'autobus était énervé et criait à tue-tête. J'étais étonné que notre chauffeuse, Mme Costa, ne perde pas le contrôle de son véhicule.

Après plusieurs années d'essai, notre ville allait enfin avoir son équipe de hockey dans la Ligue Droit au but de Bellerive. Voyez-vous, nous fréquentons l'école élémentaire de cette ville; nous utilisons ses services de police et d'électricité, ainsi que sa bibliothèque publique, mais nous ne vivons pas à Bellerive. Notre village, qui se trouve de l'autre côté d'un petit canal, s'appelle Mars. S'il vous plaît, pas de blagues au sujet des Martiens. Nous les avons toutes entendues, surtout de la bouche des enfants de Bellerive.

— Une équipe de Mars? ai-je demandé d'un ton sceptique. Êtes-vous certains?

J'étais agité et de mauvaise humeur. Mon gros bonbon à la réglisse me manquait terriblement. J'avais toujours l'habitude d'en manger un après le déjeuner. Je pouvais voir mon reflet dans la fenêtre sale de l'autobus et j'avais du mal à me reconnaître sans la grosse boule qui faisait habituellement gonfler ma joue. Est-ce que tout le monde allait encore m'appeler « Tamia », même si je ne mangeais plus de ces bonbons? En fait, mon vrai nom est Clarence, et je le déteste.

— Mon père était à la grande réunion, a expliqué Jean-Philippe Éthier. Il l'a entendu de ses propres oreilles. Certains membres de la ligue ont voté contre la proposition, mais elle a été acceptée quand même. Nous faisons partie de la ligue!

Un cri enthousiaste a jailli de toutes les bouches dans l'autobus. Nous, les Marsois, avons toujours eu l'impression d'être des citoyens de deuxième ordre à Bellerive.

— Ils nous ont maintenus à l'écart tellement longtemps, a dit Jonathan Colin. Je me demande pourquoi ils ont changé d'idée...

— Tu veux rire? s'est écrié Jean-Philippe. Comment pouvaient-ils dire non? Le gars qui va nous entraîner est un ancien joueur de la LNH! Aucune équipe de Bellerive ne peut se vanter d'avoir un tel avantage!

Jonathan s'est penché en avant :

— Un vrai joueur de hockey? Ici, à Mars?

J'ai sorti mon carnet de journaliste, que j'ai toujours sur moi. Qui sait quand un gros scoop va se présenter? Et cette histoire promettait d'être *sensationnelle*!

— Qui est-ce? ai-je demandé en retenant mon souffle. Guy Lafleur? Yvan Cournoyer?

Jean-Philippe a écarté les bras d'un air grandiose, comme s'il allait annoncer le nom du gagnant du prix Nobel :

— Le seul et unique Boum Boum Blouin!

Je suis resté figé, le crayon à quelques centimètres du carnet. J'ai oublié que le dentiste m'avait obligé à abandonner les bonbons durs et j'ai refermé les mâchoires sur un bonbon inexistant. Mes molaires se sont entrechoquées comme les mâchoires d'un piège à ours. Je me suis pratiquement défoncé les tympans.

— Aïe!

Les éclats de rire ont fusé autour de moi.

— Non, sérieusement, a insisté Jonathan qui est un maniaque de hockey. Qui est Boum Boum Blouin?

Jean-Philippe a haussé les épaules :

— Je n'en ai jamais entendu parler. Mais il a vraiment fait partie de la LNH dans les années 1970. Les gars, on a tout pour nous!

— On n'a rien du tout, a fait la voix douce mais ferme d'Alexia Colin, la sœur jumelle de Jonathan.

Il y a eu un silence. Tout le monde s'est tourné vers Alexia. Son truc, c'est une espèce de réglage de volume inversé. Quand elle a quelque chose d'important à dire, elle baisse le ton. Et lorsqu'elle parle de hockey, nous l'écoutons. Elle est la meilleure joueuse de Mars.

— Réfléchissez! nous a-t-elle dit de sa voix normale. Ils ne veulent pas de nous. J'ai entendu dire qu'il y avait beaucoup de protestations et de cris à la réunion quand ils ont voté. Et ça, c'était seulement les adultes! Pensez à la réaction des *jeunes* de Bellerive. Pourquoi devrions-nous entrer dans la ligue pour devenir la risée des autres équipes? Ils s'en donneront à cœur joie et n'auront pas fini de nous traiter de Martiens, de crétins de l'espace ou de gagas de la galaxie!

— Gagas de la galaxie! a ricané Carlos Torelli. Elle est bonne! Ah! ah!

Ce gars-là rirait même en lisant un panneau d'arrêt à un carrefour.

Jonathan lui a donné un coup de sac à dos sur la tête.

— Alors, si vous voulez vous faire insulter, libre à vous! a poursuivi Alexia. Mais ne comptez pas sur moi!

Jean-Philippe a toussoté.

— Euh, en fait, je suis plutôt soulagé que tu dises ça, Alexia. La Ligue Droit au but de Bellerive n'accepte que les garçons.

Nous avons tous retenu notre souffle. Alexia n'allait sûrement pas aimer ça.

L'autobus a pris un virage dans un gémissement d'amortisseurs et de ressorts. Que n'aurais-je pas donné pour le réconfort d'un gros bonbon dur au citron!

Lorsque Alexia a repris la parole, elle parlait si bas que seuls ceux qui étaient près d'elle l'ont entendue :

— Je vous verrai cet après-midi à l'entraînement.

Mon instinct de journaliste m'a poussé à insister :

— Est-ce que ça veut dire que tu as l'intention d'aller à l'encontre du règlement?

— Ce genre de règlement est illégal, a répondu Alexia. La Ligue Droit au but de Bellerive ne comprend que des garçons parce qu'aucune fille n'a jamais voulu y entrer. Jusqu'à aujourd'hui.

J'ai dessiné une étoile dans la marge de mon carnet. Je ferais mieux d'avoir Alexia à l'œil. Même si les membres de la ligue ne pouvaient pas s'opposer à son admission, ils ne l'accepteraient sûrement pas de bon cœur...

L'autobus est entré dans le terrain de stationnement de l'école et Mme Costa nous a lancé sa farce plate quotidienne :

— Nous entrons maintenant dans l'atmosphère terrestre. Préparez-vous pour l'arrimage à la base de lancement de Bellerive!

Carlos s'est frappé le genou :

— La base de lancement de Bellerive! a-t-il répété en gloussant. Elle est tellement drôle, vous ne trouvez pas?

— Non, lui a répondu Alexia.

— Je me demande si les autres élèves sont au courant, ai-je dit en balayant la cour d'école du regard.

Au même moment, une grosse tomate bien mûre a explosé comme une grenade sur le pare-brise de l'autobus.

— On dirait bien que oui, a dit doucement Alexia.

Mme Costa a actionné les essuie-glaces, qui ont étendu une matière orange visqueuse sur les vitres.

— Attendez donc un peu, a dit Jonathan en fronçant les sourcils.

Il a compté rapidement les joueurs de hockey présents dans l'autobus.

— Même en incluant Alexia, nous ne sommes que neuf, a-t-il conclu.

Carlos a étendu le bras et m'a tapoté l'épaule.

— Tamia, tu dois t'inscrire.

— Non, ai-je aussitôt répondu.

Je ne suis pas très porté sur les sports. En fait, je suis nul. Je suis même une référence en matière de nullité athlétique. Pourtant, ce n'était pas la raison de mon refus. Vous n'avez qu'à penser à toutes les entrevues télévisées qui ont lieu dans les vestiaires sportifs. Les athlètes boitent, suent et sont couverts de bleus et d'éraflures. Puis arrive le journaliste : fringant, décontracté, bien coiffé. Il prend quelques notes, puis s'en va manger un bon repas dans un grand restaurant avant de prendre un avion vers une autre ville et un autre match. À d'autres l'excitation du marbre, du demi-camp ou de la zone d'attaque. Je préfère de loin prendre place dans la tribune de la presse!

— Mais comment on va faire des changements de joueurs si on n'a pas deux trios? a demandé Jonathan, affolé.

— Oh, j'ai oublié de vous dire que la ligue nous donne un joueur pour que nous soyons 10, a précisé Jean-Philippe avec un claquement de doigts. C'est un gars qui n'a pas pu s'inscrire à temps.

— Je le plains, le pauvre! a dit Alexia en souriant. Il est sur le point de découvrir ce que c'est que d'être Martien!

J'ai noté ses paroles à la virgule près. Alexia a un don pour les déclarations percutantes.

Chapitre 2

Je suis resté après l'école pour terminer mon article. Pendant que j'étais à la bibliothèque, j'ai fait quelques recherches sur Boum Boum Blouin, l'ancien joueur qui allait entraîner les Marsois.

Mes conclusions? Boum Boum a vraiment joué pour la LNH, mais c'est tout ce qu'on peut en dire. Il faisait l'objet d'échanges tous les trois mois, quand il n'était pas renvoyé dans les ligues mineures. Il a sûrement passé beaucoup de temps sur le banc, parce qu'il n'a marqué que neuf buts au total durant ses 16 années de carrière. Autrement dit, il avait assez bien fait pour se rendre à la LNH, mais il a dû être le plus mauvais de tous les pros.

J'étais désolé pour Jonathan, Jean-Philippe et les autres joueurs qui espéraient se faire entraîner par une ancienne légende du hockey. Mais, pour moi, c'était une bonne nouvelle. Je voulais faire un reportage sous l'angle de l'équipe Cendrillon, qui parvient à remonter la pente. Et Boum Boum Blouin partait de si bas qu'il aurait sûrement besoin d'un ascenseur pour faire une remontée.

Désireux de récolter les impressions des joueurs de Bellerive, je me suis arrêté à l'aréna en rentrant. Coup de chance, l'équipe qui s'entraînait sur la glace était celle des Pingouins électriques, commandités par la centrale électrique de la ville. Les Pingouins avaient remporté le championnat l'année précédente.

Leur capitaine, Cédric Rougeau, était en possession de la rondelle. J'ai cessé de prendre des notes. Quand un gars comme Cédric manie le bâton, ça mérite toute notre attention.

Zoum!

Il a feinté à gauche, puis s'est élancé vers la droite, laissant le défenseur étourdi tourner sur lui-même. Mais pendant que le centre étoile du trio ROC s'élançait vers le gardien, mon sixième sens de journaliste restait à l'affût. J'ai remarqué tout à coup qu'il y avait un tourbillon d'activité autour de l'entraîneur Morin. Les joueurs étaient surexcités. Des cris indignés s'élevaient dans l'aréna. Quelque chose ne tournait pas rond.

Sur la patinoire, Cédric, qui se trouvait maintenant devant le filet, a projeté la rondelle juste au-dessus du gant du gardien, d'un simple mouvement du poignet. Le meilleur marqueur de la ligue a levé son bâton dans les airs. J'ai applaudi.

Mais nous étions les seuls à nous réjouir.

Cédric était habitué aux tapes dans le dos et aux félicitations, même pendant l'entraînement. Devant l'absence de réaction de ses coéquipiers, il a regardé autour de lui. Les Pingouins avaient l'air mécontents.

— Hé, pourquoi faites-vous cette tête d'enterrement? leur a-t-il lancé.

— Parce que tu es condamné! a gémi Rémi Fréchette, qui représente le R du trio ROC (Rémi-Olivier-Cédric).

— Est-ce que quelqu'un peut m'expliquer ce qui se passe? a dit Cédric d'un ton impatient.

J'ai sorti mon carnet.

— Cédric, a dit l'entraîneur Morin en mettant un bras réconfortant sur ses épaulières. Il y a un problème. Ton formulaire d'inscription est arrivé après la date limite. D'après le règlement, tu dois céder ta place dans l'équipe des Pingouins.

— Je suis renvoyé de la ligue? s'est exclamé Cédric.

Quel cinéma! Il n'aurait pas eu l'air plus horrifié si quelqu'un avait essayé de faire sortir sa langue par son oreille gauche.

— Calme-toi, a dit l'entraîneur. Tu vas pouvoir jouer. Sauf que tu dois occuper la prochaine place qui va se libérer. Et ce sera dans la nouvelle équipe.

— Mais la nouvelle équipe est celle des Martiens! a protesté Rémi.

J'en suis resté bouche bée. Cette nouvelle était si énorme que je n'étais même pas fâché que cet idiot de Rémi nous traite de Martiens. Un scoop digne de *Sports Mag*!

— Les Martiens ne devraient même pas être dans notre ligue! s'est écrié Olivier Vaillancourt, le troisième membre de la ligne d'attaque. Et en plus, ils vont avoir Cédric dans leur équipe? Que va devenir le trio ROC?

— Je vais déplacer Tristan Aubert, du deuxième trio, a répondu l'entraîneur.

— Rémi, Olivier, Tristan... a dit Rémi d'un ton songeur. Le trio ROT? Mais c'est impossible! a-t-il ajouté, les yeux exorbités.

— Oh, pauvre toi! s'est exclamé Cédric d'un ton hargneux. Je suis renvoyé de l'équipe, et tout ce qui t'importe, c'est de trouver un autre centre dont le nom commence par C?

— Ouais, Rémi! a ajouté Olivier. C'est ta faute, de toute façon! Ton oncle est le président de la ligue. Comment as-tu pu le laisser faire ça?

— Tu crois qu'il m'a téléphoné pour me demander si je voulais faire partie du trio ROT? a crié Rémi en frappant son bâton sur la glace.

— M. Fréchette ne peut rien faire pour nous, leur a dit l'entraîneur. De quoi aurait-il l'air s'il ne respectait pas les règles et faisait une exception pour l'équipe de son neveu? Je sais que c'est décevant, les gars, a-t-il poursuivi en soupirant, mais ça fait partie du jeu. Même dans la LNH, les joueurs sont envoyés dans d'autres équipes.

— Ouais, peut-être, a dit Cédric, mais combien d'entre eux se retrouvent sur Mars?

J'avais la tête qui tournait. Je suis sorti en courant de

l'aréna. Cette histoire était explosive! Je détenais une information que nul ne connaissait encore. C'était un scoop!

Je me suis souvenu avec désespoir que je n'étais qu'un enfant. Si j'avais travaillé pour RDS, j'aurais pu passer à la télé et devancer mes concurrents avec cette exclusivité!

Malheureusement, la *Gazette* de l'école élémentaire de Bellerive n'est publiée qu'une fois par mois. Le prochain numéro ne sortirait que dans *trois semaines et demie!* À ce moment-là, mon scoop serait aussi frais que du pain de viande vieux d'une semaine.

J'ai serré les dents. Bon, peut-être que je ne pouvais pas publier mon article dans la *Gazette,* mais je serais le premier à informer les joueurs de Mars de l'arrivée du grand Cédric Rougeau.

J'avais manqué l'autobus scolaire, mais je savais que les autobus de la ville se rendaient à Mars toutes les heures. J'ai couru comme un fou et j'en ai attrapé un de justesse. J'allais arriver à temps pour annoncer la nouvelle à l'équipe de Mars pendant son premier entraînement.

Nous franchissions le pont bringuebalant quand une voiture nous a dépassés. C'étaient Cédric Rougeau et sa mère. Elle le conduisait à Mars pour son entraînement avec sa nouvelle équipe.

— On ne peut pas aller plus vite? ai-je gémi de frustration.

Le chauffeur m'a lancé un regard furieux dans le rétroviseur de l'autobus.

Tamia Aubin détenait enfin un scoop, mais personne ne le saurait!

Oh! comme j'aurais voulu un gros bonbon piquant, parfumé à la cannelle!

Chapitre 3

La patinoire de Mars n'a rien à voir avec le superbe aréna du centre de loisirs de Bellerive. À l'exception d'une cabane équipée d'un poêle, tout se passe à l'extérieur. Les buts sont du type léger en aluminium, et il faut faire attention de ne pas trébucher sur les briques qui les maintiennent en place.

La surface de la glace est bosselée et inégale. Quand il fait doux, elle est couverte de plus d'un centimètre de gadoue. Les joueurs qui ont la malchance de tomber se relèvent trempés.

Je me suis appuyé sur la bande, mon carnet ouvert à la main. Je ne voulais pas manquer la réaction de Cédric devant sa nouvelle équipe.

Sauf qu'il n'a eu aucune réaction. Il est resté dans sa bulle, transférant son poids d'un patin à l'autre et fronçant les sourcils quand quelqu'un osait l'approcher.

Par contre, l'entraîneur Boum Boum Blouin semblait ravi d'être là. Je m'en voulais de ne pas avoir apporté d'appareil photo. Parce que personne ne me croirait quand je tenterais de le décrire.

Boum Boum avait environ 50 ans. Courbé vers l'avant, le regard fixe et farouche, il me faisait penser à une mante religieuse. Il avait le front dégarni, mais ses cheveux frisottés, noués en queue de cheval, atteignaient ses épaules. Son long nez semblait dévier d'abord à gauche, puis à droite. Son sourire radieux révélait trois dents manquantes.

— C'est un vrai joueur de hockey, m'a chuchoté Alexia. Regarde son nez. Je parie qu'il a été cassé trois fois.

— Monsieur Blouin? a demandé Jonathan, la voix étouffée par son masque de gardien. Pour quelle équipe de la LNH avez-vous joué?

D'un air enjoué, Boum Boum a répondu :

— Eh bien, j'ai été repêché par Detroit...

J'ai vite noté : *Ancien des Red Wings*...

— ... mais ils m'ont envoyé à Boston, puis les Bruins m'ont expédié à Los Angeles. Après ça, j'ai été renvoyé aux mineures, et au repêchage suivant, je me suis retrouvé à Toronto.

Je commençais à souffrir de la crampe de l'écrivain, à force de noter tous ces détails. Hélas! l'entraîneur n'avait pas terminé :

— De là, je suis allé à Vancouver, Montréal, New York, Pittsburgh, puis Philadelphie, a-t-il conclu avant de froncer les sourcils. Je dois en oublier, parce que je suis à peu près certain d'avoir été un Black Hawk à un moment donné. J'ai rencontré ma femme à Chicago. À moins que ce ne soit à St. Louis? Voilà ce qui arrive quand on joue pendant 16 ans sans porter de machin-truc.

La pointe de mon crayon s'est brisée sur le papier. Machin-truc?

Toute l'équipe a dévisagé l'entraîneur.

— Quel machin-truc? a demandé Alexia.

— Un machin-truc! a-t-il répété. Vous savez, un de ces bidules! Comme ça! a-t-il ajouté en désignant le casque protecteur du joueur le plus près de lui, Benoît Arsenault.

— Vous voulez dire un casque? a demandé Jonathan.

— En plein ça! a dit l'entraîneur en souriant. Bon, la première chose à faire est de distribuer tous ces cossins.

— Cossins? ont répété une demi-douzaine de voix.

Boum Boum ne nous a pas fait attendre longtemps. Il a plongé la main dans une grosse boîte et en a sorti un chandail de hockey. Des lettres blanches se détachaient sur un fond vert :

ALIMENTS NATURELS DE MARS
Flammes

Jonathan a regardé le chandail avec vénération :

— Nous sommes les Flammes.

Je sais reconnaître un gros titre quand j'en vois un : *Les Flammes de Mars.* Ce serait parfait pour la une de *Sports*

Mag. Quel beau nom!

Les joueurs se sont rués sur la boîte. Les têtes ont disparu sous les chandails verts. C'était un grand moment pour tout le monde.

C'est Jonathan qui a exprimé le sentiment collectif :

— On savait qu'on entrait dans la ligue, mais maintenant, c'est officiel.

L'entraîneur a donné un coup de sifflet.

— Vous êtes magnifiques! a-t-il dit d'un air ému. Bon, on va commencer par des machins de base.

De toute évidence, il ne connaissait aucun nom commun.

Jean-Philippe a tenté de deviner :

— Des exercices?

Décrire un entraînement avec Boum Boum Blouin exigeait des talents de traducteur. C'était un vrai défi de comprendre ce qu'il voulait dire. Et si c'était difficile pour moi, imaginez les pauvres joueurs! Ils patinaient de tous côtés, en sueur, s'efforçant de comprendre les indications que vociférait Boum Boum :

— Mets ton bidule sur l'affaire! (Garde ton bâton sur la glace!)

— Regarde le zinzin, pas la patente! (Surveille le joueur, pas la rondelle!)

— Le trucmuche! Vite, le trucmuche! (Ne rate pas le rebond!)

On ne pouvait faire autrement que plaindre Cédric Rougeau. Le pauvre gars venait de passer du rêve au cauchemar. Le meilleur patineur de la ligue a donné un coup de patin, a trébuché sur une bosse et s'est affalé sur la glace. Et ça s'est produit à cinq reprises avant qu'il s'habitue à la surface bosselée de la patinoire de Mars.

Je n'en croyais pas mes yeux. Le joueur, qui m'avait ébloui à l'aréna il y avait à peine une heure, avait soudain l'air d'un enfant de quatre ans qui apprenait à patiner. Il était le pire joueur sur la patinoire.

Il a persévéré courageusement pendant un moment. Mais, lorsque l'entraîneur l'a pris à l'écart pour lui offrir des cours de patinage, le meilleur marqueur de la ligue a piqué une crise.

— Des cours de patinage? s'est-il exclamé dans l'air glacé. Mais je sais patiner! Le problème, c'est la patinoire! C'est comme la surface de... Mars! La planète, pas la ville!

Boum Boum a éclaté de rire.

— Mon gars, tu dois savoir faire face au pire comme au meilleur! Aux surfaces raboteuses comme aux surfaces lisses. Aux trucmuches comme aux gugusses.

Puis il est allé rejoindre les défenseurs.

Alexia est passée comme une flèche à côté de Cédric, l'arrosant de gadoue d'un coup de ses patins blancs. De tous les habitants de la ville, c'est elle qui déteste le plus les blagues sur les Martiens.

— Hé, la vedette! Je croyais que tu savais patiner!

— Tu es une *fille?* a lancé Cédric en la dévisageant.

— Dis donc, tu es un génie, en plus d'être vaniteux! a rétorqué Alexia, qui peut être un vrai pit-bull quand on se met à la provoquer.

Jonathan, qui semblait énorme avec ses jambières de gardien, s'est approché d'eux.

— Arrête ça, Alex, a-t-il dit. Tu sais, Cédric, on a grandi sur cette patinoire. Tu verras, tu vas t'habituer à la glace.

Mais Cédric regardait toujours Alexia avec des yeux écarquillés.

— Elle ne peut pas faire partie de l'équipe!

— Crois-moi, a répliqué Jonathan en souriant, même Godzilla ne pourrait pas dire à Alexia ce qu'elle ne peut pas faire.

Plus tard, pendant l'exercice de mise en échec, Cédric s'est arrêté net au lieu de plaquer Alexia. Ulcérée par ce traitement spécial, elle a avancé la hanche et l'a envoyé voler dans la bande. Je ne crois pas que le grand Cédric ait reçu un coup plus dur de toute la dernière saison.

Boum Boum a adoré ça.

— Super! a-t-il lancé à Alexia. C'est un exemple parfait de bidulotruc.

Il voulait probablement dire « mise en échec avec l'épaule ».

J'ai essayé d'analyser la performance de l'équipe en me fiant à mes instincts de journaliste sportif. Difficile de dire si les joueurs étaient bons ou non. Évidemment, personne ne filait à toute allure comme les Pingouins à l'aréna de Bellerive. Mais personne, même pas Cédric, n'aurait pu patiner vite sur cette glace. Ça ne voulait donc pas dire grand-chose.

Benoît Arsenault était le plus rapide pour patiner de l'avant, mais il était incapable de patiner à reculons. Kevin Imbeault, lui, patinait à reculons comme un joueur du Temple de la renommée. Par contre, il avait tellement de mal à patiner vers l'avant qu'il trébuchait pratiquement sur la ligne bleue. Boum Boum les a donc mis ensemble à la défense, ce qui démontrait une certaine logique. Cela prouvait aussi que l'entraîneur connaissait mieux le hockey que la langue française.

Boum Boum était un gars très sympathique. Il a passé une demi-heure à expliquer la règle du hors-jeu à Carlos. Et il ne s'est même pas fâché quand ce bon vieux Carlos est entré dans la zone adverse pendant le jeu suivant. De plus, il est demeuré patient avec cette grande gueule de Jean-Philippe, qui était convaincu que le lancer de pénalité est la technique la plus importante au hockey et que les autres exercices sont une perte de temps.

— Le lancer de pénalité? a répété l'entraîneur, stupéfait. Mais c'est le truc le plus rare qui soit, au hockey! J'ai joué pendant 16 ans, et je n'en ai jamais fait un! Je n'ai même jamais joué une partie où il y en a eu un!

— Mais il faut qu'on soit prêts! a insisté Jean-Philippe. Sinon, on risque de perdre un but!

— Plus tard, a promis l'entraîneur.

J'en ai pris bonne note. Plus tard signifiait « jamais dans cent ans ».

Après l'entraînement, Boum Boum nous a tous invités à venir prendre un machin-chouette à son magasin d'aliments naturels.

Cédric a été le seul à refuser.

— Non merci, ma mère m'attend dans l'auto.

— Invite-la aussi, a proposé Boum Boum.

— Euh, non, je crois qu'elle est allergique aux machins-chouettes, a répondu Cédric avec un petit sourire.

De toute évidence, il voulait déguerpir au plus vite de la ville de Mars. On ne pouvait pas lui en vouloir. Il était trempé jusqu'aux os à force d'être tombé dans la gadoue, en plus d'être meurtri par les mises en échec d'Alexia.

— Mauviette! a marmonné Alexia. On n'a pas besoin de lui!

Les machins-chouettes étaient en fait des chocolats chauds, servis au magasin d'aliments naturels de M. Blouin et de sa femme.

Ah, Mme Blouin! Mon crayon s'est brisé dans ma main quand elle est sortie de la cuisine avec son plateau. Jonathan s'est mis à tousser comme un détraqué et sa sœur a dû lui donner des tapes dans le dos. Jean-Philippe est tombé de sa chaise et a atterri sur la tête.

Comment dire? Mme Blouin était la plus belle, incroyable, séduisante, extraordinaire femme du monde. À côté d'elle, les supermodèles auraient sûrement eu l'air de grizzlys. Elle mesurait plus de 1,80 mètre, avait de longs cheveux noirs et des yeux... Oh, je suis un journaliste sportif, après tout, pas un poète.

Nous avons regardé Boum Boum. D'accord, c'était un gars formidable, mais tout de même! Le couple Blouin était comme la Belle et la Bête.

Alexia était dégoûtée de notre réaction. Elle a été la première à briser le silence.

— Il est très bon, votre chocolat chaud, madame Blouin! a-t-elle dit.

— Oh, ce n'est pas du chocolat, ma petite, a répondu Mme Blouin d'une voix parfaite, à l'image de sa beauté. C'est de la gomme de caroube. Et la crème fouettée est en fait un produit à base de tofu.

Ma gorge s'est serrée. Ça avait quand même bon goût, mais le simple fait de savoir que ces ingrédients se trouvaient dans ma tasse me gâchait le plaisir. L'entraîneur avait raison. Nous buvions des machins-chouettes.

J'ai remarqué un espace vide inhabituel dans ma joue – à peu près de la taille d'une grosse boule phosphorescente parfumée aux fruits.

Chapitre 4

Les Flammes de Mars devaient jouer leur première partie le samedi suivant, à l'aréna de Bellerive. Lorsque l'entraîneur Blouin a appris que j'écrivais un article sur les Flammes dans la *Gazette*, il m'a invité à monter dans l'autobus de l'équipe.

Ce n'était pas un véritable autobus. C'était en fait le vieux camion de livraison tout rouillé du magasin d'aliments naturels. Il n'y avait donc pas de sièges à l'intérieur. Nous rebondissions comme des balles de ping-pong, ce qui n'est pas amusant quand on est la seule personne à ne pas porter d'équipement protecteur. J'ai reçu le bâton de gardien de Jonathan sur la tête, et Carlos a trouvé ça si drôle qu'il en est presque tombé du camion.

Et ce n'était pas tout. La veille, l'entraîneur avait renversé un contenant de huit litres de soupe au poisson, au chou et à l'ail dans le camion. Même après un bon rinçage au tuyau d'arrosage, l'intérieur du camion empestait. Et quand nous avons déchargé notre équipement à l'aréna, nous empestions tout autant.

Les visiteurs de Mars se sont fait accueillir par des huées et des sifflements dans le hall de l'aréna. N'oubliez pas que très peu de gens voulaient de notre équipe dans la ligue.

— Vous êtes pourris! a crié un joueur d'une autre équipe.

— Est-ce qu'il dit ça parce qu'on pue ou parce qu'il ne nous aime pas? a chuchoté Jean-Philippe.

— Tais-toi et marche! a marmonné Alexia, d'une voix si basse qu'on avait peine à l'entendre.

Comme les Flammes avaient déjà leur équipement sur le dos, il ne leur restait plus qu'à enfiler leurs patins dans le vestiaire.

— Nos adversaires sont les Ouragans du Paradis de la gaufre, a annoncé l'entraîneur. Ils ont terminé derniers dans les machins-trucs des deux dernières années. Ce ne sont donc pas des champions. Mais rappelez-vous qu'ils ont l'habitude de jouer ensemble, ce qui n'est pas notre cas. Ne soyons pas trop sûrs de nous.

Sûrs de nous? N'avait-il pas remarqué à quel point les joueurs étaient terrifiés? Je ne cessais de prendre des notes, car c'est ce genre de détail qui rend un article intéressant. Jonathan avait fait au moins quatre nœuds dans les lacets de ses patins. Carlos se frappait la tête contre le mur derrière lui avec un rythme constant. L'écho de son casque sur le béton tapait sur les nerfs de tout le monde. Jean-Philippe se rongeait les ongles à travers le grillage de son casque. Même Alexia, qui ne serait pas effrayée par l'attaque d'un rhinocéros, était pâlotte et sérieuse.

L'atmosphère était très tendue. Quant à moi, eh bien, le bon vieux Tamia aurait bien voulu sucer quelques gros bonbons durs! Mais Malheureusement, je n'avais que mon crayon à me mettre sous la dent.

Jonathan a jeté un coup d'œil à l'horloge sur le mur. Il ne restait que trois minutes avant le début de la partie.

— Où est Cédric? a-t-il demandé, exprimant l'inquiétude de tout le monde. Il devait nous rencontrer ici.

— Qu'est-ce que je vous avais dit? a lancé Alexia avec un grognement de dégoût. Les rats fuient toujours un bateau qui est en train de sombrer.

— Il doit y avoir une explication, a insisté Jean-Philippe.

— C'est sûr qu'il y a une explication, a fulminé Alexia. Il préfère ne pas jouer plutôt que d'être vu sur la glace avec des Martiens. Eh bien, bon débarras!

— Ne soyons pas négatifs, a dit l'entraîneur. Bon, il est temps d'aller sur le gugusse.

Mon crayon filait si vite sur le papier qu'il en devenait flou. Je tenais décidément un sujet digne de *Sports Mag* : Les Flammes de Mars, se dirigeant courageusement vers leurs adversaires, prêts à disputer leur première partie, insultés et abandonnés par leur coéquipier de Bellerive.

Les joueurs ont suivi l'entraîneur, puis se sont

immobilisés. Sur la glace, seul en train de s'échauffer, se trouvait Cédric Rougeau.

À l'exception d'Alexia, tous les joueurs l'ont entouré pour lui donner des tapes dans le dos. On aurait dit qu'ils avaient déjà remporté le championnat, même si la saison n'avait pas encore commencé. Les Ouragans devaient sans doute penser qu'ils étaient cinglés. Cédric, lui, avait simplement l'air malheureux.

Quelques partisans des Ouragans étaient dans les gradins, principalement des parents et quelques joueurs d'équipes ayant disputé des matchs plus tôt dans la journée. Quant à notre équipe, on aurait cru que la moitié de la ville de Mars s'était déplacée pour l'encourager. Les Flammes ont donc reçu une ovation pendant la période d'échauffement. Je déteste devoir l'admettre, mais cela a été le meilleur moment de la soirée pour nos joueurs.

Je suppose que j'aurais dû m'attendre à ce que les joueurs des Flammes soient mauvais. Après tout, c'était la première fois qu'ils faisaient partie d'une ligue. Bien sûr, ils avaient déjà joué au hockey, des petites parties improvisées sans règles. Mais cette fois, il y avait des règles, des arbitres, des mises au jeu, des périodes. Et des gradins remplis de spectateurs. C'était impressionnant.

Tout d'abord, les Flammes avaient l'habitude de la glace bosselée de Mars. Fraîchement arrosée par une véritable surfaceuse, la patinoire de l'aréna était lisse comme un miroir. Tous les Marsois ont senti leurs pieds se dérober sous eux et ont perdu l'équilibre l'un après l'autre.

La scène ressemblait à un champ de bataille après le combat, avec tous ces corps étendus sur la glace.

Humilié, Cédric allait d'un coéquipier à l'autre, aidant tout le monde à se remettre debout.

— Je peux me relever toute seule, a dit Alexia, les dents serrées.

— Comme tu veux, a répondu Cédric en haussant les épaules.

Il a tourné les talons, la laissant se débrouiller.

Les joueurs de hockey entendent souvent des huées et des cris d'enthousiasme, mais il arrive rarement qu'on rie d'eux, surtout leurs propres parents. C'était vraiment éprouvant comme début.

Seule bonne nouvelle : Cédric était au mieux de sa forme, maintenant qu'il était sur une patinoire familière. Il a gagné la première mise au jeu, feinté le joueur de centre adverse et fait la plus belle passe que j'aie jamais vue. Elle était si parfaite que Jean-Philippe n'a même pas eu à déplacer son bâton pour s'emparer de la rondelle avant de filer sur l'aile gauche.

— C'est un machin-chouette! s'est écrié Boum Boum.

— Un chocolat chaud? a crié Carlos, qui devait penser à la séance d'entraînement de la semaine précédente.

J'étais assis dans la première rangée, derrière le banc.

— Une échappée! ai-je crié. Vas-y, Jean-Philippe!

Pris de court, le défenseur des Ouragans a fait une tentative désespérée. Il a plongé vers la rondelle, mais son bâton s'est coincé dans les patins de Jean-Philippe, qui est tombé. Le sifflet de l'arbitre a retenti pour signaler un accrochage.

Le défenseur s'est dirigé vers le banc des pénalités, mais l'arbitre l'a rappelé.

— Ton bâton a fait trébucher le numéro 10 alors qu'il était en échappée vers le filet, a décrété l'officiel. C'est un lancer de pénalité.

Jean-Philippe a tourné la tête si vite que j'ai cru qu'il allait se briser le cou.

— Vous voyez? a-t-il crié à l'entraîneur Blouin. Un lancer de pénalité! Vous nous aviez dit que ça n'arrivait jamais!

Boum Boum lui a fait signe de s'approcher du banc pour qu'il lui donne ses instructions.

— Bon, d'abord, ne sois pas nerveux.

— Je ne serais pas nerveux si on l'avait fait à l'entraînement! a rétorqué Jean-Philippe.

— Écoute-moi, a dit Boum Boum. Quand tu prendras le machin, fonce vers le truc, et donne un petit youp-là juste avant de tirer.

C'était clair comme de l'eau boueuse. Jean-Philippe l'a dévisagé, les yeux de plus en plus écarquillés. Quand le sifflet a retenti, il tremblait d'excitation. Il ne pouvait même plus parler. Nous lui avons souhaité bonne chance, et il a émis un son qui ressemblait à un bruit de moteur de voiture par un matin d'hiver glacial.

La rondelle a été déposée au centre de la glace. Jean-Philippe a patiné dans sa direction, a levé son bâton et... a manqué son coup.

Il a continué sur sa lancée, sans rondelle.

— Recommence, lui a dit l'arbitre en souriant.

Les rires ont fusé dans les gradins.

Jean-Philippe a fait demi-tour, et cette fois, il n'a pas raté la rondelle. Il est difficile de décrire ce qui s'est passé. Jean-Philippe a perdu tous ses moyens. Littéralement. La rondelle a roulé loin de lui, suivie de son bâton et d'un de ses gants. Un de ses patins s'est délacé, ce qui l'a fait trébucher et s'affaler par terre. Son casque est tombé dans le cercle de mise au jeu, la grille protectrice battant au vent. Le deuxième gant est resté par terre pendant que Jean-Philippe glissait sur les fesses en direction du filet. Le gardien a bel et bien fait un arrêt, mais c'est Jean-Philippe qu'il a bloqué plutôt que la rondelle. Je suis certain qu'il n'y a jamais rien eu de pareil dans *Sports Mag*.

Les gradins tremblaient sous les rires des spectateurs. Il a fallu les efforts de tous les joueurs des Flammes, ainsi que de quelques Ouragans, pour rapporter les pièces d'équipement de Jean-Philippe vers le banc, où il a dû les enfiler de nouveau.

— Je vous avais dit qu'il fallait s'exercer! a-t-il déclaré d'un air offusqué.

Comme s'il y avait un exercice pour ne pas tomber en morceaux pendant un lancer de pénalité!

Boum Boum était trop gentil pour ajouter son rire à celui de l'assistance.

— À la prochaine séance d'entraînement, a-t-il promis.

Les Ouragans avaient peut-être été la pire équipe de la ligue jusque-là, mais ce n'était plus le cas. Ils menaient 4 à 0 à la fin de la première période, et 9 à 0 à la fin de la deuxième. Le pauvre Jonathan a réussi de nombreux arrêts, mais en a tout de même raté quelques-uns. Il n'avait pas beaucoup d'aide de la part de ses défenseurs. On aurait dit que c'était toujours Kevin qui devait avancer pour bloquer un tir, alors que Benoît devait reculer. Si la situation avait été inversée, ils auraient été à la hauteur. Mais dans les circonstances, ils étaient souvent affalés sur la glace pendant que deux ou même trois joueurs adverses se précipitaient vers Jonathan sans personne pour leur faire obstacle. C'est ainsi qu'ils ont réussi à marquer neuf buts. Une bonne équipe en aurait marqué 50.

À l'exception de Cédric, personne parmi les Flammes n'avait joué dans une équipe où on faisait des changements de ligne. Il y a donc eu 11 pénalités parce que l'équipe avait trop de joueurs sur la glace. Les Flammes se retrouvaient donc constamment avec un ou deux joueurs en moins. Puis il y a eu le moment où le premier alignement est revenu au banc, et où le deuxième a oublié de le remplacer. Cela a entraîné le premier assaut à cinq contre zéro de l'histoire du hockey. Jonathan avait l'air perdu, entouré de tous ces chandails violets.

Finalement, le nombre de joueurs des Flammes sur la glace importait peu, parce qu'ils n'arrêtaient pas de tomber. Seul Cédric restait debout sur ses patins. Quelques joueurs ont commencé à s'habituer à la glace, dont Carlos.

Mais plus il patinait avec aisance, plus souvent il franchissait la ligne adverse trop vite et provoquait des hors-jeu. Il n'arrivait pas à comprendre que la rondelle devait traverser la ligne bleue avant lui.

À la troisième période, la situation a encore empiré. Au douzième but des Ouragans, j'ai rayé mon titre plein d'espoir, *Débuts miraculeux*, pour le remplacer par *Massacre sur la glace.*

— Retournez sur votre planète! a crié l'un des joueurs, du banc des Ouragans.

— Comment trouvez-vous la ligue, bande d'habitants cosmiques?

— Allez donc traire la Voie lactée!

— Traire la Voie lactée! a ricané Carlos en secouant la tête. Comme si la Voie lactée donnait du lait!

— Ils sont en train de nous insulter, crétin! lui a dit Alexia, dont la visière était embuée tellement elle bouillait de colère. Ils ne vont pas s'en tirer comme ça, a-t-elle ajouté à voix basse.

— Allez, on se calme, est intervenu l'entraîneur. La bave du trucmuche n'atteint pas la blanche bidule.

Mais Jean-Philippe ne voulait rien entendre :

— Vous vous prenez pour qui? a-t-il crié en direction de l'autre banc. Vous êtes les derniers de la ligue!

Le capitaine des Ouragans a désigné du doigt le tableau de pointage.

— Nous ne sommes plus les derniers! À moins que les habitants de l'espace ne sachent pas compter?

C'est alors que l'entraîneur des Ouragans a ajouté son grain de sel.

— Ça suffit! a-t-il dit. Faites preuve d'un peu de classe, les gars. Nous les avons battus à plate couture. Ayez un peu de pitié pour ces pauvres Martiens.

On aurait dit que ça ne dérangeait pas Boum Boum lorsque des enfants nous insultaient. Par contre, en entendant un adulte nous traiter de Martiens, il a perdu son calme.

Il a sauté sur le banc et a montré le poing à l'autre entraîneur en hurlant :

— Espèce de patente à gugusse!

Il s'est fait sortir de l'aréna, mais pas avant que la moitié de l'équipe ne l'ait étreint avec reconnaissance.

Cédric s'est planté devant l'arbitre.

— Il reste quatre minutes de jeu, et nous n'avons plus d'entraîneur!

L'arbitre a regardé autour de lui.

— Toutes les équipes doivent avoir un entraîneur adjoint. Où est le vôtre?

— Youhou! a fait une voix. Je suis ici!

De hauts talons ont cliqueté sur les gradins de métal. Mme Blouin a descendu l'allée centrale pour venir à la rescousse de l'équipe de son mari.

L'arbitre en a presque avalé son sifflet.

— C'est elle, votre entraîneur adjoint?

Alexia s'est levée :

— Avez-vous une objection?

Le juge de ligne a regardé Mme Blouin et s'est écrasé contre la vitre.

J'ai cru que les gradins allaient se renverser quand tous les pères se sont penchés pour mieux voir notre spectaculaire entraîneuse adjointe.

Elle a envoyé des joueurs sur la glace, et le jeu a continué. Cette fois, les Ouragans étaient tout aussi désorganisés que les Flammes. Alexia a remarqué qu'un joueur adverse en possession de la rondelle avait les yeux fixés sur Mme Blouin. Elle en a profité.

Paf!

C'était une mise en échec dans les règles, mais il y avait probablement un peu de revanche aussi là-dessous. Alexia s'est emparée de la rondelle et s'est élancée à droite.

Un joueur en vert s'est placé à ses côtés, puis s'est rangé derrière elle quand elle a franchi la ligne bleue. Le défenseur adverse s'est avancé pour la bloquer.

Après avoir feinté, Alexia a passé la rondelle au coéquipier qui arrivait derrière elle.

C'était Cédric, le bâton déjà en position.

Toc!

Il a fait un lancer frappé, et la rondelle a été projetée dans les airs. Le gardien ne l'a vue arriver que lorsqu'elle a heurté le coin supérieur du filet et est retombée sur la glace. C'était maintenant 12 à 1 pour les Ouragans.

Nous avons presque célébré. Au moins, nous avions évité le blanchissage.

— Belle passe, a dit timidement Cédric à Alexia en

retournant vers le banc.

N'importe qui aurait répondu merci. Mais Alexia, elle, était insultée.

— Si j'avais su que c'était toi derrière moi, je ne t'aurais jamais fait de passe!

— Pourquoi pas? Nous avons marqué un but! a-t-il protesté, stupéfait.

— Nous n'avons pas marqué de but, a-t-elle rétorqué calmement. Tu as marqué un but. C'était ton objectif, non? D'avoir le beau rôle et de nous ridiculiser!

Contrairement à Alexia, Cédric ne maîtrisait pas le réglage de volume inversé. Quand il perdait son calme, il hurlait à pleins poumons :

— Je vous ai ridiculisés? C'est vous qui tombez partout comme des quilles! Votre filet ressemble à une usine à rondelles! Vous ne comprenez rien aux hors-jeu et aux changements d'alignement! Votre entraîneur parle une langue bizarre que personne ne comprend! Sans oublier le joueur qui s'est désintégré pendant un lancer de pénalité! Et tu dis que c'est moi qui vous ridiculise? Vous êtes les champions de la honte!

Enfin la sirène a retenti pour annoncer la fin de la partie.

Chapitre 5

Quel désastre!

Bien sûr, je savais qu'une équipe Cendrillon ne connaît jamais de bons débuts. Mais pour être aussi désespérée que les Flammes, il aurait fallu que Cendrillon ait 150 demi-sœurs au lieu de deux. Et chacune armée d'un lance-roquettes.

Ce n'est pas que je voulais abandonner, loin de là. Mais j'avais pris une décision le soir du premier match. Je vivrais les hauts et les bas des Flammes de Mars, mais pas sans mes gros bonbons durs.

— Clarence, mon pitou, pourquoi pars-tu si tôt? a demandé ma mère en me voyant me faufiler vers la porte le lundi suivant. L'autobus ne passera pas avant une demi-heure.

Je suis un très mauvais menteur.

— Heu... ai-je balbutié. J'ai envie de sortir tout de suite. Il fait beau.

J'ai ouvert la porte et me suis aussitôt fait bombarder de grésil. On aurait dit que des milliers d'aiguilles glacées me transperçaient le visage.

J'ai à peine remarqué le mauvais temps. J'étais chargé d'une mission. Ma destination : Le Paradis des bonbons, un magasin offrant le meilleur choix de gros bonbons durs de toute la ville de Mars, et probablement de Bellerive aussi.

M. Gauvreau ouvrait les portes quand je suis arrivé en courant. J'ai presque crié de joie en voyant qu'il avait une grosse quantité de mégabombes au raisin, des gros bonbons avec une explosion de jus de raisin à l'intérieur. Ce sont mes préférées. J'en ai rempli un sac en moins de temps qu'il ne faut pour dire « carie ».

À la caisse, M. Gauvreau a pris mon sac au lieu de mon argent.

— Désolé, Tamia, a-t-il dit en secouant tristement la tête. Tu ne peux plus dépenser ton argent ici.

— Mais pourquoi?

— Ta mère a téléphoné la semaine dernière. Il paraît que tu as passé un mauvais moment chez le dentiste...

— Ce n'est pas juste! ai-je protesté. C'est, c'est... de la discrimination à l'endroit des personnes aux dents cariées!

M. Gauvreau a haussé les épaules.

— Crois-tu que ça me fait plaisir de perdre mon meilleur client? Mais c'est ta mère qui décide. Un point c'est tout.

Je me suis précipité hors du magasin. C'était décevant, mais je n'avais pas dit mon dernier mot. Je savais que je trouverais un assortiment acceptable chez le dépanneur. Ce jour-là, il y avait une caissière que je ne connaissais pas. Elle était sur le point de me donner mes gros bonbons à la réglisse, quand elle a aperçu mon nom sur mon sac d'école.

— Aubin... Est-ce que c'est toi qu'on appelle Tamia?

— Mais non! ai-je répondu. J'ai emprunté ce sac à un ami.

Elle ne m'a pas cru.

— Le patron m'a laissé une note sur la caisse. Il paraît que tu avais 11 caries lors de ton dernier examen dentaire!

— Ouais, eh bien, vous ne trouvez pas que j'ai assez souffert? ai-je rétorqué.

— Je pourrais te vendre de la gomme sans sucre, a proposé la caissière.

Bien sûr. Quand quelqu'un veut un gros bonbon dur, la dernière chose qu'il veut entendre, c'est l'expression « sans sucre ».

J'ai fait une dernière tentative. Il y avait une station-service sur l'avenue Désilets. Le choix de bonbons durs y était plutôt restreint, mais j'étais désespéré.

J'avais à peine mis les pieds à l'intérieur que le commis a saisi tous les gros bonbons et les a cachés derrière le comptoir.

— Oublie ça, Tamia, a-t-il dit en riant. Ta mère a averti toute la ville.

— Je peux vous donner plus d'argent! ai-je supplié.

Il est resté inébranlable.

— Tu crois que tu peux m'acheter avec 25 cents? a-t-il

demandé d'un air narquois. Hé, voilà ton autobus!

Pour rattraper l'autobus, j'ai dû courir presque jusqu'au pont, en agitant les bras et en criant sous la pluie glaciale.

J'étais de mauvaise humeur, mais ce n'était rien en comparaison des zombis qui se trouvaient dans l'autobus.

— Merci d'avoir dit à Mme Costa que je courais derrière le bus! ai-je lancé d'un ton ironique.

— Tu as l'air ridicule avec tes sourcils pleins de glace, a rétorqué sèchement Jonathan.

Holà! Jonathan est le garçon le plus gentil de Mars. S'il était à ce point susceptible, sa sœur Alexia devait être d'une humeur volcanique!

C'était bien ma chance : le seul siège libre était à côté d'elle. Je m'y suis glissé en tentant de me faire tout petit.

Les fenêtres ont tremblé quand l'autobus a traversé le pont. C'était le seul son qu'on entendait à l'intérieur.

— Bon, a soudain dit Alexia. Crache le morceau!

— Quel morceau? ai-je demandé, interloqué.

Elle m'a lancé un regard furieux.

— Si notre équipe doit se faire dénigrer dans les journaux, j'aime autant savoir à l'avance ce que tu écriras dans la *Gazette*.

Il fallait que je protège la liberté de la presse.

— Les notes d'un journaliste doivent rester confidentielles!

Elle m'a soulevé par le collet et a sorti mon carnet de ma poche. Puis elle m'a laissé retomber sur le siège. Je me suis presque empalé sur mon propre crayon.

Son visage s'empourprait un peu plus à chaque page qu'elle lisait.

— C'est horrible! s'est-elle exclamée.

— Qu'est-ce que j'étais censé écrire? ai-je protesté. Que vous avez gagné?

En réalité, je savais à quoi elle faisait allusion. Après la partie, j'avais interviewé quelques jeunes de Bellerive, et leurs commentaires étaient plutôt cinglants :

« Tout le monde sait que ces Martiens n'ont pas leur place dans notre ligue! »

« Quelle bande de clowns de l'espace! »

« On devrait les renvoyer! Ils diminuent la qualité du jeu! »

Et le pire de tout :

« Cédric Rougeau ou non, je vous garantis qu'ils ne gagneront pas une seule partie! »

— Je n'ai rien inventé, ai-je expliqué à Alexia. C'est vraiment ce qu'ils ont dit!

Elle m'a rendu mon calepin. Ça m'a fait mal quand il a rebondi sur mon nez.

— Ne perds pas ces déclarations, m'a-t-elle ordonné d'un air sombre. Ces gars-là vont ravaler leurs paroles quand nous allons devenir les meilleurs!

Les meilleurs? Il faudrait que les Flammes s'améliorent de 500 % pour devenir médiocres!

Nous sommes arrivés à l'école. J'ai deviné que quelque chose n'allait pas quand Mme Costa ne nous a pas lancé sa blague spatiale habituelle. J'ai vite compris pourquoi.

Un groupe d'élèves était rassemblé devant notre espace de stationnement. Ils se sont écartés au moment où nous faisions la queue pour sortir du véhicule.

Des pièces d'équipement de hockey étaient empilées sur l'asphalte : des chandails, des gants, des épaulières, des bâtons et même des patins. Au centre de la pile était étendu un mannequin de magasin, entièrement nu. Son dos portait ces mots :

LANCER DE PÉNALITÉ MARTIEN

Carlos a donné un coup de coude à Jean-Philippe :

— La comprends-tu? Tu as fait un lancer de pénalité, et ton équipement s'est éparpillé!

— Ça ne serait pas arrivé si on s'était exercés, a marmonné Jean-Philippe.

Si Carlos trouvait ça drôle, les jeunes de Bellerive, eux, pensaient que c'était la blague la plus hilarante qu'ils aient jamais entendue.

Nous sommes entrés furtivement dans l'école, complètement humiliés.

J'ai trouvé un emballage de chocolat Mars collé sur mon casier. Vide. Ces idiots de Bellerive n'avaient même pas eu la décence de me laisser la tablette de chocolat. Les tablettes Mars peuvent être aussi dures que des gros bonbons quand on les met au congélateur.

En me dirigeant vers la classe du cours de français, j'ai remarqué d'autres casiers portant des emballages de tablettes Mars. Incroyable ce que les gens peuvent inventer pour insulter notre ville.

Je n'avais pas l'intention d'accuser qui que ce soit, mais en arrivant dans ma classe, j'ai vu Rémi Fréchette et Olivier Vaillancourt en train de manger du chocolat. Je sais, on est présumé innocent jusqu'à ce qu'on soit déclaré coupable, mais ces deux-là étaient incontestablement coupables. Ils ont été chanceux qu'Alexia ne tire pas de conclusions en entrant en classe. Cédric, lui, a vite compris.

— Des tablettes Mars. Bravo, les gars, c'est très intelligent, a-t-il dit d'un ton ironique en s'assoyant à côté de ses anciens coéquipiers. J'ai entendu dire que vous avez battu les Tornades samedi.

— Et ce n'est pas grâce à toi! a rétorqué Rémi d'un ton boudeur.

J'ai dressé l'oreille. J'ai des oreilles de journaliste. C'est comme si elles avaient des antennes pour détecter les nouvelles. Ce sera un talent inestimable quand je ferai des entrevues pour *Sports Mag* après la finale de la Coupe Stanley et le Super Bowl. J'ai donc fait abstraction des autres bruits pour mieux me concentrer sur leur conversation.

— Pas grâce à moi? Tu devrais plutôt en vouloir à ton oncle, le président de la ligue! Ce n'était pas mon idée de changer d'équipe.

— On n'aime pas former le trio ROT, a gémi Olivier. On

veut retrouver notre C.

— Vous avez marqué un but tous les deux, a commenté Cédric.

— On aurait fait un triplé si tu avais été là! s'est exclamé Rémi. Tristan Aubert ne veut pas partager la rondelle. Pour lui, une passe, c'est une carte pour prendre l'autobus!

— Le pire a été de te voir essayer de jouer avec les Martiens, a ajouté Olivier. Ils sont pourris.

— Je sais, a dit tristement Cédric. Mais ils ne sont pas aussi mauvais qu'ils en ont l'air. Tu devrais voir leur patinoire d'entraînement. C'est comme patiner sur de la purée de pommes de terre congelée! Je me suis presque cassé le cou!

Rémi a secoué la tête.

— C'est humiliant de les avoir dans notre aréna. Ils ne savent pas patiner. Ils ont du mal à se tenir debout. Et il y a une fille dans leur équipe!

— Je sais, j'ai pratiquement avalé mon casque quand j'ai vu ça, a renchéri Cédric. Je ne savais pas que les filles étaient acceptées dans la ligue.

— Elles ne le sont pas! a gémi Rémi, l'air catastrophé. Du moins, elles ne l'étaient pas jusqu'ici. Mais mon oncle dit que la ligue ne peut refuser personne sans courir le risque de se faire poursuivre en justice.

Mme Spiro est entrée, et les trois amis ont baissé le ton. J'ai dû tendre l'oreille pour saisir leurs propos.

— Tu dois démissionner, a chuchoté Olivier.

— Démissionner? a répondu Cédric, surpris. Tu veux dire arrêter de jouer au hockey?

— Ce ne serait pas pour longtemps, a ajouté Rémi. Ils vont bientôt constituer l'équipe des étoiles. Penses-tu qu'ils vont vouloir affronter les autres ligues sans toi? Alors, tu n'auras qu'à dire : « D'accord, je vais revenir, mais seulement si je joue avec les Pingouins. »

— C'est ce que je n'ai cessé de répéter à mon père, a répliqué Cédric. Et tu sais ce qu'il m'a répondu? « Personne n'est plus important que la ligue. Tu vas jouer où ils te disent de jouer. » Alors, je joue pour les Flammes. Je n'aime pas ça, mais c'est mieux que de ne pas jouer du tout.

— Tu veux dire que tu ne feras rien? a demandé Rémi d'un ton horrifié.

— Il n'y a rien à faire, a insisté Cédric.

Alors que la discussion semblait sur le point de s'envenimer, Mme Spiro a pris la parole.

— Vous avez eu toute la fin de semaine pour trouver un partenaire pour votre projet de recherche. Alors, quelles seront les équipes?

J'ai levé la main.

— Madame Spiro, vous aviez dit que mon article sur l'équipe de hockey compterait pour le projet de recherche.

— C'est vrai, Clarence, a répondu l'enseignante en hochant la tête. Tu vas donc travailler seul. Qui d'autre?

Elle a noté les noms des élèves formant des équipes de deux ou trois. Puis Rémi s'est levé.

— Madame Spiro, je vais travailler avec Olivier.

— Et avec Cédric, je présume? a-t-elle dit en souriant.

— Non, madame. Seulement Olivier et moi. Nous sommes coéquipiers.

Mes antennes de journaliste se sont mises à vibrer. Je voyais tout un reportage s'inscrire sous mes yeux : Révolte dans le trio ROC...

— Pourquoi as-tu dit ça? a sifflé Cédric.

Mais il connaissait déjà la réponse.

Mme Spiro a vérifié sa liste.

— Bon, j'ai les noms de tous les élèves, sauf ceux de Cédric et d'Alexia. J'ai une idée, a-t-elle ajouté en souriant. Pourquoi ne formeriez-vous pas une équipe?

Alexia et Cédric se sont regardés. Il était évident qu'ils auraient préféré se faire brûler vifs que de faire équipe.

Mme Spiro l'a très bien compris.

— Eh bien, vous travaillerez seuls dans ce cas.

Chapitre 6

Boum Boum Blouin a usé de son influence et a réussi à obtenir quelques heures d'entraînement pour les Flammes à l'aréna de Bellerive. Il savait que le plus important était d'habituer les joueurs à la surface lisse de la patinoire. Une fois qu'ils sauraient patiner avec aisance, ils pourraient se concentrer sur le jeu.

J'ai donc noté dans mon carnet : *Deuxième entraînement – L'abc du patinage.* Puis j'ai rayé le titre et l'ai remplacé par : *L'art de ne pas tomber*. Je crois que c'était là l'objectif de l'entraîneur.

Le problème, c'est que les joueurs étaient complètement déprimés et effectuaient leurs exercices au ralenti, la mine triste. Jonathan se déplaçait comme si ses jambières pesaient trois tonnes chacune. Alexia avançait le menton comme si elle avait l'intention de frapper la première personne qui aurait l'audace de lui dire bonjour.

Quant à Cédric, eh bien, il avait perdu son équipe et ses amis au cours de la même semaine. Si la tristesse avait été de la glace, Cédric aurait personnifié l'Antarctique.

Boum Boum ne pouvait pas manquer de remarquer cette atmosphère de déprime. Il a donné un coup de sifflet et s'est adressé à ses joueurs :

— Bon, je sais que c'est déprimant de perdre.

— On n'a pas seulement perdu, a fait remarquer Jonathan. On a été lessivés.

— Ouais, par une équipe de perdants, en plus, a ajouté Jean-Philippe.

— Écoutez-moi, a dit l'entraîneur. Quand je jouais pour les Machins de Boston, nous nous dirigions tout droit vers la Coupe Stanley. Puis, trois semaines avant le premier bidule des séries éliminatoires, l'équipe m'a envoyé dans la pire équipe de la ligue.

Quel bon entraîneur! Il allait raconter un moment de sa propre carrière dans la LNH pour remonter le moral de ses joueurs.

— Et vous avez travaillé si fort que vous avez remis cette équipe sur pied? lui ai-je demandé, prêt à noter ses paroles dans mon calepin.

— Non, nous avons connu une série de 26 défaites, a-t-il répliqué. La saison suivante, j'ai été renvoyé dans les mineures. J'ai dû vendre ma voiture pour payer mon billet d'autobus. À bien y penser, a-t-il ajouté, une lueur tragique dans ses yeux globuleux, c'est la pire patente affaire qui me soit arrivée.

Il a patiné jusqu'au banc et s'est assis, la tête dans les mains, complètement abattu.

Il était si démoralisé que les joueurs ont repris leurs exercices, juste pour lui changer les idées. Lorsqu'il a semblé reprendre du poil de la bête, ils ont patiné avec encore plus d'ardeur, filant d'un bout à l'autre de la patinoire.

— Bravo, Boum Boum! ai-je dit. C'était une bonne tactique, ça, user de psychologie pour motiver l'équipe.

— De psychologie? a-t-il répété en me jetant un regard ébahi.

De toute façon, que l'entraîneur ait agi de façon délibérée ou non, les Flammes connaissaient un entraînement fructueux. J'ai modifié mes notes, remplaçant *L'art de ne pas tomber* par *L'abc du patinage,* puis par *L'art du patinage,* ce qui était un miracle après la partie de samedi.

Les joueurs patinaient vers l'avant et à reculons, exécutaient des croisements latéraux, des freinages brusques et des virages, sans oublier toutes sortes d'étirements et de flexions.

Voilà le côté ennuyant du métier de journaliste sportif. Des exercices comme ceux-là sont essentiels à l'amélioration d'une équipe. Et personne n'était plus heureux que moi de voir les Flammes s'améliorer. Sauf que c'était loin d'être un spectacle palpitant.

Je devais rêvasser quand j'ai de nouveau remarqué un espace vide dans ma joue. C'est alors que j'ai eu une idée. Ma mère avait averti tous les magasins de Mars de ne plus me vendre de bonbons. Mais j'étais à Bellerive, avec de l'argent dans mes poches et du temps devant moi.

Il y avait un épicier-traiteur, juste de l'autre côté de la rue. Aussitôt que j'ai franchi la porte du magasin, j'ai su que c'était ma journée chanceuse. Ils avaient des sacs de Boules-en-folie, remplis d'un assortiment de gros bonbons durs : des mégabombes au raisin, des boules volcaniques, des sphères chocolatées, des boules phosphorescentes aux fruits, et même des ultrarachides, qui goûtent le sandwich au beurre d'arachides et à la confiture!

D'accord, 6 $, c'est un peu cher pour un sac de bonbons. Mais on m'avait coupé les vivres chez moi. Je devais saisir les occasions qui se présentaient.

Après avoir pris un sac très lourd, je me suis dirigé vers la caisse. Et là, je me suis arrêté net. Je venais d'apercevoir ma photo d'école de l'an dernier, collée sur le côté de la caisse. Ils avaient mon signalement ici aussi!

Je me suis éloigné de la caisse et suis passé en chancelant derrière le comptoir des repas chauds. Quand maman avait-elle joint les rangs de la CIA? Elle devait avoir donné ma photo à tous les magasins de bonbons des environs de l'école!

J'ai tristement remis le sac à sa place, puis je suis sorti du magasin en traînant les pieds et j'ai retraversé la rue. L'équipe était toujours en train de s'entraîner, mais Jean-Philippe se morfondait dans le hall de l'aréna, ses chaussures de sport aux pieds.

— Pourquoi tu n'es pas sur la glace? lui ai-je demandé.

— J'ai été puni, a-t-il avoué d'un air embarrassé. Au lieu de faire des croisements comme l'entraîneur l'avait demandé, j'ai fait un lancer de pénalité. J'ai besoin de m'exercer à faire ce genre de lancer, moi!

Sans blague.

— As-tu échappé ton équipement sur la glace? ai-je lancé en riant.

— Je n'en ai pas eu le temps! L'entraîneur m'a expulsé de la patinoire. Et maintenant, qu'est-ce que je vais faire pendant le reste de l'entraînement?

C'est là que j'ai eu une idée géniale : ma photo était peut-être sur la caisse enregistreuse, mais pas celle de Jean-Philippe!

— Écoute, me rendrais-tu un service? ai-je demandé en lui tendant 6 $. Prends cet argent et va à l'épicerie de l'autre côté de la rue pour m'acheter des Boules-en-folie. D'accord?

— Pourquoi tu ne les achètes pas toi-même?

— Je suis trop occupé, ai-je répliqué en sortant mon carnet d'un geste vif. N'oublie pas : Boules-en-folie.

Il est parti d'un pas lent.

Je suis revenu au bord de la patinoire juste à temps pour voir Alexia mettre Cédric en échec avec une force suffisante pour faire dérailler un train. Si Cédric ne se décidait pas à répliquer de même, il ne terminerait pas la saison. Du moins, pas en un seul morceau! Le plexiglas vibrait encore du coup qu'elle lui avait assené, quand Jean-Philippe est revenu du magasin. Il m'a tendu un gros sac.

En le prenant, j'ai sursauté.

— Mais c'est chaud! me suis-je écrié.

Il a haussé les épaules.

— Et alors?

J'ai déchiré le sac pour découvrir un contenant de plastique transparent.

— Des boulettes de viande? me suis-je exclamé, abasourdi. Je t'avais dit d'acheter des Boules-en-folie, pas des boulettes farcies!

— C'est ce que j'ai demandé, a insisté Jean-Philippe. Et c'est ça qu'ils m'ont donné.

Il fixait le contenant.

— Il y a deux cuillères, a-t-il dit d'un ton plein d'espoir. Veux-tu partager?

— Tu peux tout manger, mais tu dois d'abord retourner au magasin, ai-je répondu en plongeant la main dans ma poche. Oh! et puis oublie ça, ai-je ajouté en constatant que je n'avais plus un sou. Mange tes boulettes!

Les joueurs sont sortis de la patinoire et sont venus nous rejoindre.

— Oh! s'est exclamé Carlos. Des boulettes?

— Eh oui, des boulettes, pas des boules, ai-je répondu en soupirant.

Je suppose qu'un entraînement de hockey peut donner envie de manger des boulettes de viande. C'est le genre de détail qui ne figure jamais dans *Sports Mag*. Mes boulettes à 6 $ sont passées d'un joueur à l'autre. Quand le contenant m'est revenu, il était vide.

Chapitre 7

J'aurais bien eu besoin d'un gros bonbon dur pour me réconforter pendant la deuxième partie des Flammes, qui affrontaient les Vaillants de l'Atelier de carrosserie Brunet.

Cédric nous a renseignés sur eux dans le vestiaire :

— Accrochez-vous, les gars. Ces Vaillants sont bien plus costauds que nous. Ce sont les joueurs les plus coriaces de la ligue. Alexia, tu devras être particulièrement prudente.

Il était le seul gars dans le vestiaire à ne pas savoir que c'était la pire chose à dire.

Alexia a relevé le menton :

— Pourquoi? Parce que je suis une fille?

Puis elle a inversé le volume et poursuivi à voix basse :

— La dernière fois que je t'ai plaqué, il t'a fallu 10 minutes pour te souvenir de ton nom.

L'entraîneur est intervenu :

— Les Vaillants ne sont pas seulement des zigotos qui jouent dur. Ce sont d'excellents joueurs. Ils ont terminé deuxièmes l'an dernier.

— Et comment s'en sont-ils tirés face aux Pingouins? a demandé Jonathan.

— La partie était serrée, mais nous les avons battus, a répondu Cédric.

— C'est ça qui te dérange, hein? a déclaré Alexia en levant les yeux au ciel. Tu avais l'habitude d'être le roi de la patinoire, et maintenant, tu es coincé avec des Martiens minables.

— Ce n'est pas ce que j'ai dit. Et je n'ai *jamais* dit ça! s'est écrié Cédric, le visage empourpré.

La sirène a retenti. L'entraîneur s'est levé et a tapé des mains :

— Prenez vos cossins et tout le monde sur la patente.

Pendant l'échauffement, on a tout de suite vu comment la partie allait se dérouler. Les Vaillants n'arrêtaient pas de s'approcher de la ligne médiane pour bousculer leurs adversaires et leur bloquer le passage.

Leur capitaine était un grand gaillard qui en avait long à dire. Il s'appelait William Machin et était en septième année à l'école secondaire de Bellerive. Cédric et lui étaient ennemis depuis la saison précédente, quand Cédric l'avait supplanté pour remporter le trophée du meilleur marqueur.

— On va voir comment tu t'en sors sans tes Pingouins! a grondé William.

Heureusement, un gars comme Cédric – qui a remporté deux fois le titre de joueur le plus utile à son équipe – ne se laisse pas désarçonner par des idioties de ce genre. Il a continué à patiner sans répondre.

William ne voulait pas lâcher prise :

— Blablabla, t'arracher la tête, blablabla, te réduire en miettes, blabla...

Alexia s'est approchée de lui et l'a dévisagé à travers sa visière.

— Est-ce que ta mère t'aime? Ça me surprendrait!

— Une *fille*? s'est exclamé William, estomaqué.

Cédric était furieux.

— Pourquoi as-tu fait ça? a-t-il lancé à Alexia. Maintenant, ils vont s'acharner sur toi pendant toute la partie.

— Qu'ils essaient! a-t-elle répondu.

Dès la mise au jeu, les Vaillants ont imposé leur style de jeu. Je crois que mon titre était évocateur : *Oubliez la rondelle, place au hockey*!

Comme l'avait dit Boum Boum, ils étaient redoutables. Dès la première attaque, ce barbare de William a aplati Cédric et écrasé Benoît comme s'il n'avait pas été là. Jonathan a réussi un premier arrêt, mais quand les autres Flammes ont tenté de s'approcher pour lui prêter main-forte, ils ont été écartés du jeu par de rudes adversaires. William a renvoyé la rondelle, rebond après rebond, jusqu'à ce qu'il réussisse à la projeter au-dessus de Jonathan. Les Vaillants menaient 1 à 0.

Nous avons presque réussi à leur rendre la pareille quand Benoît, le plus rapide des Flammes, s'est emparé de la rondelle libre et s'est élancé sur la glace comme un boulet de canon. Son attaque était si spectaculaire qu'il a fallu un moment aux deux équipes pour s'apercevoir que Benoît avait laissé filer la rondelle loin derrière, près de la ligne médiane. Quand il a voulu tirer, il n'y avait rien à frapper. Le gardien des Vaillants s'apprêtait quand même à faire un arrêt, tellement le lancer semblait réel!

— Belle attaque, a ricané Kevin, l'autre défenseur. Mais la prochaine fois, apporte la rondelle!

Carlos a trouvé ça si comique que l'entraîneur a dû le garder sur le banc jusqu'à ce qu'il retrouve son calme. Les spectateurs ont ri autant que lui. Cette fois encore, les Flammes étaient la risée de tout le monde.

Pour ma part, en considérant la situation d'un point de vue journalistique, je me suis rendu compte que c'était complètement différent du premier match. Les joueurs des Flammes ne passaient pas leur temps affalés sur la glace; ils patinaient, et même très bien. Bon, il leur arrivait de tomber, mais leurs chutes étaient causées par les mises en échec brutales des Vaillants. Ils réussissaient même à s'emparer de la rondelle et à exécuter quelques manœuvres. La semaine précédente, ils n'avaient fait que deux tirs au but. Cette fois-ci, ils en avaient déjà réussi quatre, sans compter l'attaque fantôme de Benoît, et nous étions seulement à la première période.

Le compte était toujours 1 à 0 quand Alexia a pris

possession de la rondelle et s'est élancée sur la droite. De mon siège derrière le banc, je pouvais voir le vilain sourire de William à travers sa visière. Il a traversé la patinoire dans sa direction, fonçant sur elle comme une torpille.

Paf!

Il l'a plaquée brutalement en donnant du coude.

Je me suis levé d'un bond, une demi-seconde après Boum Boum.

— C'est une patente de deux minutes! s'est-il écrié.

L'arbitre a donné un coup de sifflet. William ne s'est même pas donné la peine de protester. Il s'est dirigé vers le banc des pénalités, un sourire fendant son ignoble figure.

Un boulet vert a traversé la glace et a renversé cette brute d'un solide plaquage avec la hanche. C'était Cédric, dont la mise en échec aurait été tout à fait dans les règles, si ce n'était que le sifflet avait déjà retenti et que le jeu était arrêté.

L'arbitre était furieux :

— Tu l'as fait exprès! Pénalité de cinq minutes pour assaut!

Les équipes ont donc patiné avec quatre joueurs chacune pendant deux minutes. Puis les Flammes ont dû jouer en désavantage numérique pendant trois minutes. Ils n'ont pas tenu le coup. Les Vaillants ont marqué deux autres buts avant que Cédric rejoigne les rangs de son équipe. Vaillants 3, Flammes 0.

Je m'attendais à ce que Boum Boum réprimande Cédric, mais il n'en a rien fait. Alexia, par contre, ne s'en est pas privée :

— Qui t'a demandé d'être mon garde du corps?

— Mais c'était un coup salaud! a rétorqué Cédric, surpris.

— Je le sais, a-t-elle dit sèchement. Mais ne refais jamais ça!

Au cours de la deuxième période, une chose extraordinaire s'est produite. Digne de *Sports Mag*.

Un lancer frappé a projeté la rondelle sur la barre horizontale du filet derrière Jonathan. Elle a rebondi sur le côté de son bloqueur, est retombée à l'extérieur de la zone de but et a roulé jusqu'au bâton de Kevin Imbeault. Tout excité, ce dernier s'est lancé à l'attaque. Mais son patinage avant était si mauvais qu'il avait l'air de se déplacer au ralenti. Les Vaillants n'ont même pas essayé de le bloquer. Ils se sont contentés de patiner autour de lui en riant. C'était pitoyable.

Soudain, l'entraîneur Blouin a sauté sur le banc, placé ses mains en porte-voix et hurlé :

— Retourne-toi!

— Quoi? a crié Kevin, qui progressait à la vitesse d'une vieille dame.

Tous les joueurs des Flammes se sont mis à crier avec Boum Boum :

— Retourne-toi, Kevin!

Kevin s'est docilement retourné, et s'est mis à patiner à reculons. On aurait dit une tortue soudainement pourvue d'un moteur à réaction. En quelques foulées puissantes, il s'est propulsé sur la glace, entraînant la rondelle au creux de son bâton.

Alexia s'est élancée pour le rattraper.

— À gauche! lui a-t-elle jeté, car il patinait à l'aveuglette. C'est ça! Tout droit, maintenant! À droite, vite!

Kevin a suivi ses indications, croisant adroitement les pieds au besoin.

Les Vaillants étaient décontenancés. Leurs séances d'entraînement visaient toutes sortes de situations, mais celle-là était complètement inattendue. Comment mettre en échec un gars qui s'approche tout en ayant l'air de s'éloigner?

— Arrêtez-le! a crié l'entraîneur des Vaillants.

Les cinq joueurs se sont précipités sur Kevin et l'ont encerclé. Mais il était trop tard : c'est Alexia qui avait maintenant la rondelle. Elle a fait une passe à Jean-Philippe, qui a aussitôt frappé la rondelle vers Cédric. Le reste était du pur Cédric Rougeau : d'abord, une feinte de tir du poignet, puis, au dernier moment, un habile lancer du revers pour projeter la rondelle dans le filet.

Dans le vestiaire, après la deuxième période, l'entraîneur a déclaré aux joueurs d'une voix rauque :

— Écoutez, les gars! Ils ne mènent que par deux machins! Nous sommes encore dans la patente!

Il avait peut-être raison. En effet, lorsque les équipes sont retournées sur la patinoire, une pénalité pour accrochage a donné l'avantage numérique aux Flammes. Mais le style brutal des Vaillants faisait d'eux les champions du désavantage numérique. Ils bloquaient toutes les attaques et les Flammes perdaient beaucoup de temps à aller chercher la rondelle dans leur propre zone. Kevin a même tenté une autre attaque à reculons, mais il a dévié et percuté la bande de plein fouet.

L'attaque à cinq était presque terminée lorsque Cédric a pris possession de la rondelle au centre de la patinoire.

— Ne sors pas de la zone! a-t-il crié à Carlos, qui se dirigeait vers la ligne bleue à la vitesse d'un train express.

Cédric a fait la seule chose possible pour éviter un hors-jeu : il a frappé la rondelle dans la zone adverse avant que Carlos y parvienne. La rondelle a rebondi dans un coin, puis est revenue en plein sur le bâton de Carlos.

Ce dernier a été si surpris de la voir là qu'il n'a pas vraiment réussi son tir. Le gardien n'était pas prêt non plus et a repoussé la rondelle, qui a rebondi devant lui. Alexia arrivait justement près du filet. De son bras gauche, elle a retenu un défenseur, et du droit, elle a frappé la rondelle.

Toc!

La rondelle a glissé entre les jambes du gardien. Les Flammes talonnaient maintenant leurs adversaires, avec un compte de 3 à 2.

L'équipe était au comble de l'enthousiasme. Sans vouloir offenser Cédric, c'était la première fois qu'un Marsois marquait un but dans la Ligue Droit au but de Bellerive. J'aimerais pouvoir dire que cela a motivé les Flammes et qu'ils ont remporté le match. Ça aurait mérité la une de *Sports Mag*.

Malheureusement, ça ne se passe pas comme ça dans la vraie vie. Voici ce qui est arrivé. Les Vaillants se sont fait gronder pour avoir été déjoués par une fille et ils sont revenus en force, prêts à nous anéantir. En un rien de temps, ils ont bombardé Jonathan et marqué trois autres buts. Un revirement étourdissant. À un moment, nous les talonnions; et l'instant d'après, ils menaient 6 à 2.

C'est déprimant quand la victoire est hors de portée, mais il faut continuer à jouer jusqu'à la fin. Pour les Vaillants c'était la victoire assurée, et les Flammes allaient perdre. Rien n'aurait pu changer ça. Le jeu s'est donc relâché.

Puis, à moins d'une minute de la fin de la partie, cet horrible William a fait une échappée du côté gauche. J'étais furieux que cette brute se voit offrir l'occasion de faire un tour du chapeau.

Les Flammes se trouvaient tous à l'autre extrémité de la patinoire. Jonathan était donc une cible facile.

— Noooon!

Tout à coup, surgissant de nulle part, Alexia a traversé la patinoire comme une flèche, s'est baissée et a percuté William en plein ventre avec son épaule.

Ce dernier a volé dans les airs avec un cri de terreur. Il a d'abord survolé Alexia, puis la bande, atterrissant tête première au milieu du banc de son équipe. Ses coéquipiers se sont dispersés pour se mettre à l'abri. Pas un seul n'est resté debout. Dans un jeu de quilles, cela aurait compté pour un abat.

La sirène a retenti. La marque finale : 6 à 2 pour les Vaillants.

Après que les joueurs ont félicité Alexia pour sa mise en échec, le silence s'est installé dans le vestiaire. On n'entendait aucun bruit de conversation.

Jonathan frappait ses jambières avec une force exagérée pour en faire tomber la neige.

— Six autres buts, a-t-il marmonné. J'en ai laissé passer 18 en 2 matchs seulement. C'est une moyenne de buts contre de 9.

— Si c'est tout ce qu'on arrive à faire après tout le temps qu'on a passé à s'entraîner, on est vraiment poches, a gémi Kevin.

Cédric a eu l'air surpris.

— Notre jeu était mille fois meilleur que la semaine dernière, a-t-il répliqué.

— Tu n'as pas besoin de faire semblant d'être loyal, a grogné Alexia. On est peut-être des Martiens, mais on sait lire un tableau de pointage.

— Ce n'est pas une question de loyauté, mais de bon sens, a répondu sèchement Cédric. Les Vaillants jouent très bien, mais on leur a quand même tenu tête pendant deux périodes et demie. C'est une grosse amélioration.

Personne n'a ajouté quoi que ce soit, mais les Flammes ont redressé l'échine.

L'entraîneur est entré en coup de vent :

— Je vous invite tous à mon magasin pour manger des burritos aux algues et des bidulotrucs. Toi aussi, Cédric. Je te ramènerai chez toi ensuite.

— Heu, non merci, a répondu Cédric d'un air embarrassé. Je suis... occupé.

— Belle façon de démontrer ton esprit d'équipe! a lancé Alexia d'un ton sarcastique.

La fille qui avait réussi à renverser toute l'équipe des Vaillants d'un simple coup d'épaule a jeté ses patins sur son épaule et s'est dirigée vers la porte.

Le regard de Jonathan a croisé celui de Cédric.

— Te crois-tu encore obligé de la protéger? a demandé le gardien avec un sourire ironique.

Cédric a secoué la tête.

— J'ai toujours pensé que l'équipe des Vaillants était la plus coriace de la ligue, a-t-il répondu. J'avais tort. L'équipe la plus coriace est celle où joue ta sœur!

Quand Cédric sera un joueur professionnel et qu'Alexia sera la première femme à entrer dans la LNH, *Sports Mag* se jettera sûrement à mes pieds pour obtenir cette déclaration!

Chapitre 8

Monsieur le Président
Les Friandises Boules-en-folie

Cher monsieur,

J'aimerais commander certains de vos délicieux produits. Pourriez-vous me faire parvenir, par courrier prioritaire, des gros bonbons durs assortis pour une valeur de 20 $? (avec des ultrarachides supplémentaires, si possible)

Cette commande est URGENTE.

Attention de ne pas envoyer de boulettes farcies!

Recevez mes meilleures salutations,

— Clarence! a crié ma mère. Mets ton manteau! Tu vas manquer l'autobus!

Ça m'était égal. Il fallait que ma lettre parte ce jour-là.

Que devais-je mettre comme signature? Si un colis portant le nom « Aubin » arrivait au bureau de poste, il serait remis à ma mère. Autrement dit, 20 $ gaspillés et beaucoup de bonbons durs à la poubelle! J'ai frissonné. Rien que d'imaginer des ultrarachides dans les ordures, je frémissais.

J'ai entendu les pas de ma mère dans l'escalier.

— Clarence...

Oh non! Elle était à ma porte! Si elle me surprenait avec cette lettre...

J'ai signé le premier nom qui m'est venu à l'esprit : Guy Lafleur, mon joueur de hockey préféré de tous les temps. Puis je me suis empressé de mettre le tout dans une enveloppe et de la sceller.

Je l'ai dissimulée pendant que ma mère me poussait vers la porte. J'en ai presque oublié mon carnet de journaliste, tellement elle me bousculait.

J'avais le choix : je pouvais poster ma lettre ou attraper l'autobus.

J'ai couru jusqu'à la boîte aux lettres. Au même moment, j'ai vu l'autobus passer en grondant sur le pont. L'autobus municipal ne passerait pas avant une heure et je ne pensais pas que c'était une bonne idée de demander à ma mère de me conduire à l'école, si je voulais éviter un sermon.

J'ai donc fait trois kilomètres à pied jusqu'à l'école. Évidemment, avec tout ça, j'avais apporté seulement un gant. La main qui me sert à prendre des notes était presque gelée! Et c'était une journée où je devais prendre plein de notes. J'avais prévu de faire des entrevues avec les joueurs, à la récréation. J'avais besoin d'une main dégelée et prête à courir sur le papier.

Ces entrevues étaient ma plus récente idée. Jusqu'à maintenant, mes notes comprenaient beaucoup de statistiques, de pointages et de faits saillants. Mais je voulais aussi montrer un côté plus humain des Flammes à mes lecteurs.

J'ai donc posé des questions personnelles aux joueurs. C'est ainsi que j'ai appris que le père de Benoît souffrait du pied d'athlète; qu'à l'âge de deux ans, Kevin voulait devenir un chien et mangeait tous ses repas sous la table; que Marc-Antoine Montpellier collectionnait les savons d'hôtels et s'apprêtait à faire de même avec les shampoings et les bonnets de douche.

J'ai également obtenu quelques déclarations intéressantes, dont celle de Jonathan :

« Je sais que nous nous améliorons. Et nous allons commencer à gagner; ce n'est qu'une question de temps. »

Ou ce classique de Jean-Philippe, au sujet de son lancer de pénalité désastreux :

« Je ne comprends pas ce qui s'est passé. Il doit y avoir eu un coup de vent. »

Que pouvait-on répondre à ça? Il faudrait un sacré coup de vent pour arracher l'équipement de quelqu'un! Mais, question encore plus importante, d'où pourrait provenir une telle tornade à l'intérieur d'un aréna fermé?

Carlos a ajouté son grain de sel :

« Je ne comprends pas ce hors-jeu. La rondelle n'était même pas sortie du jeu. Et moi non plus! »

Il m'a aussi raconté sa blague préférée, mais j'ai dû oublier un détail en la notant, car je ne la comprends pas.

J'ai poursuivi mes entrevues.

— Pourquoi veux-tu savoir ça? a lancé Cédric d'un air soupçonneux quand je lui ai demandé quelle était sa couleur préférée.

— Tu ferais mieux de t'habituer à ce genre de question si tu veux devenir un joueur de hockey professionnel, lui ai-je conseillé. Le magazine *Sports Mag* adore ces détails.

Il a réfléchi.

— Bleu, je crois. Non, vert. La couleur des Flammes.

J'en ai pris note, puis je lui ai souri :

— Est-ce une question de loyauté?

— Quand mes soi-disant amis des Pingouins liront la *Gazette*, je veux qu'ils sachent que tout va bien pour moi, a-t-il répondu avec une grimace.

J'ai senti mes antennes frétiller. Je flairais un sujet d'article là-dessous.

— Alors, ai-je commencé en cherchant mes mots, tu te considères comme un joueur des Flammes ou des Pingouins?

Il a eu l'air embarrassé.

— Je ne sais pas. J'essaie d'être un bon joueur des Flammes. Mais mon renvoi de l'équipe des Pingouins était plutôt injuste.

J'ai hoché la tête, car j'étais désolé pour lui.

— Mais ce n'était pas la faute des Flammes, ai-je senti le besoin d'ajouter.

— Je le sais bien, a-t-il dit d'un ton morne. Vous m'excuserez si je ne suis pas aussi loyal que je devrais l'être. Ce n'est pas très agréable, comme situation!

J'étais bien d'accord avec lui.

— Je suppose que ça n'a pas aidé, quand Rémi et Olivier ont décidé de faire équipe sans toi au cours de français?

— Ne m'en parle pas! a-t-il grogné. Ce projet me rend fou! Je fais une recherche sur le trophée Selke, celui qui récompense le meilleur attaquant défensif de la LNH. Il était censé y avoir deux livres là-dessus à la bibliothèque, mais j'ai seulement pu en trouver un. Alors, je suis coincé avec une moitié de projet.

— Dommage, ai-je dit en bâillant.

Je ne croyais pas que *Sports Mag* serait intéressé par une histoire de livres de bibliothèque manquants. C'était encore pire que les histoires de Benoît au sujet de sa chenille apprivoisée. Le problème avec ces détails personnels, c'est qu'ils peuvent être vraiment assommants.

Il ne me restait plus qu'une entrevue à faire. J'avais réservé Alexia pour la fin parce que, honnêtement, elle me faisait peur. Elle n'avait pas beaucoup de patience avec les journalistes.

— Laisse-moi tranquille, Tamia! m'a-t-elle lancé quand j'ai fini par la trouver à la cafétéria.

— S'il te plaît, réponds-moi, l'ai-je suppliée. Tu es la seule fille de la ligue. Le public veut en savoir plus sur toi.

— Bon, a-t-elle dit en soupirant, tu l'auras voulu! Ma couleur préférée est le noir, mon aliment favori est le poisson frit et mon passe-temps est de répondre à des questions idiotes.

J'avais déjà écrit la moitié de ses propos lorsque je me suis rendu compte qu'elle se fichait de moi. J'ai commencé à m'éloigner.

— Reviens, Tamia. Je suis désolée.

Je savais qu'elle était sincère, car elle parlait à voix basse. Elle a désigné son plateau.

— Tiens, prends une frite. Je suis de mauvaise humeur. J'ai perdu toute la matinée à la bibliothèque, à attendre qu'un crétin rende le livre *Les gagnants du trophée Selke*.

Je l'ai regardée fixement.

— Tu veux dire le trophée du meilleur attaquant défensif?

— Oui, a-t-elle répondu. C'est mon sujet de recherche. Je suis impressionnée de voir que tu le connais, Tamia. Tu dois être un vrai maniaque de hockey. Pas comme ce crâneur de Cédric! Tout ce qui l'intéresse, c'est son image. Comment saurait-il ce qu'est un attaquant défensif?

— Heu, justement... ai-je commencé.

— J'ai pris un autre livre, *L'histoire du trophée Selke*, a-t-elle poursuivi sans m'écouter. Ça m'a permis de parler des origines du trophée. Mais je ne peux pas finir mon travail sans le livre qui parle des gagnants. Et celui qui l'a emprunté ne le rapporte pas!

Alors que j'étais sur le point de lui apprendre que Cédric avait le livre en question, mes antennes de journaliste se sont mises à vibrer. Cela pourrait faire partie de mon reportage sur les Flammes. Si je disais à Alexia et Cédric qu'ils avaient choisi le même sujet de recherche, c'est moi qui créerais la nouvelle au lieu de la rapporter tout simplement. Les bons journalistes se contentent d'observer; ils ne prennent pas part aux événements.

J'ai réfléchi à toute vitesse, et je me suis dit qu'il n'y avait pas de règle concernant les allusions.

— Tu devrais voir si M. Lambert ne te laisserait pas faire une annonce au micro! Tu pourrais alors demander qui a emprunté le livre.

— Et donner l'occasion aux élèves de rire de la Martienne qui pense savoir jouer au hockey? Non, merci!

Un peu plus tard, j'ai croisé Cédric et lui ai fait la même suggestion.

Il a haussé les épaules.

— Je ne veux pas parler au micro. De toute façon, ce livre a probablement été volé il y a cinq ans!

Le mieux que je pouvais faire était de les laisser se débrouiller, en espérant qu'ils ne seraient pas recalés en français.

Dans des moments pareils, l'espace vide dans ma joue me semble aussi gros qu'une caverne. Un journaliste a tant de responsabilités!

Chapitre 9

Faire une entrevue avec Boum Boum Blouin équivalait à interroger une personne originaire d'Ouzbékistan qui répondrait dans sa propre langue. D'après ce que j'ai pu comprendre, l'entraîneur des Flammes est né dans une ferme quelconque des environs de Mars, en mille neuf cent quelque chose. Il avait deux frères et trois patentes. Son père élevait des machins, mais la ferme produisait également des gugusses et des bidules. Sa mère gagnait un peu d'argent supplémentaire en vendant des trucmuches.

Après un moment, Mme Blouin m'a pris en pitié et s'est chargée de la traduction. S'il était difficile d'interroger Boum Boum, il était carrément impossible d'interviewer sa femme. Elle était si spectaculairement belle qu'on ne pouvait s'empêcher de la contempler. Elle m'a tout raconté, décrivant leur première rencontre et me donnant des détails sur la carrière de son mari. Après une vingtaine de minutes, j'ai baissé les yeux sur mon carnet. J'avais écrit un seul mot : *arbres*. Je ne sais toujours pas ce que ça pouvait bien vouloir dire.

Les Blouin étaient les gens les plus sympathiques du monde. Je ne faisais même pas partie de l'équipe, et ils me traitaient de la même façon que leurs joueurs, comme si j'étais un membre de la famille. Je peux vous dire que le fait de rebondir à l'arrière de ce camion de livraison, en s'accrochant désespérément à un sac de son d'avoine, avait de quoi donner l'impression de *vraiment* faire partie du groupe!

Les Blouin semblaient heureux de passer du temps avec nous et de nous servir des collations et des repas. Selon une règle tacite, nul n'allait jamais dire à ces deux personnes formidables à quel point leur nourriture était horrible.

Alors, nous mangions. Et nous poussions les aliments tout autour de notre assiette pour donner l'impression d'en laisser moins. Les plus malins portaient des vêtements munis de poches pour pouvoir y dissimuler les trucs franchement dégueulasses qu'ils jetaient à la poubelle une fois rentrés à la maison. Nous étions tous jaloux de Carlos, qui avait l'une de ces vestes safari pourvues de 21 poches. Il pouvait y engouffrer tout un pâté au tofu et avait encore de l'espace pour six muffins aux carottes biologiques.

Ce vendredi-là, l'équipe revenait d'un entraînement à l'aréna de Bellerive.

— Ça alors! s'est exclamée la femme de l'entraîneur en

déposant un nouveau pâté au tofu sur la table. Vous êtes du genre à vider vos assiettes!

L'entraîneur était enchanté des progrès de l'équipe.

— Votre patinage s'est nettement amélioré, a-t-il remarqué. Vous pouvez vous comparer à n'importe quel bidule de la ligue. La prochaine fois, je voudrais qu'on travaille les bras. Chaque matin à la première heure, et chaque soir avant de dormir, vous me ferez 30 machins-trucs.

— Tractions au sol, a traduit sa femme.

Jean-Philippe a tenté de donner un morceau de pâté au chien des Blouin, Zigoto.

Zigoto n'en voulait pas.

— Il faut choisir un capitaine, a poursuivi Boum Boum. Je dois donner le nom à la prochaine patente de la ligue. Avez-vous des suggestions?

Benoît a haussé les épaules :

— C'est évident : Cédric.

— Oh, je t'en prie! a grogné Alexia. J'en ai plein le dos d'entendre parler des talents de Cédric Rougeau!

— C'est notre meilleur joueur, Alex, a dit Jonathan. Le meilleur joueur de la ligue!

— J'entends déjà les jeunes de Bellerive rire de nous, a grogné Alexia. « Ces Martiens ne peuvent même pas choisir un capitaine qui vient de Mars! » Cédric nous traite comme des ordures, et vous voulez lui rendre hommage? Peuh!

— Un instant! a lancé Boum Boum. Il s'agit d'une

patente d'équipe, et on n'insultera personne ici. Surtout pas un absent.

— Justement, a repris Alexia d'une voix dangereusement basse. Il n'est pas ici. Il n'est jamais ici. Comment pourrait-on avoir un capitaine qui n'assiste même pas à nos patentes d'équipe?

Nous avons gardé le silence en réfléchissant à ce qu'elle venait de dire. C'était vrai, Alexia pouvait être une rouspéteuse de première, mais quand elle inversait le volume, elle avait habituellement raison.

— Bon, c'est assez... a commencé l'entraîneur.

À cet instant précis, les clochettes de la porte du magasin ont tinté. Nous avons tous levé les yeux.

Cédric venait d'entrer, hors d'haleine. Il avait l'air d'avoir couru les trois kilomètres qui nous séparaient de Bellerive.

— Cédric! s'est écrié Jonathan, ravi.

Nous lui avons fait le genre d'accueil qu'on réserve à quelqu'un qui revient d'une expédition de cinq ans en Arctique : tapes dans le dos, poignées de main, etc. Alexia avait l'air complètement dégoûtée.

Cédric a promené son regard dans le magasin.

— Ah! vous êtes encore tous là! s'est-il exclamé d'une voix essoufflée.

— Calme-toi, a dit Mme Blouin. Reprends ton souffle. Tiens, bois ça, a-t-elle ajouté en lui tendant un verre.

Il devait avoir très soif, car il l'a vidé en trois gorgées. Puis il a commencé à s'étouffer.

— C'est du cidre de navet, lui ai-je chuchoté à l'oreille. Ne t'en fais pas : le goût disparaît après une ou deux heures.

Cédric a enfin repris son souffle.

— Rémi Fréchette est passé chez moi. Il m'a dit que les Flammes ne faisaient pas encore partie de la ligue à 100 %. Il ne s'agit que d'une période d'essai.

— Il ment! a crié Jonathan. Comment le saurait-il?

— Son oncle est le président de la ligue, a répliqué Cédric, avant de se tourner vers Boum Boum. Étiez-vous au courant, monsieur Blouin?

L'entraîneur s'est tortillé sur sa chaise, l'air embarrassé.

— Je ne voulais pas vous inquiéter, a-t-il admis. Mais c'est vrai. Ce M. Machin...

— Fréchette, a complété sa femme. Il ne voulait pas nous accorder une adhésion complète, même si Boum Boum offrait d'être entraîneur *et* commanditaire.

— Vous voulez dire qu'ils vont nous rejeter de la ligue? a gémi Carlos.

— Peut-être pas, a tenté de nous rassurer l'entraîneur. La prochaine réunion de la patente est le 15 novembre. C'est à ce moment-là qu'ils décideront s'ils nous acceptent ou non.

Un brouhaha de protestations a envahi le magasin d'aliments naturels. Même Zigoto hurlait.

— Attendez une minute!

La voix douce d'Alexia a submergé le tumulte comme un seau d'eau sur un feu de camp. Elle a jeté un regard méfiant à Cédric :

— Rémi Fréchette ne peut plus te sentir! Comment se fait-il que vous ayez eu une conversation intime au sujet du sort de notre équipe de hockey?

— Il voulait que je revienne dans l'équipe des Pingouins, a répondu Cédric d'un air penaud. Son oncle lui a dit que si les Flammes se faisaient renvoyer de la ligue, je pourrais revenir au sein de mon ancienne équipe.

— Eh bien, félicitations, a-t-elle lancé d'un air faussement chaleureux. C'est ce que tu voulais depuis le début, non?

Cédric était si furieux qu'on pouvait presque voir de la fumée sortir de ses oreilles.

— *Mais c'est quoi, ton problème*? a-t-il rugi. Depuis quand as-tu un pouvoir spécial pour lire les pensées des autres? Tu n'as aucune idée de ce que je veux!

— Alors, qu'as-tu répondu à Rémi? ai-je demandé, faisant de mon mieux pour avoir l'air d'un journaliste dans cette situation hyper tendue.

Les yeux de Cédric ont lancé des éclairs :

— Je lui ai dit que je ne retournerais pas avec ces Pingouins minables même si on me promettait de faire graver mon nom sur la Coupe Stanley!

— S'ils refusent de nous garder dans la ligue, tu n'auras pas le choix, a fait remarquer Jonathan.

L'entraîneur a pris la parole :

— M. Machin peut annuler notre adhésion seulement s'il peut prouver que l'équipe des Flammes n'est pas assez compétitive.

— Mais elle l'est! s'est exclamé Benoît. En tout cas, d'une certaine manière...

— Nous allons le leur prouver! a dit fermement Cédric.

Alexia s'est levée d'un bond.

— *Nous*? a-t-elle répété d'un ton sarcastique. Alors, maintenant que ta précieuse carrière est en jeu, tu fais partie de notre groupe?

— Bon, j'admets que je ne suis pas content d'être dans cette équipe! s'est écrié Cédric. Mais j'en fais partie quand même. On est dans le même bateau!

— Comment peut-on prouver qu'on est à la hauteur si le reste de la ligue nous déteste? a demandé Jean-Philippe.

— En gagnant! a répondu Cédric. Ils ne pourront pas nous accuser de ne pas être assez compétitifs si on bat une des autres équipes.

Tous les yeux se sont tournés vers l'entraîneur.

— Là, vous parlez comme une bidule! s'est exclamé Boum Boum.

— Une équipe, a traduit sa femme.

— Il reste deux matchs d'ici la réunion du 15 novembre, a continué Cédric. Contre les Aigles dimanche, et contre les Pingouins le 12. On n'a aucune chance de battre les Pingouins. Ils sont trop forts.

— On va terrasser les Aigles! a lancé Carlos, avant de regarder autour de lui d'un air inquiet. N'est-ce pas?

— Les Aigles sont des moineaux plutôt solides, a déclaré Boum Boum.

On percevait dans sa voix toutes les années d'expérience d'un homme qui avait passé la majeure partie de sa carrière le dos au mur.

— Mais nous les battrons, a-t-il ajouté. Il le faut. Nous n'avons pas le choix.

Chapitre 10

En se réveillant le dimanche matin, les Flammes étaient terrifiés. Bien sûr, je ne pouvais pas en être certain. En tout cas, moi, j'étais terrifié, et je n'étais que le journaliste de l'équipe. Je pouvais donc imaginer ce que les joueurs ressentaient.

Qui aurait cru que cette partie de début de saison allait décider du sort de la nouvelle équipe de Mars? Ce n'était que le troisième match des Flammes, et le mois de novembre venait à peine de commencer. Comment se faisait-il que nous devions déjà jouer le tout pour le tout?

Tout allait se décider pendant ces trois périodes de 15 minutes. Les heures d'entraînement, les étirements, les exercices... Sans oublier les jours où un nombre si grand de joueurs des Flammes faisaient du jogging dans les rues de Mars que la ville ressemblait à une piste de course à pied. Et aussi, bien sûr, un article signé par un journaliste de sixième année au sujet d'une équipe Cendrillon. Tout cela disparaîtrait si les Flammes ne remportaient pas la victoire ce jour-là.

J'ai secoué la tête pour chasser ces idées noires. Il ne fallait pas voir les choses ainsi. Je me suis rappelé la philosophie de Boum Boum : nous *allions* gagner, parce que nous *devions* gagner.

Tout en me dirigeant vers le magasin d'aliments naturels, j'ai remarqué une brique posée sur la rangée de boîtes aux lettres au bout de ma rue. Qu'est-ce qu'elle faisait là? Je me suis approché. Quelqu'un l'avait utilisée comme presse-papiers pour retenir un papier jaune. J'allais m'éloigner quand j'ai aperçu le nom sur le papier : G. Lafleur.

J'ai pris le papier et l'ai embrassé. C'était un avis de livraison de colis! Ma commande de Boules-en-folie m'attendait au bureau de poste! La note devait avoir été glissée dans la mauvaise boîte aux lettres parce que le facteur n'avait jamais entendu parler de G. Lafleur. Elle aurait pu se perdre! Heureusement, un merveilleux voisin, honnête et consciencieux, l'avait placée sous une brique à mon intention! Je l'avais enfin, mon billet d'entrée pour le paradis des gros bonbons durs! Je n'osais pas croire à ma chance.

J'ai presque flotté jusqu'au magasin des Blouin. Le lendemain, après l'école, j'irais remplir l'espace creux dans ma joue une fois pour toutes. Tamia Aubin était de retour!

J'ai trouvé Boum Boum, la tête enfouie sous le capot

de son camion.

— Il y a un problème? lui ai-je demandé, inquiet.

Il a sorti la tête avec une expression perplexe.

— Je voulais le faire démarrer parce qu'il m'a causé quelques ennuis hier. Je croyais qu'il avait besoin d'un nouveau machin, ou bien qu'un des trucs du bidule était resté collé. Mais aujourd'hui, le moteur tourne comme celui d'une Rolls Royce! Quelle chance, hein?

La chance se manifestait tout autour de nous ce matin-là. Le père d'Alexia et de Jonathan venait de retrouver une pièce de casse-tête disparue depuis 1978. La télé de Carlos s'était mise à capter toutes les stations de télé gratuitement. Le mal de dents de Benoît était miraculeusement guéri. Et la souris que la famille Imbeault essayait de piéger dans son sous-sol depuis la naissance de Kevin venait enfin de mourir.

— Je ne voudrais pas attirer le malheur, a dit Jean-Philippe en empochant le dollar qu'il venait de ramasser sur le trottoir, mais peut-être que la chance va enfin tourner.

Cédric nous attendait devant l'aréna.

— J'ai retrouvé mes lacets porte-bonheur! nous a-t-il dit avec un grand sourire.

Les Aigles étaient commandités par le magasin d'animaux Nos amis à plumes. C'était la seule équipe pourvue d'une mascotte : un mainate appelé Cui-cui. Il était dans une cage posée sur le banc, et répétait la seule phrase qu'il connaissait :

— Cwâ! Allez, les Aigles!

— Écoutez donc cette bête idiote! a commenté Cédric pendant l'échauffement.

— J'aime les volatiles, a dit Alexia en haussant les épaules. Surtout frits!

Les Flammes ont obtenu le meilleur banc, près des fontaines. Nous n'avions jamais eu ce banc auparavant! Je me suis laissé aller à espérer (un petit peu) que la chance qui avait apporté ma commande de gros bonbons durs allait s'étendre au dénouement de la partie.

Les Flammes avaient l'air en forme pendant la période d'échauffement. Ça n'aurait pas dû m'étonner. Après tout, j'avais assisté à chaque entraînement. Les passes étaient efficaces, les coups de patin, puissants, et les lancers, précis. Quant à Jonathan, il semblait faire preuve de vigilance devant le filet.

Toutefois, les joueurs étaient tendus. Ils avaient peur. Et ce n'était rien à côté de Boum Boum : ses yeux étaient encore plus écarquillés que d'habitude et sa queue de cheval pendouillait, trempée de sueur, même s'il faisait froid dans l'aréna.

Avant la mise au jeu, il a rassemblé les joueurs pour un petit discours de motivation. Ses propos étaient si parsemés de trucs, de bidules et de machins qu'une équipe de traducteurs de l'ONU n'aurait pas pu les déchiffrer. Mais l'émotion dans sa voix disait tout : cette partie était cruciale.

Dès le début, la stratégie des Aigles était évidente :

bloquer Cédric pour freiner les Flammes. Ils l'ont plaqué avec le bâton, l'épaule et la hanche, l'ont harponné, se sont mis à deux et même à trois contre lui.

Il n'a pas fallu longtemps à Cédric pour trouver un moyen de prendre sa revanche. Un rassemblement autour de lui signifiait qu'Alexia et Jean-Philippe avaient le champ libre.

À peine une minute après le début de la partie, notre centre a attiré trois Aigles dans un coin. Il a reçu quelques coups, mais a réussi à passer la rondelle à Alexia, seule devant le cercle de mise au jeu. Elle a levé son bâton pour feinter un lancer frappé. À la dernière seconde, elle a fait une passe tout en finesse à Jean-Philippe, qui filait vers le but. Il s'est avancé juste à temps pour intercepter la rondelle et la faire entrer dans le coin du filet.

Les partisans des Flammes ont bondi sur leurs pieds en hurlant. J'ai crié avec eux, tout en cherchant mon crayon. J'avais déjà mon titre : *Les Flammes démarrent en force*. Nous n'avions jamais mené avant ce jour! Si nous pouvions continuer sur notre lancée, nous pourrions sauver l'équipe!

Les joueurs des Flammes se sont réjouis, mais Jean-Philippe était particulièrement ravi. Pour lui, ce but effaçait le lancer de pénalité désastreux de la première partie. Bien après que la foule eut retrouvé son calme, on entendait encore résonner sa voix triomphante dans l'aréna... ainsi que le cri lancinant de la mascotte Cui-cui :

— Cwâ! Allez, les Aigles!

Les Aigles n'ont pas perdu de temps pour répliquer. Ils

avaient dans leurs rangs Thomas Coulombe, le meilleur défenseur de la ligue. Il était de la taille d'un petit de troisième année, mais patinait comme un pro! Il a traversé la patinoire et s'est retrouvé seul devant Kevin. Tant qu'il patinait à reculons, Kevin était aussi rapide que Thomas. Mais dès qu'il s'est retourné, il s'est écroulé, et Thomas a pu faire une échappée. Il a d'abord fait une feinte, puis a projeté la rondelle entre les jambes de Jonathan. Égalité, 1 à 1. Nous avions perdu notre avance.

— Cwâ! Allez, les Aigles!

Malgré le pointage, les Aigles semblaient surpris, je dirais même nerveux. Ils s'étaient attendus à avoir la partie facile avec cette équipe qui était la risée de la ligue. Pourtant, ces Martiens jouaient dur et avaient un coup de patin solide.

Il y a tout de même eu quelques gaffes, comme lorsque Jean-Philippe a patiné tout droit sur la bande et s'est pratiquement enfoncé le bâton dans le ventre. Ou quand Kevin a été désorienté pendant l'une de ses attaques à reculons, faisant demi-tour et fonçant sur son propre but. Comme il était de dos, il ne pouvait pas voir que sa cible était Jonathan, le gardien de sa propre équipe. Alexia a dû se jeter sur lui et le mettre en échec pour l'empêcher de marquer un but.

Une fois assis sur le banc, Kevin s'est offusqué :

— Pourquoi m'as-tu frappé?

— Tu allais marquer un but, a expliqué calmement Alexia. Pour l'autre équipe.

— Quelqu'un aurait dû m'avertir, a-t-il répliqué d'un air boudeur.

— *Tout le monde t'a averti!* a lancé Alexia. Tu n'as pas entendu nos cris?

— Je n'entendais que la mascotte des Aigles, a dit Kevin. Sa voix pourrait fracasser des vitres!

C'était vrai. Cette bête idiote criait de plus en plus fort. Il devait y avoir 250 personnes qui criaient dans l'aréna, et ce cri perçant dominait tous les autres bruits.

— Cwâ! Allez, les Aigles!

Mais c'est Cédric qui était le plus ennuyé :

— Quand j'étais avec les Pingouins, on collait une affiche de mainate dans le vestiaire chaque fois qu'on affrontait les Aigles. On lui lançait des fléchettes entre les périodes.

Alexia lui a fait un sourire doucereux :

— Je me demande sur quelle photo ils lancent des fléchettes, maintenant.

— Ne nous laissons pas distraire par ce volatile, a dit Boum Boum. Nous allons remporter la patente.

Des cris enthousiastes ont accueilli les deux équipes à leur retour sur la glace pour la deuxième période. Ce match était en train de devenir l'un des plus excitants de la saison. Les partisans de Bellerive et de Mars avaient une chose en commun : ils aimaient voir une bonne partie de hockey.

Les Aigles ont marqué en premier, prenant ainsi la tête avec un pointage de 2 à 1. Puis Benoît a reçu une pénalité pour avoir fait trébucher un adversaire. La situation était tendue pour les Flammes. S'ils laissaient passer un but en désavantage numérique, les Aigles auraient deux buts d'avance. Dans une partie aussi serrée, ça représenterait un écart de taille.

J'ai serré les mâchoires. Assez de pensées négatives! Pour me changer les idées, j'ai imaginé le bureau de poste de Mars. Dans ce petit édifice en bois se trouvait une grosse boîte de bonbons durs qui portait mon nom. Heu... bon, le nom de Guy Lafleur. Mais les bonbons étaient à moi.

L'entraîneur Blouin a envoyé Alexia rejoindre Kevin à la défense. La rondelle est tombée, et les quatre joueurs des Flammes se sont disposés en carré devant le but pour protéger Jonathan.

Les Aigles étaient très forts en avantage numérique, grâce surtout à Thomas Coulombe. Il se plaçait toujours juste à l'intérieur de la ligne bleue. On ne pouvait jamais deviner ses intentions. Il pouvait avoir recours à sa vitesse phénoménale pour foncer vers le but, ou encore il pouvait décocher un lancer frappé cinglant, pas du genre boulet de canon, mais un redoutable tir bas et précis.

Les Flammes se démenaient et s'efforçaient de dégager la rondelle, mais avec Thomas à la ligne bleue, c'était pratiquement impossible. Il a intercepté un lancer d'Alexia et a décoché un lancer frappé en direction du filet.

Jonathan a fait un arrêt avec son bâton, ce qui a fait rebondir la rondelle.

— Oh non! a gémi notre gardien.

La rondelle s'est dirigée tout droit vers le centre des

Aigles. Sans réfléchir, Jonathan est sorti du filet et a tenté de reprendre la rondelle avec son bâton. Mais le centre l'a interceptée et l'a passée à Thomas, qui se trouvait à la pointe.

Je me suis levé d'un bond en hurlant. Je ne sais pas pourquoi. Rien n'aurait pu changer ce qui était train de se produire sur la glace. Thomas avait la rondelle et le but était désert.

Paf!

Il a fait un lancer frappé percutant. Soudain, Alexia s'est jetée dans la trajectoire de la rondelle.

Crac!

La rondelle a frappé sa visière et dévié vers la bande. Alexia s'est écroulée sur la glace et est demeurée là, immobile.

Chapitre 11

Boum Boum a sauté par-dessus la bande comme un coureur de haies, puis s'est dirigé en glissant jusqu'à la forme inerte d'Alexia.

L'arbitre aussi s'est approché et a demandé à Alexia :

— Est-ce que ça va, mon gars?

Après un moment, elle a répondu :

— Je ne suis pas votre gars, je suis votre fille.

— Une *fille*? s'est exclamé l'arbitre, bouche bée.

Un choc électrique n'aurait pas ranimé Alexia plus vite que ces deux mots.

Elle s'est assise brusquement.

— Et alors? Pensez-vous que les filles ne peuvent pas jouer au hockey? Qu'elles ne peuvent pas bloquer des lancers frappés?

Jonathan, qui était penché par-dessus l'épaule de Boum Boum, a poussé un soupir de soulagement.

— Elle va bien!

Tout en l'aidant à se remettre debout, l'entraîneur a sermonné Alexia :

— Pourquoi as-tu fait une patente aussi dangereuse et imprudente?

— J'avais raté une occasion de dégager la zone, a-t-elle expliqué. Il fallait que je répare mon erreur.

— Cwâ! Allez, les Aigles!

C'était l'opinion de Cui-cui.

Le jeu a repris.

Il y a eu un soupir de soulagement collectif quand les deux minutes ont été écoulées et que Benoît est revenu au jeu. Les joueurs épuisés se sont dirigés vers le banc pour un repos bien mérité, et le deuxième alignement a sauté sur la glace.

L'entraîneur Blouin avait beaucoup travaillé avec ces joueurs pendant l'entraînement, et ça commençait à donner des résultats. Comme il ne pouvait empêcher Carlos d'être constamment hors-jeu, il a montré une autre tactique aux joueurs : aussitôt que la rondelle traversait la ligne rouge, le centre Marc-Antoine Montpellier l'envoyait dans un coin, puis les ailiers se lançaient à sa poursuite.

Carlos était parfait pour ce travail. Il était le plus costaud des Flammes et presque aussi doué qu'Alexia pour les mises en échec.

Cette fois, l'un des défenseurs des Aigles, un jeune du secondaire, l'a battu de vitesse pour s'emparer de la rondelle, mais Carlos l'a plaqué contre la bande. Le joueur adverse s'est efforcé d'immobiliser le jeu et d'amener l'arbitre à siffler. Mais Carlos était un gars qui n'abandonnait jamais. Incapable de bouger son bâton, il a donné un coup de patin sur la rondelle. Elle a rebondi et roulé vers Marc-Antoine, qui l'a renvoyée à Benoît à la pointe. Pendant ce temps, Carlos s'est placé devant le filet, bloquant la vue du gardien des Aigles. Ce dernier n'a vu le lancer de Benoît que lorsqu'il était trop tard pour l'arrêter.

Pointage : 2 à 2.

— Qu'en penses-tu, le moineau? a lancé Carlos en patinant devant la cage de Cui-cui.

— Cwâ! Allez, les Aigles!

À la troisième période, les deux équipes ont accéléré la cadence. J'ai gribouillé une autre idée de titre : *Un match plein d'action.*

Il y a eu des attaques en avantage numérique pour les deux camps, des actes de bravoure de la part des défenseurs, des arrêts miraculeux. Les Flammes luttaient pour leur survie et les Aigles étaient déterminés à ne pas se faire battre par l'équpe qui était la risée de la ligue. Ça donnait un jeu de qualité.

C'était ce dont nous avions toujours rêvé : avoir une équipe sur la glace, jouant sur un pied d'égalité avec les jeunes de Bellerive.

La troisième période s'achevait. Plus que cinq minutes de jeu. Puis deux. L'équipe des Flammes pourrait-elle prendre le dessus?

Puis les choses se sont mises à très mal tourner.

Un lancer frappé foudroyant de Cédric a heurté le poteau. La force du lancer était telle que la rondelle a rebondi jusqu'à la zone neutre. Les Aigles l'ont récupérée et ont attaqué à quatre. Alexia s'est précipitée pour une mise en échec, mais s'est retrouvée aux prises avec le mauvais joueur. Tous deux sont tombés, laissant les trois autres Aigles foncer sur Kevin et Benoît.

Benoît a fait une tentative de harponnage ratée, puis une passe rapide a envoyé la rondelle derrière Kevin. On a donc assisté à une échappée de deux joueurs. Le pauvre Jonathan ne pouvait que regarder, impuissant, la rondelle qui passait d'un joueur à l'autre, pour finalement atterrir dans le filet.

Les Aigles menaient 3 à 2. Il restait seulement 1 minute et 23 secondes de jeu.

— Pas de panique! a lancé Boum Boum paniqué.

Il était debout sur le banc.

— Envoyez la patente dans leur zone pour que je puisse retirer le machin! a-t-il crié aux joueurs qui s'alignaient pour la mise au jeu.

Retirer le gardien? Mon cœur s'est arrêté. C'est l'une des tactiques les plus excitantes au hockey, quand une équipe désespérée remplace son gardien par un sixième joueur pour une attaque de dernière minute.

J'ai grimpé sur mon siège. J'étais si absorbé par la partie que je n'ai même pas pensé à quel point *Sports Mag* adorerait ça.

Cédric avait du mal à entendre les indications que

lançait l'entraîneur.

— Qu'est-ce que vous dites?

Boum Boum a crié encore plus fort :

— Décoche un truc pour que je retire le trucmuche

— Cwâ! Allez, les Aigles! a lancé Cui-cui, énervé par tous ces cris. Cwâ! Allez, les Aigles!

Cédric a gesticulé en direction de l'entraîneur.

— Retirer le quoi?

Boum Boum a couru jusqu'à l'extrémité du banc et s'est penché pour être le plus près possible du joueur de centre. Sa bouche n'était qu'à quelques centimètres de la cage de Cui-cui. Et Boum Boum avait une voix de stentor!

— Le trucmuche! Je vais retirer le trucmuche!

Cui-cui a battu frénétiquement des ailes, heurtant les barreaux de sa cage. Puis, en chancelant sur son perchoir, il a gazouillé :

— Cwâ! Le trucmuche!

— Temps mort! a beuglé l'entraîneur des Aigles en fixant Boum Boum d'un regard furieux. Qu'est-ce que tu essaies de faire, Blouin?

Puis il s'est agenouillé devant sa mascotte comme s'il s'agissait d'un joueur blessé.

— Allez, Cui-cui. Répète après moi : Allez, les Aigles!

L'oiseau l'a ignoré :

— Cwâ! Le trucmuche!

L'arbitre s'est approché :

— Qu'est-ce qui ne va pas?

— J'exige une punition pour les Flammes, a rugi

l'entraîneur des Aigles.

— Pourquoi? a demandé l'arbitre.

— J'ai passé deux ans à apprendre à cet oiseau à dire : « Allez, les Aigles! », s'est plaint l'entraîneur. Et maintenant, tout ce qu'il dit, c'est : « Trucmuche! »

— Cwâ! Le trucmuche! a confirmé Cui-cui.

— Vous voyez?

L'arbitre s'est mordu les lèvres en promenant son regard de Boum Boum à l'oiseau, puis sur l'entraîneur des Aigles.

— Je ne connais pas le livre de règlements par cœur, a-t-il déclaré, mais je suis certain qu'il n'y a aucune punition pour la déprogrammation d'un oiseau. Maintenant, préparez vos équipes. Le temps mort est terminé.

Le centre des Aigles a repris sa position dans le cercle, devant Cédric. Mise au jeu!

Cédric s'est jeté sur son adversaire et l'a immobilisé. La rondelle est restée coincée entre leurs quatre patins jusqu'à ce qu'Alexia entre dans la mêlée. Elle a libéré la rondelle, l'a poussée en tricotant au-delà de la ligne rouge, puis l'a projetée dans la zone adverse.

— Retirez le trucmuche! a crié Boum Boum.

— Arrêtez de dire ça! a protesté l'entraîneur des Aigles.

Jonathan s'est dirigé vers le banc des Flammes. Carlos a franchi la bande d'un bond et s'est joint à la ruée dans le coin de la patinoire.

Voilà! Le filet était désert!

Benoît, toujours aussi rapide, est arrivé le premier sur

la rondelle, mais Thomas l'a rejoint avant qu'il puisse faire une passe.

— Dernière minute de jeu! ont crachoté les haut-parleurs.

Je les entendais à peine avec la foule qui criait dans les gradins.

Alexia s'est jetée dans le coin pour aider Benoît. Elle a plaqué le petit Thomas avec la hanche, puis a poussé la rondelle vers Jean-Philippe qui se tenait dans l'enclave et a aussitôt décoché un tir, d'un solide lancer du poignet.

Le gardien a avancé la jambe pour un superbe arrêt avec sa jambière. Cédric a disputé le rebond à deux joueurs adverses.

Les secondes s'écoulaient : 30... 29... 28...

— Cwâ! Le trucmuche! a crié Cui-cui d'une voix perçante.

Les cris de l'oiseau étaient maintenant noyés dans le vacarme qui régnait dans l'aréna.

Thomas a tenté de dégager la zone par un échec-plongeon, mais Kevin a réussi à garder la rondelle dans la zone et l'a renvoyée vers le filet.

16... 15... 14...

La rondelle a frappé la glace juste à l'extérieur de la zone de but. Pendant un moment atroce, elle est restée là, alléchante. Puis une forêt de bâtons se sont entrechoqués pour l'atteindre. Les Flammes luttaient désespérément pour marquer le but égalisateur.

7... 6... 5...

Thomas s'est jeté à genoux pour immobiliser la rondelle, mais Alexia l'a écarté d'un coup d'épaule. Ce faisant, elle a trébuché sur le bâton du défenseur, a perdu l'équilibre et s'est écrasée sur la glace à côté de lui.

3... 2... 1...

Étendue sur le dos, elle a tendu la main par-dessus le défenseur. Se servant de l'embout de son bâton comme d'une queue de billard, elle a frappé la rondelle en direction de Cédric, qui l'a projetée dans un coin du filet.

— Youpiii! ai-je hurlé en bondissant dans les airs comme la fusée de la navette spatiale. Avant de retomber, j'ai pourtant remarqué que la lumière verte, et non la rouge, s'était allumée derrière le filet.

L'arbitre a agité les bras :

— Pas de but! Le temps est écoulé. Les Aigles ont gagné!

Les partisans des Aigles se sont déchaînés.

Je l'admets. J'ai complètement oublié ma promesse de rester neutre à l'égard de mon sujet de reportage.

— Nooon! ai-je crié en bondissant sur le banc des Flammes. Il restait une demi-seconde! Un quart de seconde! Un millionième de seconde!

Boum Boum m'a attrapé avant que je saute par-dessus la bande.

— Le cossin ne fonctionne pas quand le gugusse est allumé, m'a-t-il expliqué avec une expression déconfite.

— Quoi? me suis-je écrié.

Au même moment, je me suis rappelé une règle du

hockey. La lumière rouge est automatiquement bloquée quand l'horloge indique que le temps est écoulé. La lumière verte s'allume alors pour signaler la fin de la partie.

C'était décevant, mais vrai : le but de Cédric était survenu une fraction de seconde trop tard pour sauver les Flammes.

Je ne pouvais toujours pas l'accepter.

— Peut-être que le juge de but a éternué au moment où Cédric marquait et n'a pas pu allumer la lumière à temps? Ou peut-être qu'il a fait exprès d'attendre parce qu'il n'aime pas les Marsois? Peut-être...

J'ai protesté en vain.

Les Aigles triomphants ont transporté leur gardien jusqu'au vestiaire. Boum Boum et les Flammes semblaient sous le choc, comme s'ils n'arrivaient pas à croire ce qui venait d'arriver. Ils avaient disputé la partie de leur vie, mais ça n'avait pas suffi.

— Cwâ! Le trucmuche! a lancé Cui-cui.

— C'est facile à dire! lui ai-je lancé d'un ton sec.

Tu parles d'une malchance! Le samedi suivant, les Pingouins allaient nous anéantir. Et le 15 novembre, l'oncle de Rémi décréterait que l'équipe des Flammes n'est pas assez compétitive pour faire partie de la ligue Droit au but de Bellerive.

Je devais me rendre à l'évidence. Dans les circonstances, il n'y avait qu'un titre possible pour mon article : *La fin du monde.*

Chapitre 12

Le bureau de poste de Mars ouvrait à huit heures. J'étais là à huit heures une minute. Le commis a pris mon avis de livraison et est revenu avec un colis. Il l'a posé sur le comptoir avec un bruit sourd très agréable à mon oreille. Il fallait une grosse quantité de bonbons durs pour produire un tel bruit.

— J'ai besoin d'une pièce d'identité, a déclaré l'homme.

— Pas de problème, ai-je répondu.

Sans réfléchir, j'ai sorti ma carte d'écolier et l'ai posée sur le comptoir.

— Une minute, a dit l'homme en fronçant les sourcils. Tu t'appelles Clarence Aubin, et ce colis est pour Guy Lafleur.

Oups! Avec toutes les émotions du match d'hier, j'en avais oublié mon nom d'emprunt.

— Je vais vous expliquer, me suis-je empressé d'ajouter.

C'est mon... heu... mon pseudonyme.

— Un jeune comme toi n'a pas besoin d'un pseudonyme! a-t-il rétorqué avec un regard soupçonneux.

Oh, comme j'aurais voulu être un meilleur menteur!

— Ce que je veux dire, c'est que M. Lafleur est un ami de mes parents, ai-je balbutié.

— Pourquoi ne vient-il pas chercher son colis lui-même? m'a demandé le commis.

— Il est très occupé. Il a le même nom que le célèbre joueur de hockey, vous savez!

Le commis a pris le colis et l'a placé sur une tablette.

— Tu devras m'apporter une lettre de M. Lafleur disant qu'il t'autorise à prendre son colis. Et pas écrite par un enfant de 10 ans!

— J'ai 11 ans, pas 10! ai-je répliqué, insulté.

— Fais attention, mon petit gars, m'a-t-il coupé. C'est très grave de falsifier du courrier.

Il m'a mis à la porte du bureau de poste.

Je l'avoue : j'ai pleuré. J'étais si près d'obtenir mes gros bonbons durs! Je pouvais même les entendre rouler à l'intérieur de la boîte! Mais ils auraient pu tout aussi bien se trouver de l'autre côté d'un marécage toxique infesté d'alligators. Pour toucher à cette boîte, il me fallait une lettre d'un type appelé Guy Lafleur. Comme si ça risquait de se produire!

— Hé, madame Costa! Attendez-moi! C'est moi, Tamia!

J'ai fini par rattraper l'autobus sur le pont. Après avoir perdu mes bonbons durs et couru un demi-kilomètre, je devais avoir une mine effroyable. Mes yeux remplis de larmes et de sueur luisaient d'une lueur farouche comme ceux de Boum Boum.

J'avais l'air si mal en point que Jonathan s'est levé de son siège pour passer son bras autour de mes épaules.

— Tu es un véritable ami, Tamia, m'a-t-il dit. Tu ne fais pas partie de l'équipe, mais tu es aussi triste que nous.

— Ce n'est pas ça... ai-je tenté d'expliquer.

Jean-Philippe et Carlos se sont approchés pour une étreinte collective au milieu de l'allée de l'autobus en mouvement.

— Hé! a crié Mme Costa. Personne ne doit être debout dans une zone d'apesanteur!

Carlos a trouvé ça hilarant.

— Zone d'apesanteur! s'est-il esclaffé pendant que nous reprenions nos sièges. La comprenez-vous? C'est parce qu'on vient de Mars!

Rien ne me semblait drôle à ce moment-là, et mon problème de bonbons durs n'était qu'un début. Mon reportage tournait au film catastrophe. Il fallait que je demande à Mme Spiro de m'accorder une prolongation pour mon travail de français.

Mme Spiro a feuilleté mon carnet en fronçant les sourcils. Son froncement de sourcils ne cessait de s'accentuer. Chaque fois qu'il me semblait à son maximum, une nouvelle ride apparaissait sur son front.

— Je croyais que ton article concernait l'équipe de

hockey de Mars, a-t-elle fini par déclarer. Mais toutes tes notes parlent de gros bonbons durs!

— J'ai l'intention de supprimer ces passages, lui ai-je dit. Il y a beaucoup de détails sur le hockey. Vous voyez, ici? Je décris le lancer de pénalité de Jean-Philippe lors du premier match.

— Ce ne sont que deux petits paragraphes! s'est-elle exclamée. Ensuite, tu parles pendant trois pages de boules volcaniques, de sphères chocolatées et d'arachides!

— *Ultra*rachides, l'ai-je corrigée.

Cette femme se prétendait *cultivée*?

— Qu'est-ce qu'une ultrarachide? m'a-t-elle demandé en me toisant.

Mes yeux se sont embués rien qu'à y penser :

— Imaginez le meilleur sandwich au beurre d'arachides et à la confiture que vous ayez jamais mangé, sauf que c'est dur comme du roc et que ça peut durer des heures...

— Désolée, Clarence, m'a-t-elle interrompu. Comment pourrais-je t'accorder une prolongation alors que tu as gaspillé ton temps à écrire sur des friandises? Je viens de dire non à Cédric, qui avait besoin de temps pour trouver des ouvrages de référence. Ce serait injuste si je te donnais cette permission après tes idioties!

On a frappé à la porte. Alexia a glissé la tête dans l'embrasure :

— Oh, désolée, madame Spiro, a-t-elle dit. Je vais revenir plus tard.

— Entre, nous avons terminé, a répondu l'enseignante en me jetant un coup d'œil éloquent. Que puis-je faire pour toi, Alexia?

— Eh bien, j'espérais que vous pourriez m'accorder plus de temps pour terminer mon travail, parce que j'ai besoin d'un autre livre...

— Un instant, l'a interrompue l'enseignante. Pensez-vous que je ne vois pas clair dans votre petit jeu? Clarence, Cédric et toi, mes seuls élèves concernés par l'équipe de hockey de Mars, me demandez tous une prolongation. Je comprends que vous soyez déçus que les choses aient mal tourné pour les Martiens, heu, pardon, les Marsois. Mais votre éducation est plus importante que le hockey. Est-ce que c'est clair?

Alexia m'a jeté un regard furibond. Comme si c'était moi qui avais anéanti ses chances d'obtenir un plus long délai!

En arrivant à mon casier, j'ai trouvé une note collée sur la porte de métal. Je l'ai décollée et y ai lu le message suivant :

Réunion d'équipe urgente
15 h 30
Toilettes du deuxième étage

C'était l'écriture de Cédric.

Après la sonnerie de 15 heures 30, j'ai trouvé presque

toute l'équipe rassemblée devant la porte des toilettes des garçons.

— Je croyais que Cédric voulait dire *dans* les toilettes, ai-je soufflé à Jonathan.

Pour toute réponse, il a pointé le menton vers le bout du corridor, où venait d'apparaître Alexia. J'ai aussitôt compris le problème. Tout le monde avait présumé que *toilettes* signifiait les toilettes des garçons. Mais Alexia... enfin, vous comprenez.

— Est-ce qu'ils ont déplacé l'arrêt d'autobus ici? a-t-elle lancé d'un ton ironique.

Je suppose que nous avions l'air d'attendre en file pour une raison quelconque.

Jean-Philippe a été le premier à perdre contenance :

— N'en veux pas à Cédric, a-t-il dit. Il ne l'a pas fait exprès. On va faire la réunion ailleurs.

— Pourquoi? a-t-elle demandé, comme si ce n'était pas évident.

— La réunion devait avoir lieu dans les toilettes des *garçons*, ai-je dit prudemment. Et comme tu n'es pas un garçon, tu ne peux pas y entrer...

— Ah bon, je ne peux pas? a-t-elle rétorqué en ouvrant la porte d'un coup de pied et en criant à l'intention de quiconque se trouverait à l'intérieur : Vous avez cinq secondes pour sortir!

Elle a compté cinq secondes, puis nous a précédés à l'intérieur.

— Une fille dans les toilettes des gars! s'est-elle

exclamée. Hé, je suis en train de défier les lois de la physique! Dites donc, c'est dégoûtant là-dedans! Comment faites-vous pour endurer ça?

Jonathan a levé les yeux au ciel.

— Je suppose que les toilettes des filles sont pourvues de colonnes de marbre et de servantes en uniforme pour chaque cabine?

— Au moins, ça ne pue pas, a-t-elle répliqué.

Cédric est entré en coup de vent :

— Bon, voici ce qui se passe...

Pas de bonjour, ni merci d'être venu, ni rien de ce genre. Juste « voici ce qui se passe ». Ce gars-là ne plaisantait pas. J'ai sorti mon carnet.

— Il va falloir beaucoup d'efforts pour nous préparer à affronter les Pingouins samedi. Aucun entraînement n'est prévu avant vendredi soir. Ce n'est pas suffisant.

— Excuse-nous de ne pas être assez bons! a lancé Alexia en lui jetant un regard furieux.

— Il faudrait nous entraîner tous les jours après l'école, a-t-il poursuivi en l'ignorant. Qui est d'accord?

Un silence embarrassé a suivi.

Puis Jean-Philippe a pris la parole :

— Sans vouloir t'offenser, Cédric, à quoi ça servirait? Tu as dit toi-même qu'on n'avait aucune chance contre les Pingouins. C'est pour ça qu'il fallait battre les Aigles, tu te souviens?

— J'ai dit que ce serait plus *facile* de battre les Aigles, a répondu Cédric. Comme ça n'a pas marché, il nous faut battre les Pingouins.

Même Jonathan n'arrivait pas à reprendre espoir.

— Ça va, Cédric, a-t-il dit en souriant tristement. Tu n'as pas besoin de faire semblant de croire que tout n'est pas perdu.

— Perdu? a répété Cédric, incrédule. Rien n'est *jamais* perdu au hockey. N'importe quelle équipe peut remporter la victoire en tout temps!

— Ouais, a dit Benoît. Dans un monde imaginaire, peut-être...

Cédric ne s'est pas laissé décourager :

— Je peux vous nommer des supervedettes qui ont joué avec toute leur énergie même si l'écart était de 10 buts dans un match contre les champions de la Coupe Stanley!

Il a alors ouvert son sac à dos et en a sorti un livre de bibliothèque volumineux. Il l'a agité comme un drapeau :

— Ce livre parle des meilleurs attaquants défensifs de tous les temps! Pensez-vous que ces gars auraient abandonné la bataille?

Oh, oh! c'était *Les gagnants du trophée Selke*.

— Hé! s'est écriée Alexia en fixant le titre du livre avec un regard meurtrier. C'est mon livre!

— Non, c'est *mon* livre, a rétorqué Cédric en fronçant les sourcils. Mon projet de recherche porte sur le trophée Selke!

— Mais tu... a balbutié Alexia en sortant son propre livre de son sac à dos. C'est moi qui ai choisi ce sujet! J'ai passé les deux dernières semaines à essayer de trouver ce fichu livre sur les gagnants!

— La bibliothèque ne t'appartient pas! a lancé Cédric, le visage empourpré. J'ai cherché *L'histoire du trophée Selke* partout!

— Ce n'est pas ma faute si tu m'as volé mon sujet! a crié Alexia, outrée.

— C'est toi qui as volé le mien! a rétorqué Cédric.

— Silence!

J'avais décidé d'intervenir. D'accord, j'ai perdu les pédales. C'est que j'en avais assez de voir ces deux idiots se chamailler depuis trois semaines. Ils semblaient prêts à se prendre aux cheveux, alors que la vérité aurait dû leur sauter aux yeux.

— Vous pensez être différents l'un de l'autre, mais vous êtes de la même espèce! ai-je crié en agitant les bras, le carnet au vent. Et c'est ça qui vous rend si doués pour le hockey. Vous êtes entêtés et compétitifs. Pensez-vous que c'est une coïncidence si vous avez choisi le même trophée comme sujet de recherche? Vous avez tous deux choisi le Selke parce qu'il représente ce que vous admirez le plus : le courage, la détermination, une attaque puissante, une défense robuste... Tout ce que possède un joueur polyvalent!

Tout le monde me fixait des yeux. Quand on passe son temps à jouer les journalistes discrets, une petite crise est le meilleur moyen d'attirer l'attention.

— Même si c'était vrai, a marmonné Cédric, ça ne change rien au fait que je vais être recalé en français uniquement par sa faute!

— Par *ma* faute? a-t-elle grogné. Par la *tienne*, tu veux dire!

— Vous êtes deux idiots! ai-je crié. Toi, Cédric, tu as la moitié d'un travail qui parle des gagnants du trophée. Toi, Alexia, tu as l'autre moitié qui parle des origines du trophée. Pourquoi ne faites-vous pas ce que Mme Spiro vous a suggéré il y a deux semaines? Formez une *équipe*!

Cédric m'a jeté un regard surpris :

— On aurait fini notre travail!

— C'est vrai! a ajouté Alexia en regardant Cédric avec – oserai-je le dire? – une espèce de respect. Tu aimes vraiment le trophée Selke?

— C'est le plus important prix du hockey, a déclaré Cédric d'un air convaincu.

— Au nom de l'entraîneur Blouin et du reste de l'équipe, j'aimerais te nommer capitaine de notre équipe!

— J'accepte, a dit Cédric en souriant. Et en tant que capitaine, je donne officiellement ma démission et je nomme Alexia comme remplaçante. Je pense que le capitaine des Flammes doit être quelqu'un de Mars.

— D'accord, mais seulement si tu es capitaine adjoint, a insisté Alexia.

— Vous voyez comme c'est facile? me suis-je exclamé. Cédric n'est pas recalé, Alexia non plus. La seule personne qui risque de couler, c'est... moi, ai-je conclu en me rappelant que mon équipe Cendrillon était sur le point d'être bannie de la ligue.

— Ce n'est pas encore terminé, Tamia, m'a rassuré Cédric, qui avait deviné mes pensées. Mais il faut nous entraîner tous les jours! Êtes-vous prêts à le faire?

Des cris enthousiastes ont retenti dans les toilettes des garçons.

— Comment vas-tu faire pour obtenir des heures de patinoire? ai-je protesté. Ce n'est pas toi qui es chargé de l'horaire de l'aréna de Bellerive.

— On aura toutes les heures qu'il nous faut, a répondu Cédric. Sur *notre* patinoire! La patinoire des Flammes se trouve à Mars!

Chapitre 13

Boum Boum était l'homme le plus surpris du monde quand il a vu les Flammes s'entraîner sur la patinoire de Mars. Il passait par là, dans son camion de livraison, quand il les a aperçus sur la glace. Il était si étonné qu'il a empiété sur l'autre voie, en plein dans la trajectoire de l'autobus de 17 heures pour Bellerive.

Je me demande encore comment il a pu éviter l'accident. Il a freiné brusquement et le camion a fait un tête-à-queue. Ses roues avant se sont retrouvées sur les marches de la Coop des agriculteurs de Mars. Les portes arrière se sont ouvertes, déversant six sacs de 25 kilos de germes de blé. Les joueurs se sont empressés d'enfiler leurs chaussures pour aller prêter main-forte à leur entraîneur.

Ce dernier était plus stupéfait de les voir s'entraîner que d'avoir échappé de justesse à une collision frontale avec un autobus de 20 tonnes.

— Je ne pensais pas que vous viendriez vous entraîner vendredi, encore moins que vous vous entraîneriez tout seuls! a-t-il lancé avec un grand sourire. C'est fantastique! Allez, on retourne sur la patente!

— Sur la glace? a répété Cédric. Vous ne pensez pas que vous devriez d'abord déplacer votre camion?

Boum Boum a réfléchi.

— La Coop des agriculteurs est fermée le lundi. Je vais aller chercher mes cossins.

Ses patins. Il les a repêchés de derrière le siège du passager, puis a claqué la porte. Le rétroviseur s'est détaché et est tombé sur le ciment.

— Oups! ai-je dit.

Boum Boum n'avait pas l'air ennuyé.

— Ce n'est pas grave. Je n'ai pas besoin de voir ce qu'il y a derrière moi.

Puis il a sursauté. On pouvait presque voir une lumière s'allumer au-dessus de sa tête de mante religieuse.

— Mais Kevin, oui! s'est-il exclamé.

— Pardon? a fait Kevin d'un ton nerveux.

L'entraîneur a placé le miroir à quelques centimètres du visage de Kevin.

— On pourrait l'attacher à ton machin-truc...

— À ton casque, a traduit Cédric, tout excité. Ainsi, tu pourrais faire des attaques à reculons tout en voyant les défenseurs adverses!

Nous avons collé le miroir à la grille de son casque. Ça lui donnait une allure étrange, comme si sa tête était une antenne parabolique, mais ça fonctionnait! Kevin a patiné d'un bout à l'autre de la patinoire à reculons, en exécutant des feintes inversées. Il a même déjoué Alexia, qui n'avait jamais raté une mise en échec de sa vie! Il était incroyable!

— Quel est ton secret? lui a demandé Benoît, les yeux écarquillés.

— Dans le rétroviseur, les objets paraissent plus près qu'ils ne le sont en réalité, a cité Kevin.

J'ai pris une demi-page de notes sur cette observation sportive très juste. Il m'a fallu trois jours pour me rendre compte que ces mots sont inscrits sur absolument tous les rétroviseurs extérieurs du côté passager. Et à ce moment-là, les Flammes avaient déjà eu quelques journées de l'entraînement le plus exigeant que j'aie jamais vu.

Quand je relis mes notes, je m'aperçois que Boum Boum a inventé chaque jour une nouvelle façon de mettre à profit les talents des Flammes. Cet homme avait peut-être l'air d'un clown avec ses yeux exorbités et son vocabulaire limité, mais il s'y connaissait vraiment en hockey.

Lundi : Boum Boum a conçu un nouveau système de défense. Kevin se charge du patinage à reculons, et Benoît s'occupe de la direction avant. Ensemble, ils forment le défenseur parfait.

Mardi : L'entraîneur minute le spinorama de Cédric. Un record personnel de 0,38 seconde!

Mercredi : Jonathan réussit son premier grand écart (il l'avait déjà fait, mais on devait toujours l'aider à se relever).

Jeudi : Des exercices de mise en échec explosifs! Carlos et Alexia se plaquent à qui mieux mieux. Attention, les Pingouins!

Après l'entraînement, nous mangions des germes de blé. Du pain aux germes de blé, des céréales aux germes de blé, des barres tendres aux germes de blé, et même une horreur que Mme Blouin appelait « sloppy joe aux germes de blé ». Cédric restait avec nous pour tous ces repas et avalait jusqu'à la dernière bouchée en surmontant ses haut-le-cœur. Ensuite, il rentrait avec Alexia pour finir de combiner leurs deux moitiés de projet.

Pour l'entraînement de vendredi, je n'ai inscrit qu'une seule phrase : *Mais QUI sont ces joueurs?* En effet, l'équipe que j'ai vue sur la glace était complètement différente des Martiens qui avaient perdu trois matchs consécutifs. Après une semaine d'entraînement intense sur la glace raboteuse de Mars, les Flammes ont envahi la patinoire du centre de loisirs comme s'ils avaient des ailes aux pieds. Ils patinaient à la vitesse de l'éclair, en exécutant des tirs et des mises en échec spectaculaires. S'ils avaient joué de cette façon la semaine précédente, ils auraient anéanti les Aigles. Mais le lendemain, ils allaient affronter les Pingouins électriques, la meilleure équipe de toute l'histoire de la Ligue Droit au but de Bellerive.

— Vous savez ce qui est injuste? s'est plaint Jonathan après l'entraînement ce jour-là. Les Pingouins jouent dans cet aréna depuis qu'ils ont appris à patiner. Tous leurs matchs ont été joués à domicile.

Les Flammes venaient juste de quitter la glace et la resurfaceuse est sortie pour la remettre en état.

— C'est vrai, a ajouté Alexia. Je parie qu'ils ne seraient

pas si forts que ça sur *notre* patinoire.

— Un match à domicile pour Mars... a dit Cédric d'un air songeur. Ce serait merveilleux! Mais ça ne se produira jamais. Il faudrait que l'aréna soit complètement détruit pour que M. Fréchette accepte ça.

Soudain, Mme Blouin est entrée dans l'aréna.

— Youhou! a-t-elle lancé en agitant un sac de papier. Je vous ai apporté des muffins aux germes de blé!

Nous étions maintenant plus ou moins habitués à sa beauté spectaculaire. Mais pas le conducteur de la resurfaceuse, qui l'a fixée avec des yeux ronds, oubliant ce qu'il était en train de faire. Son véhicule a traversé la patinoire en grondant et s'est engouffré dans une ouverture de la bande.

— Attention à la patente! a hurlé Boum Boum.

Nous avons tous commencé à crier pour traduire les paroles de l'entraîneur. La resurfaceuse se dirigeait tout droit vers le panneau qui contrôlait le système électrique de l'aréna. Comment appelle-t-on un machin comme ça?

— Attention au machin-truc! ai-je crié.

— Le cossin, là! a ajouté Cédric.

— La gugusse!

— Le bidule!

Peine perdue : le conducteur était fasciné par Mme B. Croyez-moi, je le comprenais!

Crac! Zap!

La resurfaceuse a percuté le panneau électrique dans une pluie d'étincelles. Toutes les lumières du centre de loisirs se sont éteintes. Les ventilateurs ont cessé de tourner. Le tableau de pointage est devenu noir. Le distributeur de boissons gazeuses est devenu silencieux. J'ai tenté de prendre des notes, mais je ne pouvais même pas voir mon carnet dans l'obscurité.

Il m'a fallu quelques secondes pour me rendre compte qu'il manquait autre chose : le bourdonnement du système frigorifique qui refroidissait la glace.

La patinoire était en train de *fondre*!

Zone de combat.

Voilà le titre que j'avais trouvé pour la réunion d'urgence de la ligue. Les jeunes de Bellerive et leurs parents étaient furieux.

Le problème était que le centre de loisirs ne redeviendrait opérationnel que le mercredi. Tous les matchs devaient donc être repoussés. Toutefois, la prochaine réunion, où on déciderait si les Flammes demeuraient dans la ligue, devait avoir lieu le *mardi*.

— Si vous retardez le machin, vous devez aussi retarder la patente, a insisté Boum Boum.

— Il veut dire le match, a lancé Cédric, au premier rang de l'auditorium de l'hôtel de ville.

— Et la réunion, a ajouté Jonathan.

— Je suis désolé, a répliqué M. Fréchette, debout sur la scène. C'est un incident regrettable, mais la date de la réunion est déjà fixée.

— C'est injuste! a tonné M. Blouin. Vous ne pouvez pas

nous pénaliser parce qu'un fou a embouti le machin électrique avec la resurfaceuse!

Un concert de protestations lui a répondu. Finalement, le père d'un joueur des Pingouins s'est exclamé :

— Ce n'est pas *notre* faute non plus! Si vous voulez blâmez quelqu'un, blâmez votre femme!

— Ma *femme*? a répété l'entraîneur, incrédule.

— Ouais! a insisté l'homme. Elle est... vous savez bien... et le conducteur, heu...

Le pauvre Boum Boum était perplexe. J'ai soudain compris qu'il ne savait pas que sa femme était une beauté fatale. Cet homme était marié à la plus belle femme de la planète, et il était le seul à ne pas s'en apercevoir. Allez comprendre!

— Ma femme ne s'est jamais approchée du véhicule! a-t-il protesté. Elle était simplement venue porter des muffins maison à mes joueurs.

M. Fréchette a essayé de le calmer.

— Personne n'accuse personne, a-t-il déclaré. Toutefois, il nous est impossible de modifier l'horaire des réunions pour accommoder les Mart... heu, les Flammes.

— Vous voulez seulement nous mettre à la porte avant que nous ayons eu la chance de faire nos preuves! a lancé Cédric.

Un murmure désapprobateur a couru dans l'assistance. Je ne crois pas que les gens de la ligue aimaient entendre leur meilleur joueur utiliser le mot « nous » en parlant de l'équipe de Mars.

J'étais moi-même plutôt surpris. Pour un gars qui s'était joint aux Flammes à contrecœur, Cédric semblait se dévouer corps et âme à l'équipe de Mars.

— Vous alliez affronter les Pingouins, a crié une personne assise à l'arrière de la salle. Vous n'aviez aucune chance!

Alexia s'est retournée et a exercé son réglage de volume inversé sur la foule.

— C'est pour ça que nous nous donnons la peine de disputer des matchs, a-t-elle dit d'une voix douce, mais distincte. Pour savoir qui a une chance de battre qui. Sinon, nous irions tout droit à la cérémonie de remise des trophées.

M. Fréchette s'est agité derrière son micro.

— Ce n'est pas de mon ressort. Je suis désolé.

— Il n'y a qu'une façon équitable de régler ce truc, a déclaré l'entraîneur Blouin.

La foule l'a fixé des yeux.

— Nous allons jouer comme prévu... à la patinoire de Mars, a-t-il conclu.

Aussi bien essayer d'éteindre un feu avec un seau d'essence! La foule s'est déchaînée. Les gens criaient, discutaient, agitaient les bras. On aurait cru qu'ils s'opposaient à l'installation d'un dépotoir toxique dans la cafétéria de l'école.

— C'est contre le règlement!

— La patinoire n'est pas d'assez bonne qualité!

— Tous les matchs doivent être disputés au centre de

loisirs de Bellerive!

Un petit génie a même eu le culot de crier :

— C'est trop loin!

Certains de ces pauvres types auraient préféré prendre un avion pour le Japon plutôt que de traverser le petit pont du canal.

Contre toute attente, c'est l'entraîneur des Pingouins, M. Morin, qui nous a tirés d'affaire.

— *Silence!* a-t-il beuglé.

Tout le monde s'est tu.

Il a promené son regard sur la salle bondée.

— Mon équipe ne voit aucun problème à jouer demain sur la patinoire de Mars.

— Mais monsieur... s'est écrié Rémi, horrifié.

— Mais rien du tout! l'a coupé l'entraîneur Morin, avant de sourire à Boum Boum de toutes ses dents. Nous y serons.

Il était si arrogant! Il semblait convaincu que ses Pingouins pouvaient terrasser les Flammes sur *n'importe quelle* patinoire – les yeux bandés, une main attachée derrière le dos et même sur une glace couverte de salade de chou.

Je voulais crier : « Vous verrez! Vos gars sont de telles lavettes qu'on s'en servira pour essuyer la glace! »

À vrai dire, au fond de moi-même, je pensais qu'il avait probablement raison.

Chapitre 14

Le samedi matin, nous rebondissions à l'arrière du camion de livraison du magasin d'aliments naturels. Pour prévenir la nervosité d'avant-match, l'entraîneur avait décidé de nous emmener visiter la maison de son enfance.

Après avoir roulé 10 minutes sur une route rurale, le camion s'est engagé dans une allée, puis s'est immobilisé. Boum Boum a ouvert les portes arrière et nous sommes sortis. Nous étions en pleine campagne, dans un décor pittoresque parsemé de fermes, de silos et de granges. Le soleil qui se reflétait sur la neige nous faisait cligner des yeux.

Je dois reconnaître que l'entraîneur avait eu une bonne idée. La tension qui régnait au sein de l'équipe s'est retirée comme le toit d'une automobile décapotable.

— C'est génial, M. Blouin! s'est exclamé Jean-Philippe. Laquelle de ces maisons était la vôtre?

Boum Boum a désigné une petite maison proprette.

— Celle-là. Vous voyez ce bidule, devant?

Entre la grange et la route se trouvait un grand étang dont la surface gelée jetait des reflets argentés.

— C'est là que j'ai joué au hockey pour la première fois.

— Oh! a soufflé Jonathan. Comme les bonnes vieilles légendes du hockey, avant que le hockey devienne un sport de supervedettes et de gros salaires.

— Ça devait être super, a dit Cédric avec une expression nostalgique. Pas de ligue ni de trophée. Juste un groupe d'enfants qui aiment le hockey, qui patinent et qui se disputent la rondelle...

— Oh, on ne jouait pas avec une vraie rondelle, l'a interrompu Boum Boum. Personne n'avait d'argent à cette époque-là. On utilisait du crottin de cheval gelé.

Carlos s'est esclaffé :

— Une rondelle de crottin! Ah! ah! elle est bien bonne!

Alexia lui a donné un coup de coude dans les côtes.

— Ce n'est pas une blague, idiot! Beaucoup d'anciens du hockey jouaient de cette façon.

— Avec du *crottin de cheval*? a demandé Carlos, abasourdi. Enfin, je veux dire... ça ne sentait pas... mauvais?

L'entraîneur a secoué la tête.

— Non, c'était trop froid. Ces trucs étaient gelés durs comme du granit. Et comme personne ne portait de casque, il fallait faire attention de ne pas recevoir un tir en plein dans le visage.

C'en était trop pour Carlos. Il a eu une telle crise de fou rire que nous avons dû remonter dans le camion et revenir à Mars. Boum Boum ayant décidé que les joueurs avaient besoin de passer un peu de temps entre eux, j'ai pris place à côté de lui à l'avant.

J'avais la tête qui tournait, tellement j'étais nerveux au sujet du match. Avions-nous une chance contre les tenants du titre? J'étais plongé si loin dans mes pensées que j'ai presque failli ne pas voir le petit magasin sur notre gauche.

L'espace vide dans ma joue a envoyé un message à mon cerveau. Ma mère avait peut-être averti tous les magasins et dépanneurs de Mars et de Bellerive, mais elle n'avait sûrement pas pensé à une échoppe sur une route de campagne, au milieu de nulle part.

— *Arrêtez!* ai-je hurlé dans l'oreille de l'entraîneur.

Surpris, il a enfoncé la pédale. Le camion s'est arrêté dans un crissement de freins sur l'accotement et j'ai pu entendre les joueurs s'entrechoquer à l'arrière.

— Qu'est-ce qu'il y a? m'a demandé Boum Boum, inquiet.

J'ai réfléchi à toute vitesse. Le magasin d'aliments naturels proposait quelques variétés de gommes à mâcher et de friandises près de la caisse. Il était donc possible que ma mère ait averti les Blouin de ne pas me vendre de bonbons. Je devais trouver une excuse. Qu'est-ce que je pouvais bien dire à un homme comme l'entraîneur?

— Je... je... il faut que je fasse un trucmuche!

Mon subterfuge a fonctionné. Je suis sorti en trombe du

camion et j'ai traversé la route en courant. Je me suis précipité vers le caissier.

— Excusez-moi. Vendez-vous des gros bonbons durs?

L'homme a secoué la tête.

— Désolé. Il n'y a pas beaucoup de demande pour des bonbons dans le coin. La seule chose que j'ai... a-t-il ajouté en fouillant dans une vieille caisse de bois. Je suis pourtant sûr de l'avoir vu hier... Ah, voilà! a-t-il dit en sortant un sac.

J'ai fixé le sac avec des yeux qui me sortaient littéralement de la tête, comme dans les dessins animés. Mon cœur s'est mis à envoyer des S.O.S. en code morse. C'était un gros sac d'*ultrarachides*! Quarante des plus roses et délicieux bonbons durs du monde! Oh, j'avais entendu dire que la compagnie Friandises Boules-en-folie vendait des sacs d'ultrarachides. Mais j'avais toujours cru que c'était un mythe, comme les licornes ou l'abominable homme des neiges. Pourtant, elles étaient là, sous mes yeux!

J'ai jeté mon argent sur le comptoir avec une telle brusquerie que le caissier a cru qu'il se faisait attaquer. Il a reculé d'un pas et a laissé tomber le sac. Je l'ai ramassé et me suis enfui.

— Hé! tu ne veux pas ta monnaie? a crié l'homme.

J'étais déjà assis dans le camion, mon trésor caché sous ma veste.

— Vite, démarrez! ai-je crié à Boum Boum.

Enfin, il y avait une justice! Après trois misérables semaines sans gros bonbons durs, après toute une série de tentatives infructueuses, de déceptions et d'échecs, j'avais enfin ma récompense. Toute bonne chose vient à point à qui sait attendre, je suppose. Et juste à temps pour la première mise au jeu!

Croyez-le ou non, il y avait un embouteillage quand nous sommes arrivés à Mars. Toute cette controverse au sujet de la patinoire avait attiré une véritable foule en provenance de Bellerive. Après nous être frayé un passage, nous sommes finalement parvenus à la patinoire. Il n'y avait plus d'espace de stationnement. Sans blague! Mars ressemblait à une ville accueillant le match décisif de la Coupe Stanley. Des coups de klaxon résonnaient, des automobilistes s'invectivaient. Nous avons dû laisser le camion devant le magasin d'aliments naturels et franchir à pied les quatre pâtés de maisons qui nous séparaient de la patinoire.

J'ai couru devant les autres pour me réserver un bon siège. En fait, il n'y avait pas de sièges à la patinoire de Mars, à l'exception des bancs des joueurs. J'ai donc essayé de trouver un endroit où me tenir debout. Les gens s'alignaient déjà contre la bande. Ils observaient la resurfaceuse de l'aréna de Bellerive, qui tentait d'enlever une partie des bosses et des trous de la glace rugueuse. L'avant de l'énorme machine était cabossé et froissé par sa collision avec le panneau électrique. Cette fois, les officiels de la ligue n'avaient pris aucun risque. Le conducteur de la resurfaceuse était nul autre que M. Fréchette.

C'était le moment de mettre une ultrarachide dans ma

bouche – ô joie! – et de me faufiler jusqu'à un bon point d'observation près de la bande. J'ai déchiré un coin du sac. Une fanfare a retenti! D'accord, ce n'était que la radiocassette d'une spectatrice. Mais c'était tout de même un grand moment.

— Clarence!

Oh non! Ma mère m'avait vu et me faisait signe de la rejoindre. Je lui avais tellement parlé de ce match qu'elle avait décidé de me faire *plaisir* et d'y assister. Si elle me surprenait avec ces ultrarachides, j'étais cuit!

Pris de panique, j'ai glissé le sac sous ma veste et me suis enfui au pas de course, en plongeant dans la foule et en esquivant les spectateurs.

— Clarence, reviens! C'est moi!

Maman s'est lancée à ma poursuite.

J'ai aperçu Jonathan près du banc et j'ai modifié ma trajectoire comme un missile de croisière.

— Rends-moi service, lui ai-je dit d'une voix haletante. Tu dois cacher quelque chose pour moi...

— Attends une seconde, m'a-t-il coupé. Il faut que j'enfile ce col roulé.

Il a retiré son chandail, ses épaulières et son plastron, puis a passé la tête dans un col roulé noir.

— Dis, Tamia, tu peux m'aider? a-t-il demandé d'une voix étouffée par le tissu. Ma tête est coincée.

— D'accord... ai-je commencé.

Au même moment, maman a tourné au coin. J'avais trois secondes pour cacher mes gros bonbons durs. Mais où donc?

Chapitre 15

Laissant Jonathan se débrouiller avec son col roulé, j'ai saisi son plastron, ouvert la fermeture éclair et remplacé le rembourrage de mousse par le sac d'ultrarachides.

Quand j'ai relevé la tête, maman était à côté de moi. Elle a aidé Jonathan à sortir la tête de son col roulé et m'a lancé un regard courroucé.

— Qu'est-ce qui se passe, Clarence? Tu ne réponds pas quand je t'appelle? Et en plus, tu t'amuses avec un plastron au lieu d'aider ton ami!

— Salut, maman, ai-je dit en souriant faiblement.

— Merci, madame Aubin, a dit Jonathan en remettant son plastron.

Les bonbons se sont entrechoqués à l'intérieur.

J'ai couvert le bruit en feignant une quinte de toux.

— Oh là là, quel froid de canard! ai-je bredouillé en aidant Jonathan à remettre ses épaulières. Je crois bien que j'ai pris froid!

Je lui ai enfilé son chandail par-dessus son équipement et lui ai tendu son casque et son masque.

— Mon plastron est bizarre, a-t-il dit en fronçant les sourcils.

— Viens, je vais vérifier pour toi, a proposé ma mère.

— On n'a pas le temps! me suis-je empressé de dire. Regarde, l'échauffement a commencé.

J'ai poussé Jonathan sur la glace.

Mon soupir de soulagement devait être révélateur parce que maman m'a jeté un regard intrigué.

— Je vais aller rejoindre M. et Mme Colin, m'a-t-elle dit. Je te verrai après la partie.

Heureusement, Boum Boum m'a offert de m'asseoir sur le banc des Flammes. Il y avait tellement de spectateurs massés autour de la patinoire qu'ils ne devaient pas distinguer grand-chose. Les gens étiraient le cou pour voir au-delà des huit ou neuf rangées de spectateurs alignés contre la bande. Quand j'ai sorti mon carnet et mon crayon, les équipes se préparaient pour la mise au jeu.

— Comment ça va, le traître? a lancé Rémi de l'aile droite.

— Bienvenue à Mars, lui a répondu Cédric avec un sourire empreint d'une confiance qu'il n'éprouvait absolument pas.

Il avait peur, mais aurait préféré mourir plutôt que de laisser Rémi s'en apercevoir.

J'espérais que les Pingouins auraient du mal à patiner

sur la glace raboteuse. En effet, ils étaient un peu plus lents que d'habitude, mais ils ne s'affalaient pas un peu partout comme les Flammes lors de leur première partie à l'aréna.

Rémi s'est emparé de la rondelle et l'a passée à Olivier. Et quand ces deux-là se lançaient dans une attaque à deux joueurs, il était difficile de les arrêter! Ils ont complètement ignoré leur centre, Tristan Aubert. En fait, ils ne semblaient pas avoir besoin de lui. Ils ont foncé vers le but en échangeant des passes parfaites, puis Olivier a effectué un lancer frappé percutant.

Jonathan l'a bloqué avec sa poitrine.

Les Flammes et leurs partisans se sont réjouis, mais je me suis exclamé :

— Mes ultrarachides!

Boum Boum m'a dévisagé :

— Tes *quoi*?

Je devais être rouge comme une tomate.

— Rien, ai-je répondu avant de placer mes mains en porte-voix. Sers-toi de ton gant, Jonathan! ai-je crié.

S'il bloquait chaque but avec son plastron, mes précieuses ultrarachides seraient réduites en poudre d'ici la troisième période.

Je n'aurais pas dû m'inquiéter. Au jeu suivant, Jonathan a raté la rondelle, que Rémi a fait glisser entre ses jambes d'un solide tir du poignet. Moins de 30 secondes s'étaient écoulées depuis le début du match, et les Pingouins prenaient déjà la tête. Les partisans de Bellerive les ont acclamés.

Encouragé, Rémi est devenu encore plus odieux. Dès qu'il s'approchait à trois mètres de Cédric, il le traitait de traître. Et lorsque Olivier a marqué un deuxième but, portant l'écart à 2 à 0, Rémi a semblé croire que le massacre était assuré.

— Beau lancer, hein, le traître? a-t-il raillé. Vous avez détruit notre patinoire, mais ça ne va pas vous tirer d'affaire. Nous pouvons vous écraser sur *n'importe quelle* patinoire, les Martiens! Qu'as-tu à répondre à ça, le traître?

— Vas-tu la fermer? a grogné Alexia, qui se trouvait face à Rémi. Tu n'es pas seulement méchant, tu es cinglé! Cédric Rougeau est le coéquipier le plus loyal qu'on puisse avoir!

— *Qui, moi*? a dit Cédric en lui jetant un regard surpris.

— Qu'est-ce que tu connais au hockey? a lancé Rémi d'un ton hargneux. Les filles ne devraient pas jouer au hockey. Elles pourraient se faire blesser!

Alexia ne lui a pas répondu, ce qui aurait dû lui mettre la puce à l'oreille. Quand il a de nouveau pris possession de la rondelle, Alexia l'a plaqué contre la bande si férocement qu'il s'est écroulé sur la glace. C'était du Alexia classique : brutal, mais dans les règles.

Cédric a patiné jusqu'à son ancien coéquipier, qui gisait par terre, étourdi et haletant.

— Hum, a-t-il fait d'un air faussement inquiet. Peut-être que les gars ne devraient pas jouer au hockey. Ils pourraient se faire blesser.

— *Toi,* tu as l'air assez solide, lui a dit Alexia en

souriant. Mais cette lavette m'a l'air plutôt fragile, a-t-elle ajouté en baissant les yeux sur Rémi.

— Tu vas le regretter, a menacé ce dernier d'une voix rauque.

Effectivement, lors du jeu suivant, il s'est jeté sur Alexia. Mais elle a dansé autour de lui comme un matador et il a de nouveau percuté la bande. Il a réussi à dégager la rondelle, qui est venue frapper la palette de Kevin. Notre défenseur s'est retourné pour amorcer une attaque à reculons.

Olivier a tenté de le harponner, mais Kevin l'a aperçu dans son rétroviseur. D'un léger tir du revers, il a fait passer la rondelle entre ses jambes et l'a envoyée derrière Olivier. Puis il a contourné son adversaire et est allé la rechercher.

Nous nous sommes levés d'un bond pour l'acclamer. Cette manœuvre aurait été digne de *Sports Mag*, sauf que Kevin patinait maintenant *vers l'avant*!

— Vas-y! ai-je hurlé.

Mais ces mots n'étaient pas sitôt sortis de ma bouche qu'il tombait en plein sur la figure. Heureusement, la rondelle est allée tout droit vers Cédric.

J'aurais voulu pouvoir observer les Pingouins de plus près pendant que Cédric fonçait sur eux à toute vapeur. C'était une situation qu'ils n'avaient jamais connue l'année précédente. Cédric a déjoué ses anciens camarades un à un, puis, d'un solide lancer du poignet, a fait entrer la rondelle dans un coin du filet.

— Yéééé! ai-je crié.

Ma voix était noyée sous les hurlements des Marsois. Et si vous pensez que nous étions gonflés à bloc, vous auriez dû voir Cédric. Il filait comme une flèche sur la glace en levant le poing en signe de triomphe. Ah, comme ce but devait être gratifiant après tout ce qu'il avait traversé!

Le pointage était toujours de 2 à 1 pour les Pingouins à la fin de la première période. Comme il n'y avait pas de vestiaires, les deux équipes se sont entendues pour utiliser la cabane à tour de rôle. Cependant, les Pingouins étaient tellement habitués à leur aréna confortable qu'aucun d'entre eux ne savait comment se servir du poêle. Ils ont fermé accidentellement le tuyau et la cabane s'est remplie de fumée. Ils sont sortis en toussant et en agitant les mains devant leur visage.

Les deux équipes ont donc dû frissonner sur le banc pendant la pause. Je crois que les partisans de Mars n'ont pas cessé de pousser des acclamations pendant les 10 minutes de l'entracte.

— L'équipement de Jonathan m'inquiète, a dit Alexia à l'entraîneur. Chaque fois qu'il fait un arrêt, on entend un drôle de cliquètement.

Il n'y a pas beaucoup d'avantages à avoir un entraîneur qui ne parle pas bien français, mais c'en était un.

— Ne t'en fais pas, lui a-t-il répondu. C'est probablement le bidule de son trucmuche. Viens, la deuxième patente va commencer.

Avant la mise au jeu, l'entraîneur Morin a adressé à ses

joueurs un petit discours d'encouragement qui ressemblait plutôt à un sermon :

— Regardez le tableau de pointage! a-t-il dit d'un ton dégoûté. Cette partie devrait déjà être *terminée*! Vous les avez assez épargnés. Cette fois, écrasez-les!

Je trouvais son discours plutôt méchant, mais je dois reconnaître qu'il savait ce qu'il faisait. Les Pingouins avaient des *ailes* en entrant sur la patinoire. Ils ont complètement dominé les Flammes, marquant trois buts et portant le pointage à 5 à 1. Je sais que ça donne une piètre image de Jonathan comme gardien, mais rappelez-vous qu'il s'agissait des *Pingouins*, les champions. Ils ont bombardé Jonathan de plus de 20 tirs, mais ils n'ont marqué que trois buts. Un vrai miracle.

Au début de la troisième période, un silence de mort régnait chez les partisans de Mars. Les spectateurs de Bellerive étaient eux-mêmes plutôt calmes. J'ai jeté un coup d'œil à M. Fréchette et aux autres officiels de la ligue. Ils arboraient tous un petit sourire satisfait, comme s'ils pensaient : « Tout se déroule comme prévu. Les Martiens seront expulsés de la ligue mardi prochain. » Cela m'a rendu si furieux que j'en ai presque manqué ce commentaire d'Alexia :

— Nous allons gagner, a-t-elle dit d'une voix douce.

— Quoi? me suis-je exclamé.

Les autres joueurs ont hoché la tête. Avaient-ils oublié le pointage?

— Tu as raison, a acquiescé Cédric. Regardez les

Pingouins sur leur banc. Ils sont épuisés.

— Ce doit être fatigant de marquer tous ces buts! ai-je lancé d'un ton ironique.

— Ils ont gaspillé toute leur énergie pendant la deuxième période, a insisté Cédric. Ils essaient de patiner à leur vitesse habituelle sur une surface moins lisse. En plus, ils ont froid. Ils sont habitués à jouer dans un aréna chauffé.

L'entraîneur a pris la parole

— Bon, voici la patente. Chaque fois que vous serez en possession de la rondelle, attaquez. Obligez-les à suivre votre bidule. Faites des passes à Cédric, Benoît et Kevin. Ce sont les plus rapides. Compris?

— Mais ils mènent par *quatre* buts! ai-je protesté.

Je l'admets, j'étais prêt à capituler. J'ai commencé à écrire que la déception de se faire renvoyer de la ligue avait suscité une illusion collective au sein de l'équipe. Ce thème n'était pas aussi captivant qu'une histoire d'équipe Cendrillon, mais c'était mieux que rien.

Puis j'ai entendu des acclamations. Les Pingouins patinaient dans tous les sens sans savoir où donner de la tête, incapables de suivre la cadence imposée par Benoît. Les attaques à reculons de Kevin déstabilisaient la défense. Quant à Cédric, qui dominait cette ligue depuis qu'il était en quatrième année, je ne l'avais jamais vu en aussi bonne forme.

Il a été le premier à marquer un but, après une superbe passe de Benoît. Puis il a réussi à attirer trois Pingouins sur l'aile gauche, avant de faire une passe à Alexia, qui a aussitôt projeté la rondelle dans le filet. Le compte était maintenant de 5 à 3.

L'entraîneur Morin a demandé un temps mort pour calmer ses joueurs. Peine perdue. Épuisés par les efforts qu'ils déployaient pour garder la cadence sur la glace bosselée, les Pingouins se sont mis à accrocher et à faire trébucher leurs adversaires. Notre équipe s'est donc retrouvée en avantage numérique à plusieurs reprises. Le filet des Pingouins s'est transformé en stand de tir, jusqu'à ce que Carlos tire profit d'un rebond pour déjouer le gardien et envoyer la rondelle dans le filet.

Je n'en croyais pas mes yeux! Le pointage était de 5 à 4! Les Flammes n'étaient qu'à un but d'un match nul! Quelle remontée!

Il ne restait que deux minutes de jeu. Faisant preuve d'audace, Boum Boum a retiré le gardien. Carlos s'est joint à Cédric, Alexia, Jean-Philippe, Benoît et Kevin.

— Vous n'avez aucune chance d'égaliser, a haleté Rémi dans le cercle de mise au jeu. Il ne reste pas assez de temps.

Les acclamations assourdissantes de la foule provenaient autant des partisans de Bellerive que de ceux de Mars. Les joueurs criaient aussi, tout comme moi. Sans oublier Boum Boum...

— Prends la bébelle! Attention au machin! Lance!

Une fois encore, l'horloge était notre ennemie. Une minute, puis 30 secondes, 15...

Dix secondes avant la fin du match, Olivier a réussi à renvoyer la rondelle en zone neutre d'un tir du revers. Les

Pingouins se sont rués vers elle, mais Benoît les a devancés. Il a dribblé, puis effectué la meilleure ou la pire passe que j'aie jamais vue. *Pire* parce que chaque Pingouin aurait pu allonger son bâton et l'intercepter. *Meilleure* parce qu'ils ont été si surpris qu'aucun d'eux n'a réagi.

La rondelle a glissé dangereusement entre les jambes des cinq Pingouins pour aller frapper la palette de Jean-Philippe, à la ligne bleue.

— Vas-yyyyyyyyyy! ai-je hurlé dans le tumulte.

Il est parti en échappée.

Chapitre 16

Seul le gardien des Pingouins séparait notre ailier de notre unique chance d'obtenir une prolongation.

Jean-Philippe a foncé vers le filet.

— Nooon! a crié Rémi, désespéré, en jetant son bâton vers lui.

Le bâton a glissé entre les patins de Jean-Philippe et frappé la rondelle. Les Flammes et leurs partisans ont réclamé une pénalité. L'arbitre a levé le bras. Quand son sifflet a retenti, il ne restait qu'une seconde de jeu.

Boum Boum était penché par-dessus la bande comme une panthère sur le point de bondir.

— Il a lancé son machin! beuglait-il. C'est un... Oubliez ça, s'est-il aussitôt ravisé.

— Non, vous avez raison! s'est exclamé l'arbitre. C'est un lancer de pénalité!

Il a jeté un coup d'œil à Jean-Philippe, et n'a pu retenir

un ricanement.

— Hé, je te reconnais! Tu sais quoi, le jeune? Tu viens d'obtenir un autre lancer de pénalité!

Son hilarité était contagieuse. Qui aurait pu oublier la performance de Jean-Philippe au premier match? La nouvelle s'est répandue comme une traînée de poudre.

— C'est lui! C'est le même joueur!

— Celui qui a perdu son équipement!

— Peut-être qu'il va se retrouver *tout nu*!

Bientôt, tous les spectateurs s'esclaffaient, y compris ceux de Mars.

J'étais horrifié :

— Ne voient-ils pas que l'avenir des Flammes est en jeu?

L'entraîneur a essayé d'être pragmatique :

— Écoute, Jean-Philippe. Ne t'en fais pas si tes trucs tombent...

— Ça va, monsieur Blouin, l'a interrompu Jean-Philippe d'une voix excitée. Je me suis entraîné.

— Où ça? a demandé Jonathan

— Dans l'allée, devant chez moi, a répliqué Jean-Philippe. Avec mes patins à roues alignées et une balle de tennis. C'est mon chat qui était le gardien.

Je ne prenais pas beaucoup de notes à ce moment-là, mais il fallait que j'inscrive *ça* dans mon carnet. Si le magazine *Sports Mag* voulait quelque chose d'original, quelques déclarations de Jean-Philippe Éthier seraient tout à fait indiquées.

Une fois encore, la rondelle a été déposée au centre. La foule est soudain devenue silencieuse. J'ai essayé d'écrire quelque chose au sujet de l'ambiance glaciale, mais ma main tremblait tellement que j'ai gribouillé sur toute la page. Voilà à quel point c'était intense!

Jean-Philippe s'est élancé avec la rondelle. Le crissement de ses patins qui mordaient la glace raboteuse était le seul bruit qu'on entendait. Je crois que toute l'équipe s'attendait à ce que ça tourne mal, alors quand il est arrivé au but en un seul morceau, nous nous sommes tous mis à crier. Dès qu'il a frappé, j'ai su que le lancer était trop élevé. La rondelle est montée à angle aigu au-dessus du gant du gardien, frappant la barre horizontale avec un bruit métallique. Sauf que, au lieu de rebondir en s'éloignant, elle est retombée à plat sur la glace, à un centimètre à l'intérieur de la ligne de but… 5 à 5.

Les Flammes et les Pingouins allaient en prolongation!

Le discours de Jean-Philippe a été long et emphatique.

— Vous aviez dit que les lancers de pénalité n'étaient pas importants, a-t-il déclaré à l'entraîneur. Mais j'ai toujours su qu'ils l'étaient.

— Oui, Jean-Philippe, a répondu patiemment Boum Boum.

Pendant ce temps, les Pingouins s'échauffaient, faisaient des étirements pour être bien détendus pendant la période supplémentaire.

— Vous ne vouliez pas que je m'entraîne à faire des

lancers de pénalité, a poursuivi Jean-Philippe. Heureusement que je ne vous ai pas écouté! Heureusement que j'ai des patins à roues alignées et un chat...

Boum Boum et les autres joueurs restaient simplement là, à l'écouter. Ils ne se seraient pas plaints même si Jean-Philippe les avait battus avec son bâton. Grâce à ce lancer de pénalité, ils allaient en prolongation avec le vent en poupe.

Lorsque la période supplémentaire a commencé, les Pingouins électriques se sont remis à jouer comme des champions. Dès la mise au jeu initiale, ils ont repoussé l'action dans la zone des Flammes. Jonathan a dû effectuer quelques arrêts clés pour sauver son équipe. Les Flammes ne réussissaient toujours pas à dégager la zone.

Olivier a fait un lancer frappé percutant en direction du coin supérieur du filet. Kevin a surgi de nulle part et s'est jeté héroïquement devant le filet. Le tir cinglant a heurté de plein fouet son rétroviseur, qui s'est détaché. Jonathan a pris un risque : s'élançant dans un saut de l'ange, il est sorti de sa position pour immobiliser le jeu. En constatant qu'il n'y avait pas de coup de sifflet, il a ouvert son gant. Il avait attrapé le *miroir*, pas la rondelle! Cette dernière était allée se loger derrière le filet. Kevin s'est précipité pour aller la chercher.

Il est revenu à reculons, mais quand il a voulu jeter un regard dans son rétroviseur, il s'est aperçu qu'il n'était plus là.

Crac!

Deux Pingouins l'ont plaqué contre la bande. Olivier s'est emparé de la rondelle libre et a exécuté un lancer levé vers le filet. Jonathan a bondi pour la bloquer, mais Rémi s'est jeté sur lui. La rondelle a atterri derrière Jonathan, à un demi-mètre du filet désert! Jonathan est retombé sur le dos, en plein sur la rondelle.

Tout ce qui séparait les Pingouins d'un but gagnant en période de prolongation était le pauvre Jonathan. Cinq Pingouins ont fondu sur lui comme des requins affamés, luttant, plaquant et frappant à qui mieux mieux. Une fraction de seconde plus tard, les Flammes se jetaient dans la mêlée. Alexia a heurté Rémi, qui a lourdement atterri sur Jonathan. Tout ce qu'on voyait, c'était une masse grouillante de corps, de bâtons, de gants, de petites boules roses...

De petites boules roses?

— Mes ultrarachides! ai-je hurlé.

Toute cette bousculade devait avoir défait la fermeture éclair du plastron de Jonathan.

Jean-Philippe a été le premier à trébucher sur les bonbons répandus sur la glace. Il a renversé Olivier, qui a entraîné Alexia dans sa chute. C'était comme un film comique des années 1920. Sauf que ces vieux films étaient muets. Imaginez des centaines de spectateurs qui hurlent pendant que les joueurs glissent et trébuchent sur des ultrarachides. Même les arbitres n'arrivaient pas à rester debout.

Puis je l'ai vue. J'en ai oublié mes 40 gros bonbons durs

perdus. J'ai crié :

— La rondelle!

Elle était juste derrière la jambière gauche de Jonathan, tel un gros point noir parmi les petites taches roses.

— Où ça?

Tous les joueurs ont tenté de se remettre debout, la plupart glissant et retombant aussitôt. Cédric est parvenu le premier à la rondelle. Il s'en est emparé et s'est élancé sur la glace. Les cinq Pingouins se sont relevés pour se lancer à sa poursuite. Quel spectacle! Cédric Rougeau en échappée spectaculaire, avec son ancienne équipe à ses trousses! C'était un moment crucial et il n'allait pas se laisser plaquer par-derrière. Il a foncé vers le gardien des Pingouins comme s'il était propulsé par une fusée.

Le gardien connaissait bien Cédric. Il s'attendait probablement à un « spécial Rougeau », c'est-à-dire une feinte du revers. Et c'est exactement ce qu'il a fait. Mais ensuite, d'un geste vif comme l'éclair que je n'oublierai jamais, il a fait glisser la rondelle en arrière pour effectuer un coup droit qui a projeté la rondelle dans le filet en contournant le gardien.

Pointage final : 6 à 5 pour les Flammes.

L'équipe des Flammes de Mars n'était pas seulement compétitive : elle venait de battre les champions invaincus de la ligue!

Il y a eu un chahut monstre. Je ne me souviens pas de tout ce qui s'est passé, parce qu'une partie de mes notes a été déchiquetée dans l'excitation générale. On aurait dit un mélange de réveillon du Nouvel An, de Mardi gras et de défilé de la Coupe Stanley. Les partisans des Flammes ont sauté par-dessus la bande. Boum Boum a fait un tel bond qu'il aurait pu établir un record de saut en longueur. Quand il a atterri sur la glace, ses pieds se sont dérobés sous lui. Il est tombé sur la tête et s'est évanoui. Les joueurs, qui sautaient, dansaient et criaient, ne s'en sont même pas aperçus.

Dans la vague de spectateurs qui déferlait sur la patinoire se trouvait ma mère. Comme tout le monde, elle trébuchait et glissait sur la patinoire. Elle a aperçu une ultrarachide à quelques centimètres de son pied. Elle l'a ramassée pour l'examiner, puis l'a reniflée et testée du bout des dents. Je pouvais presque voir son cerveau fonctionner comme un ordinateur : objet non identifié = gros bonbon dur.

Vous pouvez imaginer le reste...

— *Clarence!*

J'étais fichu.

Chapitre 17

UNE REMONTÉE SPECTACULAIRE
POUR LES FLAMMES DE MARS

par Clarence « Tamia » Aubin
journaliste sportif de la Gazette

Au cours du plus passionnant, excitant, fantastique, incroyable match de l'histoire du hockey, les Flammes des Aliments naturels de Mars ont échappé à l'élimination en infligeant aux Pingouins leur première défaite en deux saisons. Cédric Rougeau a exécuté son tour du chapeau après 3 minutes 21 secondes en période de prolongation. Le jeu a été compliqué car la glace était couverte d'ultrarachides appartenant à une personne inconnue...

Cédric a levé les yeux de ma copie de la *Gazette*.

— Une personne inconnue? Le monde entier sait qu'elles étaient à toi!

— Pas ma mère, ai-je répliqué. Je lui ai dit qu'elles étaient tombées mystérieusement de la resurfaceuse.

— De la resurfaceuse? a-t-il répété, incrédule.

— C'était mieux que l'autre mensonge que j'avais préparé, et qui faisait allusion à des grêlons, ai-je répondu en haussant les épaules. De toute façon, elle a dû me croire, parce que nous avons conclu une entente. Je vais me brosser méticuleusement les dents et utiliser la soie dentaire pendant six mois. Si je n'ai pas trop de caries à mon prochain rendez-vous chez le dentiste, elle me laissera avoir deux gros bonbons durs par semaine.

Nous étions dans l'autobus municipal, en route vers Mars. Nous revenions de la réunion où M. Fréchette avait annoncé que les Flammes faisaient officiellement partie de la ligue.

Cédric a désigné ma joue :

— Qu'est-ce que tu mâches?

J'ai ouvert la bouche pour montrer mon morceau de gomme.

— De la gomme sans sucre. Ça goûte l'élastique.

Nous avions décidé d'aller annoncer la nouvelle à Boum Boum. L'entraîneur avait souffert d'une commotion cérébrale causée par sa chute sur la glace. Ce n'était pas très grave, mais comme un vieil ami de Montréal lui avait rendu visite, il avait décidé de ne pas venir à la réunion. Ce n'est pas comme si nous avions des doutes quant à l'issue de la réunion. Si on avait jugé que l'équipe des Flammes n'était pas assez compétitive, il aurait fallu avouer que les

Pingouins ne l'étaient pas non plus, puisque nous les avions battus. Et si on avait voulu nous mettre à la porte, il aurait fallu faire la même chose avec les Pingouins et toutes les équipes vaincues par ces derniers. Cela aurait donné une bien petite ligue.

Cédric m'a rendu mon journal.

— Qu'en dit Mme Spiro?

— Elle m'a accordé un C plus, ai-je répondu avec un haussement d'épaules. Elle dit que je parle beaucoup trop de bonbons durs. Tant pis. Ce n'est pas encore terminé.

— Mais oui! a protesté Cédric.

— Notre projet de recherche est peut-être terminé, ai-je expliqué, mais la saison vient à peine de commencer. Les Flammes sont la meilleure équipe Cendrillon de toute l'histoire du hockey! Je vais vous suivre toute la saison pour raconter votre histoire au monde entier!

— Aux élèves de notre école, tu veux dire! a lancé Cédric en riant.

— Pour l'instant, ai-je admis. Mais tu verras. Si vous n'aviez pas seulement 12 ans, le magazine *Sports Mag* me supplierait de lui donner l'article que Mme Spiro considère comme digne d'un C plus.

— Alexia et moi avons obtenu un A pour notre travail, m'a dit Cédric. Nous formons une bonne équipe, sur la glace et hors de la patinoire. Qu'en penses-tu? a-t-il ajouté en toussotant.

Je l'ai toisé :

— J'ai des pages et des pages qui décrivent vos

chamailleries. Si vous avez l'intention de devenir de grands amis, je vais devoir tout réécrire!

En descendant de l'autobus, nous avons couru jusqu'au magasin d'aliments naturels. J'ai couru à toutes jambes, mais Cédric m'a distancé sans problème.

Il est entré dans le magasin avant moi.

— C'est officiel! s'est-il exclamé. Nous sommes dans la ligue pour de bon!

Des cris de joie ont fusé dans la boutique.

— Vous auriez dû voir M. Fréchette quand il l'a annoncé! ai-je ajouté d'une voix essoufflée. Son visage était de la couleur de la goulasch de Mme Blouin!

Toute l'équipe était rassemblée autour de Boum Boum, dont le crâne chauve était couvert d'un pansement blanc. Il a baissé la tête pour ne pas se faire heurter par ses joueurs qui se tapaient dans la main avec enthousiasme.

Jonathan et Alexia se donnaient des claques dans le dos. Jean-Philippe s'est juché sur les épaules de Carlos en faisant le V de la victoire. Ce n'est que lorsque Benoît a fait trébucher Carlos, entraînant ainsi les deux amis sur le sol, que j'ai pu voir l'ami de l'entraîneur, assis à côté de lui.

Je suis resté bouche bée. Je n'en croyais pas mes yeux.

C'était Guy Lafleur. Le *vrai* Guy Lafleur. L'ailier droit légendaire intronisé au Temple de la renommée! Le premier joueur dans toute l'histoire de la LNH à récolter au moins 50 buts et 100 points au cours de six saisons consécutives! J'étais transporté!

Les pensées se bousculaient dans ma tête. Comment se

faisait-il que Boum Boum connaisse l'incroyable Guy Lafleur? La réponse était évidente : notre entraîneur avait joué à Montréal dans les années 1970! Bien sûr qu'il connaissait Guy Lafleur! Ils avaient été coéquipiers.

Cédric s'est précipité vers notre illustre visiteur et lui a demandé un autographe. Je dois dire que Guy a été très gentil.

— Avec plaisir, Cédric. J'ai beaucoup entendu parler de toi. Félicitations pour ton tour du chapeau de samedi!

Cédric rayonnait littéralement pendant que son idole apposait sa signature sur un bout de papier. En me voyant arracher une feuille de mon carnet, Guy a tendu la main :

— Veux-tu que je te signe ça, mon garçon?

— Pas exactement, ai-je répondu.

J'ai craché mon horrible gomme sans sucre et sans goût sur le papier, l'ai chiffonné et l'ai lancé dans la poubelle.

Je me suis tourné vers Guy, qui avait l'air stupéfait. C'était probablement la première fois que quelqu'un crachait dans un papier qu'il s'apprêtait à signer.

— Vous allez peut-être trouver ça bizarre, ai-je déclaré, mais il y a un colis pour vous au bureau de poste.

— Pour *moi*? a-t-il dit, estomaqué.

— Heu, c'est une longue histoire, ai-je bredouillé. Je vous expliquerai en route.

Croyez-le ou non, il a tendu la main vers son manteau.

Alors, moi, Tamia Aubin, j'ai marché jusqu'au bureau de poste avec le grand Guy Lafleur pour aller chercher mes fameuses Boules-en-folie.

Dans un monde où les Flammes de Mars peuvent battre les puissants Pingouins électriques, je suppose que tout est possible!

Gordon Korman

DROIT AU BUT 2

L'équipe de rêve

À Jay Howard Korman,
supervedette des années 2020

Chapitre 1

LES FLAMMES DANS LE FEU DE L'ACTION

par Clarence « Tamia » Aubin
journaliste sportif de la Gazette

Même si la ville de Bellerive et celle de Mars ne sont séparées que par un canal étroit, c'est la première fois, depuis la formation de la Ligue Droit au but de Bellerive qu'une équipe de Mars s'y voit acceptée. Les Flammes ont connu des débuts difficiles, mais personne ne rit plus de leur équipe aujourd'hui. Leur victoire de samedi dernier a porté à 3 victoires et 5 défaites les résultats inscrits sur leur fiche, et leur a permis de remonter dans le classement, eux qui occupaient le dernier rang...

L'homme a fini de lire mon article, puis m'a regardé.

— Et alors? m'a-t-il dit.

— Alors, je suis le reporter officiel de l'équipe, ai-je expliqué. Je dois être derrière le banc des joueurs. Et vous,

vous êtes assis à ma place.

L'homme a éclaté de rire en se poussant pour me faire de la place sur les gradins.

— Tous les autres se contentent d'une équipe et d'un entraîneur. Vous, les Martiens, il vous faut un reporter officiel!

Comme il avait l'air d'un bon gars, je n'ai pas fait d'histoires, même s'il nous traitait de Martiens. Nous sommes des Marsois, et tous les habitants de Bellerive le savent. Ils s'arrangent toujours pour nous donner l'impression d'être des citoyens de deuxième ordre.

Jean-Philippe Éthier, l'ailier gauche, s'est retourné sur le banc des joueurs et m'a aperçu.

— C'est la troisième période, Tamia! Où étais-tu passé?

— J'étais en retenue, ai-je répliqué d'un air mécontent. M. Pincourt m'a surpris avec un gros bonbon dur pendant le cours de sciences. J'ai essayé de mentir, mais il m'a tapé dans le dos et la boule est sortie de ma bouche. Elle est tombée dans un bécher d'acide. Je n'ai jamais vu un bonbon dur disparaître aussi vite!

— Est-ce que c'était ta dernière? m'a demandé le capitaine adjoint, Cédric Rougeau.

Seul membre des Flammes originaire de Bellerive, Cédric a remporté deux fois le titre de joueur le plus utile à son équipe.

J'ai hoché tristement la tête :

— J'aurais pu sucer ce bonbon pendant deux autres heures. Au lieu de ça, il s'est dissous en deux secondes!

— C'est à nous, a fait une voix calme.

C'était Alexia Colin, capitaine de l'équipe et seule fille de la Ligue Droit au but de Bellerive. Alexia utilisait une espèce de réglage de volume inversé. Elle chuchotait la plupart des choses que les gens expriment en criant. Cédric, Jean-Philippe et elle ont franchi la bande pour rejoindre les autres.

J'ai vérifié le pointage : 6 à 6. Les Flammes étaient à égalité avec les Rois du Service de couches Joli Bébé.

J'ai sorti mon carnet de reporter, qui fait autant partie de moi que la main qui me sert à écrire. Les Rois ont la réputation de marquer beaucoup de buts, mais leur défense est plutôt faible. Les Flammes ont donc pu leur répondre but pour but. L'équipe des Rois comprend beaucoup d'élèves de septième année. Leurs avants sont plus grands que ceux des Flammes, avec de longues jambes qui leur permettent de patiner plus vite.

Un ailier des Rois est allé chercher la rondelle dans le coin. Il a fait une passe toute en finesse à son capitaine, lui-même un élève de septième année que tout le monde appelle le Roi de la Couche.

Paf!

Le Roi de la Couche a exécuté un lancer frappé percutant. Jonathan Colin, gardien des Flammes et frère jumeau d'Alexia, a fait le grand écart. Sa jambière étendue a arrêté la rondelle au moment où il s'écrasait sur la glace.

— Le machin! Dégage le machin! a tonné la voix de stentor de l'entraîneur, Boum Boum Blouin.

Il faut que j'explique quelque chose au sujet de l'entraîneur des Flammes. Comme il ne se souvient presque jamais du nom des choses, il les désigne par des mots comme « machin », « truc », « bidule » ou « cossin ». Le langage ne pose pas de problèmes à Boum Boum. Il ne s'en sert tout simplement pas.

La rondelle est allée tout droit à l'autre ailier, immobilisé devant le filet par Benoît Arsenault, l'un de nos défenseurs. L'ailier des Rois, plus costaud, a réussi à se dégager et a levé son bâton pour frapper.

Bam!

Alexia lui a enfoncé son épaule dans le ventre, et il est tombé sur le dos. Les joueurs étaient maintenant habitués à jouer contre une fille. Mais ils n'arrivaient pas à accepter qu'elle soit la plus robuste plaqueuse de la ligue.

Alexia a passé la rondelle à Kevin Imbeault, l'autre défenseur des Flammes, qui lui a souri pour la féliciter de sa passe tout en se dirigeant vers la zone neutre.

Vous vous demandez probablement comment Kevin pouvait sourire à Alexia tout en patinant dans l'autre direction. C'est que Kevin patine à reculons. Il fait toujours ça, même quand il doit aller vers l'avant. Il est tout le contraire de Benoît, qui n'a jamais maîtrisé l'art de patiner à reculons.

Kevin a franchi la ligne rouge. Il pouvait voir où il allait en regardant dans le rétroviseur de voiture collé à sa visière. Lorsque le défenseur des Rois a tenté de s'emparer de la rondelle, Kevin a fait une feinte sans même avoir à se retourner.

Juste avant la ligne bleue, il a exécuté un court tir en direction de Cédric. J'ai resserré les doigts sur mon stylo. Nul besoin d'être un maniaque de hockey pour apprécier le jeu de Cédric Rougeau.

Il avait deux adversaires à déjouer. Il a d'abord fait un écart, avec la grâce d'un danseur de ballet, pour éviter une mise en échec. Puis il a semé l'autre défenseur en s'élançant comme une flèche dans un nuage de cristaux de glace. S'approchant du gardien des Rois à toute allure, il a effectué un lancer frappé court si percutant que la rondelle est entrée dans le filet avant même que le gardien puisse lever le petit doigt.

Les partisans des Flammes ont bondi en hurlant pour applaudir ce but décisif. Comme d'habitude, j'essayais de faire deux choses à la fois : écrire tout en applaudissant. Voilà ce que c'est que d'être journaliste! Oh, je sais que la *Gazette* de l'école élémentaire de Bellerive n'est pas un grand journal. Bon, d'accord, c'est un torchon. Je ne l'utiliserais même pas pour tapisser le fond d'une cage à oiseaux. Par contre, il peut me servir de tremplin, car un jour, je vais devenir journaliste sportif pour le magazine *Sports Mag*.

Il restait moins de deux minutes à jouer. Les Rois ont eu un regain d'énergie, et les Flammes se sont démenés pour les bloquer. Au cours de la dernière minute de jeu, le gardien des Rois a effectué un tir à la manière d'un golfeur, dans le but de dégager sa zone. La rondelle est allée frapper un bâton, puis s'est élevée haut dans les airs. Tout le monde a retenu son souffle. Le Roi de la Couche rôdait près de la ligne rouge, attendant une occasion de faire une échappée de dernière minute. Mais Jean-Philippe a sauté très haut pour arrêter la rondelle avec son gant. Selon le règlement, il ne pouvait ni l'attraper ni la faire dévier vers un coéquipier. Il ne lui restait donc qu'à la rabattre pour la faire atterrir à ses pieds.

La rondelle a ricoché sur le bout de ses doigts, est montée à la verticale, puis est retombée... dans l'encolure de son chandail. Le sifflet de l'arbitre a retenti.

— Hé, le jeune! a lancé l'arbitre. Donne-moi la rondelle!

— Elle n'est pas là, a répondu Jean-Philippe en tapotant son chandail.

— Il faut qu'elle soit là. Je l'ai vue tomber dans l'encolure.

Tous deux se sont mis à chercher la rondelle. Jean-Philippe a enlevé son chandail, puis ses épaulières. Les joueurs des deux équipes se sont approchés. Ils l'ont fouillé, secoué, tapoté. Pas de rondelle.

— Regardez dans son bidule! a conseillé Boum Boum, assis sur le banc.

Un fou rire contagieux s'est répandu dans l'assistance.

— Ce n'est pas drôle! a crié Jean-Philippe en direction des gradins.

Des éclats de rire lui ont répondu.

— Elle doit être dans ta culotte, en a conclu le juge de ligne.

— Pas question! a protesté Jean-Philippe. Je n'enlèverai pas ma culotte devant tout le monde!

Excédé, l'arbitre a lancé à Boum Boum :

— Pouvez-vous le faire sortir d'ici?

J'ai eu une idée géniale pour le titre de mon article : *Le mystère de la rondelle disparue.*

La partie a continué avec une nouvelle rondelle, Jean-Philippe n'ayant jamais retrouvé l'autre.

Les Flammes ont tenu bon et ont remporté la victoire avec un pointage de 7 à 6.

Chapitre 2

Puisque le vestiaire était mixte, les Flammes enlevaient seulement leurs patins et leur casque pour le retour à la maison. En tant que reporter de l'équipe, j'y suis entré pour rendre compte de l'atmosphère de réjouissance.

Boum Boum était ravi.

— Super machin! s'est-il exclamé en donnant des tapes dans le dos de ses joueurs.

Jonathan a retiré son masque de gardien et a commencé à enlever la neige de ses jambières en les frappant avec son bâton.

— Quelle attaque! a-t-il dit à Cédric. Ton tricotage était génial! Les Rois en tremblaient dans leur couche!

Carlos Torelli a laissé échapper un rire qui ressemblait à un braiment :

— Dans leur couche! Ah! ah! Parce qu'ils sont commandités par un service de couches!

Il ne fallait pas grand-chose pour amuser Carlos. Les

blagues du genre « Toc-toc! Qui est là? » le rendaient complètement hystérique. Les dessins animés mettant en vedette l'oiseau coureur et le coyote l'expédiaient pratiquement aux soins intensifs!

La porte du vestiaire s'est ouverte et la femme de l'entraîneur est entrée avec une collation pour l'équipe. Elle apportait toujours quelque chose de dégoûtant, comme des trucs aux germes de blé biologiques et à la luzerne. Les Blouin étaient propriétaires du magasin d'aliments naturels qui commanditait l'équipe.

— Félicitations, tout le monde! a lancé Mme Blouin en souriant.

Elle a distribué des croustilles multigrains aux épinards et des laits frappés énergisants. La règle tacite des Flammes était que personne ne disait aux Blouin à quel point leur nourriture était immangeable.

Même si je ne fais pas officiellement partie de l'équipe, je ne suis pas exempté de cette torture. Cependant, j'ai trouvé un truc pour me changer les idées pendant que j'avale ces aliments au goût horrible : je garde les yeux fixés sur Mme Blouin.

En effet, Mme B. est d'une beauté à provoquer des embouteillages. Les vedettes de cinéma ont l'air de babouins à côté d'elle. La plupart des gars de l'équipe font comme moi et la fixent du regard. Elle mesure plus de un mètre quatre-vingts, a de longs cheveux noirs, et des yeux... Oh, et puis oubliez ça. Il faudrait être Shakespeare pour décrire cette femme. Je suis meilleur que lui pour décrire un jeu en supériorité numérique de 5 contre 3, mais je ne trouve pas les mots pour décrire Mme B. Peut-être qu'il n'en existe pas.

Nous appelons le couple Blouin la Belle et la Bête. Vous pouvez donc imaginer l'allure de Boum Boum. Il est grand et maigre, avec des yeux exorbités, un nez de travers et des dents manquantes. C'est la conséquence de 16 ans de carrière dans la LNH comme joueur dont personne n'a entendu parler. Son front est aussi dégarni qu'une boule de billard, mais il a de longs cheveux frisottés, noués en queue de cheval. Même s'il a l'air étrange, c'est le meilleur gars du monde et un excellent entraîneur de hockey.

Comme Mme B. était présente, Alexia était la seule en état de prendre la parole.

— Très bon, ce lait frappé, madame Blouin, a-t-elle dit.

— Oh, ce n'est pas du lait frappé, a répliqué la femme de l'entraîneur. Cette boisson ne contient aucun produit laitier. Elle est faite avec de l'extrait de soya et parfumée aux kiwis écrasés.

Comme si nous avions besoin de connaître ces détails!

J'ai décidé qu'il était temps de faire mon travail de journaliste.

— Quelle impression ça fait d'avoir une fiche avec 4 victoires et 5 défaites? ai-je demandé aux joueurs.

— Si l'on considère que nous aurions pu être éliminés de la ligue il y a un mois, c'est très satisfaisant! a dit Alexia en souriant.

— Vous rendez-vous compte qu'il manque seulement

un match pour qu'on ait autant de victoires que de défaites? a ajouté Jonathan d'un ton excité.

— Ce serait une moyenne de 0,500! me suis-je exclamé en écrivant à toute vitesse. Après avoir commencé avec une fiche de 0 et 3, se rendre à 0,500 pour le tournoi serait digne d'une équipe Cendrillon!

Boum Boum a sorti la tête de son sac.

— Une moyenne de 0,500, c'est très bien. Mais le truc le plus important, c'est de jouer de notre mieux à chaque patente, et de prendre ça une bébelle à la fois.

— Boum Boum dit toujours ça, a confirmé Mme Blouin.

Dit toujours quoi?

Voilà comment ça se passe dans le vestiaire des Flammes. Beaucoup de paroles sages y sont probablement échangées. Il faudrait seulement un traducteur pour les déchiffrer.

Cédric vit près de l'aréna de Bellerive, où sont disputées les parties de la ligue. Il peut donc rentrer chez lui à pied. Les autres joueurs et moi montons dans l'« autobus » de l'équipe pour franchir les trois kilomètres qui nous séparent de Mars. Cet « autobus » est en fait un tas de ferraille qui sert à faire les livraisons du magasin d'aliments naturels des Blouin. Vous vous souvenez du rétroviseur de Kevin? Eh bien, il est tombé de ce camion, un jour. Je suis surpris de voir que les pneus, les ailes, les pare-chocs et le moteur ne se détachent pas à leur tour.

Vous pouvez donc imaginer à quel point c'est

confortable pour 10 jeunes et leur équipement de hockey, juchés sur d'énormes bacs de plastique remplis de tofu, surtout lorsque le camion traverse le pont en bringuebalant.

Quand je suis arrivé chez moi, ma mère m'attendait derrière la porte. Je pensais qu'elle allait me fouiller et vider mon sac pour vérifier si j'avais des gros bonbons durs (j'ai eu 11 caries lors de mon dernier rendez-vous chez le dentiste). Mais ce n'était pas pour cette raison qu'elle guettait mon retour.

— Nous avons de la visite, Clarence, m'a-t-elle annoncé.

Voilà pourquoi j'aime me faire appeler Tamia. N'importe quel nom est préférable à Clarence.

Une voix familière a lancé :

— Hé, mon gars!

Puis mon père est sorti du salon.

— Papa!

J'ai couru me jeter dans ses bras.

Je n'ai pas souvent la chance de le voir. Ce n'est pas vraiment sa faute : il est représentant de commerce et doit voyager pour son travail. Mes parents se sont séparés quand j'avais sept ans.

— Je suis content de te voir, Tamia, m'a-t-il dit avec un grand sourire.

Ma mère a fait la grimace.

— Michel, ne l'appelle pas comme ça, je t'en prie, a-t-elle supplié. Ce surnom vient de sa joue gonflée quand il mange des bonbons durs! Et nous avons de sérieux problèmes de caries, ces temps-ci!

Je sais reconnaître le moment où il faut changer de sujet.

— Alors, papa, est-ce que tu vends toujours ce nouveau bidule d'ordinateur?

— Bidule? a-t-il répété en riant.

— Bidule, cossin, truc, patente... Ce sont les mots de Boum Boum Blouin, l'entraîneur des Flammes. Savais-tu qu'on a une équipe dans la ligue de Bellerive?

Il a hoché la tête.

— Ta mère m'a raconté ça. C'est un miracle! Nous essayions d'y entrer depuis mon enfance! J'aimerais vraiment lire tes articles sur l'équipe. As-tu fait un album?

Si j'ai fait un album? J'ai conservé tous mes textes publiés dans la *Gazette* et les ai méticuleusement collés dans un album que je garde précieusement dans ma chambre. Bien sûr, j'ai coupé la partie qui dit *Gazette de l'école élémentaire de Bellerive* pour la remplacer par le logo de la page couverture du magazine *Sports Mag*.

Papa a rapidement parcouru les deux premiers articles.

— C'est formidable! Félicitations, Tamia! Oh, en passant...

Il a sorti de sa poche un petit paquet enveloppé de cellophane et me l'a tendu.

J'ai souri. C'était une mégabombe au raisin, un de mes bonbons durs préférés. Il y a une explosion de jus de raisin à l'intérieur.

— Merci, papa!

— À ton service! a-t-il répliqué en me faisant un clin d'œil. Mais ne dis pas à ta mère que ça vient de moi.

J'ai fait la moue.

— Tu veux rire? Si elle m'attrape avec un autre bonbon dur, je ne vivrai pas assez longtemps pour assister au prochain entraînement des Flammes, qui a lieu demain!

— Demain? a dit papa d'un air intéressé. Ici, à Mars? Je devrais avoir terminé mes rendez-vous à temps pour t'y rejoindre après l'école.

— Vraiment? ai-je dit, tout excité. Es-tu en ville pour longtemps?

— Quelques semaines, a-t-il répondu. Écoute, Tamia, il faut que je retourne à mon hôtel. On se voit à la patinoire demain, d'accord?

— Bonne nuit, papa! ai-je dit en l'embrassant.

Je ne suis pas de ces enfants qui passent leur temps à espérer que leurs parents vivent à nouveau ensemble. Mes parents semblent être restés bons amis, et ça me convient parfaitement. J'étais très content que mon père passe du temps à Mars, surtout s'il s'intéressait aux Flammes.

J'ai ramassé ma mégabombe au raisin. Maman est maniaque quand il s'agit du dentiste. Elle a même distribué ma photo d'école à tous les magasins de bonbons de la ville pour qu'ils ne m'en vendent pas. Voilà un autre avantage d'avoir mon père dans les parages. Je vais pouvoir recommencer à manger des gros bonbons durs.

Chapitre 3

Pour une raison quelconque, les enfants de Bellerive pensent que rien n'est plus hilarant que de se moquer des Marsois. Ils nous traitent de Martiens, de gagas de la galaxie, d'épais de l'espace. Ils ont même rebaptisé notre autobus scolaire Pathfinder, en l'honneur de la mission de la NASA vers Mars.

Les adultes de Bellerive ne sont guère mieux que les enfants. Ils sont plus polis, mais ne se privent pas de faire des blagues.

— Nous entrons maintenant dans l'atmosphère terrestre, a lancé Mme Costa, la chauffeuse de l'autobus. Préparez-vous pour l'arrimage à la base de lancement de Bellerive!

Vous voyez? Mme Costa répète ça chaque jour! Nous en avons tous marre de l'entendre! Tous, sauf Carlos, qui trouve cette farce tordante.

— La base de lancement de Bellerive! a-t-il répété en

gloussant. C'est comique, non?

— Elle répète ça tous les jours depuis la maternelle, a marmonné Alexia. Ce n'est plus comique.

Des élèves s'étaient attroupés devant l'entrée. Ils riaient, blaguaient et semblaient bien s'amuser, ce qui signifie généralement qu'un pauvre Marsois est sur le point de se faire démolir.

Un papier était collé sur la porte. J'y ai jeté un coup d'œil.

À LA RECHERCHE DE LA RONDELLE MARTIENNE

Nous sommes entrés lentement. Dans le hall se trouvait le mannequin de magasin à rayons qu'ils avaient utilisé auparavant pour rire de nous. Le mannequin était affublé d'un casque, d'un bâton de hockey et d'un t-shirt vert trafiqué pour ressembler au chandail des Flammes. Il portait le numéro 10, celui de Jean-Philippe. Une autre pancarte était accrochée au bâton :

AIDEZ CE MARTIEN À TROUVER SA RONDELLE.
INDICE : ELLE EST PRÈS DE SON CERVEAU.

Ai-je mentionné que le mannequin ne portait pas de culotte? Comment décrire où ils avaient mis la rondelle « manquante »... Contentons-nous de dire que le mannequin aurait eu du mal à s'asseoir.

Carlos s'est esclaffé.

— Hé, Jean-Philippe, as-tu pensé à regarder *là*?

Jean-Philippe était rouge tomate.

— Je n'ai jamais pu la trouver! a-t-il protesté.

— As-tu regardé dans ta culotte de hockey? a suggéré Jonathan. Peut-être qu'elle a glissé dans une des poches où on place les protecteurs?

Jean-Philippe lui a jeté un regard furieux :

— Ma mère a déjà lavé ma culotte de hockey! Elle a lavé tout mon équipement! Il n'y avait pas de rondelle!

— Alors, elle a dû tomber dans le tas de linge sale au sous-sol, a insisté Benoît.

Jean-Philippe a perdu patience :

— Elle n'est pas dans le tas de linge sale! Elle a disparu, c'est tout! C'était un événement surnaturel inexpliqué!

On pouvait se fier à Jean-Philippe pour jeter de l'huile sur le feu quand il était le dindon de la farce. Les petits comiques de Bellerive riaient à gorge déployée.

À l'école, on ne parlait que de la liste des joueurs choisis pour faire partie de l'équipe des étoiles de la ligue. Elle était fixée au grand tableau d'affichage près du bureau.

Être sélectionné n'était pas seulement un grand honneur. Ces joueurs allaient participer à un tournoi important et se rendre à Montréal pour jouer contre les équipes de 15 autres ligues.

Une foule d'élèves était massée devant le tableau. Des murmures excités remplissaient le couloir, et les heureux élus se tapaient dans la main pour se féliciter. Comme je suis plutôt petit, je devais étirer le cou entre les têtes et les épaules qui me bloquaient la vue.

— Laissez passer la presse! ai-je crié.

Ça m'a valu un coup de coude dans le ventre et quelques éclats de rire. Voilà pourquoi je veux travailler pour *Sports Mag*. Personne ne prend la *Gazette* au sérieux.

Alexia a levé les yeux au ciel. Elle s'est avancée et s'est frayé un chemin dans la foule comme une moissonneuse dans un champ de blé. Cédric et Jonathan lui ont emboîté le pas, et je me suis glissé derrière eux. Quand j'ai levé les yeux, j'étais devant le tableau d'affichage.

La liste des joueurs correspondait plus ou moins à mes attentes. La moitié des joueurs provenaient de l'équipe des Pingouins, les champions commandités par la centrale électrique de la ville. J'ai commencé à copier les noms dans mon carnet de reporter. Le Roi de la Couche s'y trouvait aussi, avec plusieurs autres élèves de septième année que je ne connaissais pas. Il y avait Cédric, bien sûr, et... la pointe de mon crayon s'est brisée. Il n'y avait pas d'autres joueurs des Flammes.

Mes antennes de journaliste ont vibré, au point de m'électrocuter. C'était une nouvelle incroyable! Quel affront! D'accord, nous aimions tous Cédric, mais il était originaire de Bellerive. Ça voulait dire qu'il n'y avait aucun Marsois dans l'équipe des étoiles. C'est vrai que Jonathan avait une mauvaise moyenne pour ce qui est des buts alloués. Et je suppose que Jean-Philippe était plus connu comme clown que comme ailier. Quant à nos meilleurs défenseurs, ils avaient l'air plutôt étranges quand ils patinaient, l'un à reculons, l'autre vers l'avant. Mais qu'en était-il d'Alexia?

Elle était une excellente attaquante défensive, douée pour les mises en échec et capable de faire des passes précises Elle faisait même partie des 20 meilleurs marqueurs. La semaine précédente, j'avais interviewé un joueur des Étincelles. Il m'avait raconté que leur entraîneur avait passé la moitié d'une séance d'entraînement à leur montrer comment jouer contre Alexia. Elle méritait une place dans l'équipe des étoiles! C'était injuste!

Jonathan a passé un bras autour des épaules de sa sœur.

— Désolé, Alex.

Elle n'a rien dit, mais je pouvais voir qu'elle était déçue.

— Tiens, tiens, a déclaré Rémi Fréchette, un joueur des Pingouins. Il n'y a aucun gaga de la galaxie dans l'équipe des étoiles!

— Oui, il y en a un! s'est exclamé Olivier Vaillancourt. Un pauvre type nommé Cédric Rougeau. Il nous a quittés pour se joindre aux Martiens, tu te souviens?

La saison précédente, quand Cédric faisait partie des Pingouins, lui et ces deux crétins étaient connus comme le trio ROC : Rémi, Olivier, Cédric. Maintenant que leur centre était un joueur appelé Tristan, ils formaient le trio ROT. Un nom qui convenait parfaitement à ces grossiers personnages.

Rémi s'est tourné vers Alexia :

— Ne te donne pas la peine de chercher ton nom sur la liste, ma chère, a-t-il lancé d'un ton méprisant. Croyais-tu qu'ils allaient prendre une fille dans l'équipe des étoiles?

— Eh bien, ils le devraient! a rétorqué Cédric d'un ton sec. Comme ailière, elle vous surpasse tous les deux! Cette équipe sera la risée si elle n'en fait pas partie.

Alexia, qui ne faisait jamais rien comme tout le monde, a réagi exactement comme je m'y attendais : elle s'est attaquée à Cédric au lieu de se fâcher contre Rémi et Olivier.

D'une voix calme qu'on pouvait entendre dans tout le couloir, elle lui a dit :

— Qui t'a demandé de me défendre? Mêle-toi de tes affaires!

Et elle est partie en trombe, laissant Cédric planté là, la bouche ouverte.

Olivier a ricané :

— Ton équipe a vraiment de la classe, Rougeau!

— Comme si tu savais ce que c'est que d'avoir de la classe! a répondu Cédric avec un regard glacial.

Nous sommes partis avant qu'une bagarre éclate. En m'éloignant, je secouais la tête, accablé.

— C'est vraiment injuste! ai-je dit à mes amis. Il devrait y avoir au moins un Marsois dans l'équipe des étoiles!

Jonathan a haussé les épaules :

— Il faut dire que notre équipe a connu des débuts difficiles. On s'est améliorés, c'est vrai, mais nos étoiles ne sont pas si brillantes que ça. À l'exception d'Alex.

— C'est ce que je veux dire! ai-je insisté. Elle devrait figurer sur cette liste!

Cédric a fait la moue.

— Même si Alexia avait plus de buts et d'aides que Wayne Gretzky, elle ne ferait pas partie de l'équipe des étoiles. Non seulement elle vient de Mars, mais c'est une fille. C'est un double obstacle.

— Mais ne voyez-vous pas que c'est injuste? ai-je protesté. Les étoiles devraient être les meilleurs joueurs, un point, c'est tout! Elle est meilleure que la moitié de ces gars! Le Roi de la Couche, tu parles! Il ne lui arrive pas à la cheville!

— On ne peut rien y faire, a dit tristement Jonathan. Ce sont les officiels de la ligue qui votent pour choisir les joueurs de l'équipe des étoiles. Ce n'est pas à nous de décider.

D'accord. Peut-être que Jonathan avait raison. L'équipe ne pouvait rien faire. Ce n'était pas le rôle des joueurs de révéler des injustices et de se battre pour faire triompher la justice. Cette responsabilité revenait à quelqu'un qui pouvait passer l'information au crible et découvrir la vérité. Quelqu'un qui pouvait faire connaître cette vérité au public. Quelqu'un comme... un journaliste.

Dans des moments pareils, je déteste être un enfant. Si j'avais travaillé pour RDS, j'aurais pu passer à la télé et révéler cette énorme arnaque au monde entier. Si j'avais été journaliste pour *Sports Mag*, j'aurais pu faire la première page avec cette nouvelle exclusive. Mais la *Gazette* de l'école élémentaire de Bellerive n'est publiée qu'une fois par mois. Quand le prochain numéro sortirait, le tournoi des étoiles serait déjà terminé!

J'ai redressé les épaules et me suis dirigé vers la classe de Mme Spiro.

— Il faut publier un numéro spécial de la *Gazette*! lui ai-je annoncé.

Elle ne m'a même pas demandé pourquoi. Elle m'a juste répondu « non ».

— Mais...

Je lui ai donné tous mes arguments sur la vérité et la justice.

Mme Spiro, qui est censée prendre le parti des journalistes, m'a fait un long discours sur le coût du papier. Le papier! Rien ne coûte moins cher que ça! Même les Bébés Boules, les plus petits et les plus ordinaires des gros bonbons durs, coûtent 10 cents. On peut acheter beaucoup de papier pour 10 cents!

La cloche a sonné. Durant l'heure qui a suivi, j'ai dû faire semblant de me concentrer sur le cours de français. J'avais, en effet, quelque chose de bien plus important en tête. Je devais trouver un moyen de faire connaître ce scandale au public.

Mais comment?

Chapitre 4

Mars ne dispose pas d'un superbe aréna comme celui du centre de loisirs de Bellerive. Notre patinoire se trouve à l'extérieur. La glace est raboteuse, une caractéristique que nous avons d'abord perçue comme un désavantage. Pourtant, à force de s'entraîner sur cette glace, les joueurs des Flammes sont devenus d'excellents patineurs.

De toute façon, nous adorerions notre patinoire bosselée même si elle était hantée par des loups mangeurs d'hommes. C'est le décor de notre toute première victoire, et contre les Pingouins en plus!

Mon père avait dit qu'il essaierait d'être à la patinoire à temps pour la séance d'entraînement. J'essayais de ne pas me faire trop d'illusions. On ne sait jamais quand l'horaire d'un représentant peut changer. Papa devait toujours se précipiter à des réunions ou des rendez-vous de dernière minute. Mais, quand je suis arrivé à la patinoire, il était là. Non seulement il y était, mais il portait des patins et faisait des passes à Jean-Philippe, Carlos et Marc-Antoine Montpellier.

J'ai couru jusqu'à la bande.

— Salut, papa!

— Tamia! J'ai une nouvelle pour toi! Ton vieux père est encore capable de patiner!

Il a glissé jusqu'à la bande et a sorti un petit paquet de sa poche.

— Je t'ai apporté quelque chose. Si tu veux travailler un jour pour *Sports Mag*, tu vas en avoir besoin.

J'étais gêné. Mon père devait avoir remarqué ma fausse couverture de *Sports Mag*. On ne pouvait rien lui cacher.

En ouvrant le paquet, je suis resté bouche bée. C'était un magnétophone de poche, comme ceux qu'utilisent les vrais journalistes! Parfait pour les entrevues et pour enregistrer des notes durant les matchs.

— Tu n'aurais pas pu trouver un meilleur cadeau! me suis-je exclamé.

— À ton service! m'a-t-il répondu avec un clin d'œil.

J'ai inséré les piles. Il ne manquait qu'une chose pour que ce moment soit parfait.

Papa a dû lire dans mes pensées.

— Au fait... a-t-il ajouté en me tendant un bonbon piquant à la cannelle.

J'ai à peine pris le temps d'enlever le papier.

Puis j'ai mis l'appareil en marche pour commencer ma première entrevue enregistrée.

— Je parle aujourd'hui avec Michel Aubin, père du

célèbre journaliste sportif Tamia Aubin. Et voici l'entraîneur des Flammes, Boum Boum Blouin.

J'ai appuyé sur la touche d'arrêt.

— Monsieur Blouin, je vous présente mon père.

— Heureux de vous rencontrer, Boum Boum, a dit papa. Je me rappelle vous avoir vu jouer dans la LNH. Était-ce avec les Red Wings ou le Canadien?

— Les deux, a répondu Boum Boum.

Comme je l'ai déjà mentionné, Boum Boum n'était pas une superstar dans la LNH. Il était échangé trois fois par saison, quand il n'était pas tout simplement renvoyé dans les ligues mineures. Il avait joué non seulement pour les Red Wings et le Canadien, mais aussi pour les Flyers, les Bruins, les Black Hawks, les Maple Leafs, les Kings, les Penguins et les Rangers. Il avait presque fait le tour de la ligue. En fait, si la LNH avait accordé des points pour grands voyageurs, Boum Boum en aurait amassé suffisamment pour aller sur la Lune.

Papa a levé son bâton.

— J'espère que ça ne vous dérange pas si je participe à votre entraînement.

— Pas de problème, a dit Boum Boum en souriant. Nous avons besoin de toute l'aide possible. Hé, les gars! a-t-il lancé en plaçant ses mains en porte-voix. Approchez-vous pour la patente d'équipe!

J'ai appuyé sur la touche d'enregistrement.

Boum Boum a déclaré :

— Avant qu'on commence les trucs...

— Exercices, ai-je murmuré dans le micro.

— ... est-ce que vous avez des bébelles ou des machins? a-t-il poursuivi.

— Des questions ou des commentaires, ai-je traduit.

Jean-Philippe a levé la main. Les autres ont poussé un grognement. Les commentaires de Jean-Philippe étaient aussi célèbres que bizarres.

— Monsieur Blouin, pourquoi ne s'exerce-t-on jamais à rabattre la rondelle?

Boum Boum a eu l'air surpris.

— S'exercer? Vous n'avez qu'à lever votre gant et faire tomber la patente par terre. Pas besoin de s'exercer!

— Vous ne comprenez pas, a insisté Jean-Philippe. Pendant la dernière partie, je n'ai pas rabattu la rondelle de la bonne façon parce que je ne m'étais pas exercé.

— C'est pour ça qu'elle n'est jamais retombée! a lancé ce petit malin de Carlos.

Quelques ricanements ont fusé ici et là. Même Boum Boum retenait un rire. De toute évidence, il ne savait pas quoi répondre.

— Eh bien, Jean-Philippe... a-t-il commencé.

Savez-vous qui est intervenu pour sauver la situation? Mon père.

— C'est un point très important que tu soulèves, Jean-Philippe. Ça me ferait plaisir de passer un peu de temps à faire des exercices de... « rabattage » avec toi. Si l'entraîneur est d'accord.

Boum Boum a eu l'air soulagé.

— Très bien. Allez-y! Pendant ce temps, nous allons commencer nos cossins.

Les joueurs se sont donc exercés à faire des croisements pendant que mon père travaillait avec Jean-Philippe dans un coin. Il lui lançait des rondelles comme s'il jetait des poissons aux phoques du zoo.

Puis mon père a fait le tour de l'équipe. Il a montré à Jonathan comment orienter son gant bloqueur. Il a enseigné des techniques de maniement du bâton à Benoît et Marc-Antoine. Il a agi comme défenseur dans des affrontements individuels avec Cédric. Il a même essayé d'expliquer à Carlos pourquoi il était hors-jeu 90 % du temps. C'était peine perdue. Se faire comprendre de Carlos était comme essayer de percer du titane avec un couteau à beurre. Sauf que mon père était malin. Il a jaugé Carlos, puis a décidé de lui raconter une blague « Toc-toc ». En plus, c'était une blague que Carlos ne connaissait pas. Il s'est jeté à plat ventre au milieu du cercle de mise au jeu et a hurlé de rire pendant cinq bonnes minutes.

Quand l'entraînement a enfin pu reprendre, papa a participé à un exercice de mise en échec. Il faisait mine de s'écrouler par terre chaque fois que quelqu'un le touchait. Des rires fusaient dans l'air froid. Puis Alexia est arrivée et l'a carrément renversé sur le dos.

J'ai sauté par-dessus la bande et j'ai couru vers lui.

— Papa? Est-ce que ça va?

Je pensais qu'il était mort.

Il s'est relevé en grognant. Il a regardé autour de lui et

a fait signe à la personne qui l'avait plaqué.

— Toi, viens ici!

Alexia s'est laissée glisser vers lui et a retiré son casque. Ses longs cheveux blonds se sont répandus sur ses épaulières. Elle a regardé mon père en levant le menton.

J'ai retenu mon souffle. Je savais qu'elle le défiait de faire toute une histoire parce qu'elle était une fille.

Mais il n'a pas changé d'expression. Il n'a pas eu l'air surpris et n'a même pas dit : « Oh, tu es une fille! »

— Ça, c'était une excellente mise en échec avec l'épaule, a-t-il dit au groupe. Observez-la bien. Si vous faites comme elle, tout sera parfait.

La mâchoire d'Alexia s'est relâchée. Son cou s'est détendu. Elle a souri à mon père. Et croyez-moi, Alexia ne sourit pas facilement.

J'étais ravi. Mon père semblait plaire aux joueurs des Flammes et à Boum Boum. Et ce dernier avait l'air heureux qu'un autre adulte l'aide à entraîner les joueurs.

C'était l'un des plus beaux moments de ma vie. J'avais un bonbon dur dans la bouche, un magnétophone tout neuf dans la main, et mon père faisait maintenant partie de mon reportage. Ça ne pouvait pas aller mieux! Papa est même venu au magasin d'aliments naturels pour la réunion d'équipe après l'entraînement.

— J'aimerais porter un toast, a-t-il dit en levant son verre de jus de carotte. À notre joueur étoile, Cédric! Bonne chance pour le tournoi!

C'était la première fausse note – *bling!* – dans la

magnifique symphonie de mon après-midi. J'étais là, en train de m'amuser, pendant que cette ligue pourrie se permettait d'exclure les Marsois de l'équipe des étoiles.

Cédric avait l'air mal à l'aise, lui aussi.

— Je ne sais pas. Je n'irai peut-être pas.

Boum Boum était stupéfait :

— Qu'est-ce que tu veux dire, *tu n'iras pas*? C'est quoi, cette patente à gugusse-là?

— Ce serait plutôt bizarre de jouer avec tous ces Pingouins, a dit Cédric d'un air malheureux. Ces gars me traitent comme un chien depuis que je fais partie des Flammes.

— Tu vas y aller, c'est moi qui te le dis! est intervenue Alexia en baissant le volume pratiquement à zéro. Je te défends bien de te dégonfler juste parce que je n'ai pas été choisie. Je ne veux pas de ta charité!

— Tu as seulement besoin que tes coéquipiers viennent t'encourager, a déclaré Mme Blouin. Dis-leur, Boum Boum, a-t-elle ajouté en se tournant vers son mari.

Je pouvais voir que l'entraîneur bouillait d'impatience. Ses yeux de mante religieuse avaient l'air plus exorbités que jamais quand il nous a annoncé :

— Voici l'affaire : nous allons tous monter dans le cossin et aller assister au bidule! nous a-t-il annoncé.

Nous étions perplexes, mais pas surpris. Quand Boum Boum était excité, son vocabulaire descendait encore d'un cran. Nous nagions dans les trucs-bidules-machins.

Mme Blouin est venue à notre aide :

— Ce que Boum Boum veut dire, c'est que nous irons tous à Montréal pour assister à la finale du tournoi.

— Oh! a soufflé Carlos. Et si mes parents refusent que j'y aille?

— Ne t'en fais pas, a dit Boum Boum en riant. J'ai déjà téléphoné à vos parents. Ils ont tous donné leur machin.

— Leur accord, a traduit sa femme. Il fallait obtenir leur permission, parce que ce n'est pas tout. Vous savez que Boum Boum a déjà joué pour le Canadien de Montréal. Il a encore des contacts là-bas...

— Nous irons tous voir un match du Canadien le samedi soir! a terminé Boum Boum.

— Vous devrez apporter votre brosse à dents! a dit Mme Blouin avec son sourire de mannequin-vedette. Nous allons dormir à l'hôtel.

Les joueurs se sont déchaînés.

— Une vraie partie de la LNH! a soufflé Jonathan. C'est incroyable!

— C'est la meilleure chose qui me soit jamais arrivée! a renchéri Benoît.

— On va pouvoir observer comment Saku Koivu rabat la rondelle! s'est exclamé Jean-Philippe.

Je devais avoir l'air inquiet. Après tout, je n'étais pas un joueur des Flammes.

Boum Boum m'a donné une tape dans le dos.

— Toi aussi, tu seras là, Tamia. Comment pourrions-nous y aller sans notre bidule d'équipe?

— Ce sera le voyage le plus génial de tous les temps, a

gémi Cédric. Et je vais manquer ça pour jouer avec ce taré de Rémi Fréchette!

Alexia lui a ri à la figure.

— Prends les choses du bon côté, la vedette! On ne pourrait pas faire ce voyage si notre merveilleux coéquipier n'avait pas été sélectionné comme étoile!

Kevin a tiré la manche de Boum Boum.

— Vous ne faites pas de blagues, n'est-ce pas? On va vraiment y aller?

— C'est promis! a dit Boum Boum en souriant. Il ne manque qu'un bénévole avec une grosse voiture.

— Ne cherchez plus! a lancé mon père en se levant d'un bond. Votre bénévole se trouve ici même. J'ai loué une fourgonnette à sept places!

Les yeux ont dû me sortir de la tête comme ceux de Boum Boum.

— Tu es sérieux, papa? Merci!

— À ton service! a-t-il répondu en souriant.

Chapitre 5

J'ai dicté ma dernière idée de titre dans le micro de mon magnétophone : « Aubin seconde l'entraîneur des Flammes. »

Ce n'était pas moi, mais mon père, qui se trouvait aux côtés de Boum Boum, derrière le banc des Flammes, pour leur match contre les Panthères du Palais oriental. J'étais ravi. Boum Boum a même laissé mon père faire l'allocution d'avant-match.

— Je me suis renseigné sur ces Panthères, a déclaré mon père à l'équipe avant la mise au jeu. D'après ce que j'ai pu comprendre, ils ne sont pas brutaux, mais ils sont sournois.

— Sournois? a répété Jean-Philippe. Qu'est-ce qu'ils font? Ils mettent de la colle magique dans le sifflet de l'arbitre? Ils détournent la resurfaceuse? Ils volent la rondelle?

— Non! s'est esclaffé Carlos. Tu es le seul à faire ça!

— Au hockey, être sournois veut dire faire des trucmuches quand on sait que l'arbitre a le dos tourné, a expliqué Boum Boum.

— Ils s'arrangent toujours pour ne pas se faire prendre, a confirmé papa. Et si vous essayez de leur rendre la pareille, c'est vous qui vous retrouverez au banc des punitions. Alors, essayez de rester calmes.

La partie a commencé. Nous avons su tout de suite que notre éclaireur avait dit la vérité. Je n'ai jamais vu autant de crochets et de retenues de ma vie.

Le plus sournois des Panthères est Luc Doucette, un élève de septième année. Cédric venait de gagner la mise au jeu, mais ce minus s'est penché pour retenir son bâton. Ça n'a duré qu'une seconde, et l'arbitre n'a rien vu. Mais c'était suffisant pour que Luc donne un coup de patin sur la rondelle en direction d'un de ses ailiers.

Les Panthères ont bientôt eu le contrôle du jeu. Chaque fois que les Flammes essayaient d'amorcer une manœuvre, un petit accrochage ou une obstruction bloquait l'attaque avant même qu'ils atteignent le centre de la patinoire. Puis les défenseurs des Panthères n'avaient qu'à renvoyer la rondelle dans la zone des Flammes d'un petit coup de bâton.

Ça s'est poursuivi de cette manière jusqu'à ce que Jean-Philippe décide de bloquer un tir de dégagement. Il a bondi dans les airs comme un sauteur en hauteur. Il était tellement concentré sur la rondelle qu'au lieu de la rabattre, il l'a attrapée. C'était un saut si athlétique et si spectaculaire que la moitié des spectateurs a applaudi. Ce n'est que lorsque le sifflet a retenti que nous avons compris notre erreur : fermer la main sur la rondelle vaut une pénalité de deux minutes.

— Bel attrapé! a dit Luc d'un ton narquois quand Jean-Philippe est allé s'asseoir sur le banc des punitions. Dommage qu'on ne joue pas au baseball!

— Je crois qu'on a besoin de s'exercer encore! a lancé Jean-Philippe à mon père.

— Ne t'en fais pas! a répondu mon père.

Nous aurions dû nous en faire, parce que les Panthères étaient implacables en situation de supériorité numérique. Les quatre Flammes ont adopté une formation en carré pour protéger Jonathan. Mais rien n'aurait pu arrêter Luc Doucette. Il avait un lancer du poignet incroyable, encore plus puissant que celui de Cédric. C'était le genre de lancer que la plupart des jeunes ne maîtrisent qu'à l'âge de 16 ans. Il pouvait envoyer la rondelle dans les airs à volonté.

Il s'est planté devant Jonathan et a attendu que ses ailiers lui fassent des passes. Ça n'a pas tardé. Puis, d'un mouvement des poignets, Luc a fait passer la rondelle par-dessus le gant de Jonathan. Elle s'est logée dans le coin supérieur du filet.

Les Flammes ont riposté. Cédric a réussi à se débarrasser des deux défenseurs qui le harcelaient. Il a dû faire une pirouette pour se dégager. Comme il n'était pas bien placé, il a effectué une passe du revers à Alexia, qui filait à la vitesse de l'éclair. Elle a projeté la rondelle dans le filet, entre les jambières du gardien. Égalité.

Les partisans des Flammes ont acclamé leur équipe. Je me suis levé en brandissant mon magnétophone pour enregistrer les cris de la foule. Seuls quelques parents, frères ou sœurs étaient venus encourager la plupart des équipes. Mais il y avait toujours beaucoup de Marsois aux matchs des Flammes.

Boum Boum a assené une grande claque dans le dos de Cédric.

— Bonne affaire!

Nous savions tous qu'il voulait dire « passe ».

— Beau lancer! a dit mon père à Alexia. Directement entre les jambières!

Ainsi, elle n'était pas assez bonne pour faire partie des étoiles, hein? Et puis quoi encore?

Le but a donné un regain de vie à l'équipe des Flammes. Cependant, juste avant la fin de la période, ce minable de Luc a réussi à faire trébucher Benoît sans se faire pincer. Puis il s'est emparé de la rondelle, s'est précipité vers le filet et *pow!* il a effectué un tir frappé court qui est passé au-dessus du gant bloqueur de Jonathan. C'était un lancer parfait, juste sous la barre horizontale. Il aurait fallu que Jonathan soit un homme caoutchouc pour pouvoir l'arrêter.

C'était 2 à 1 pour les Panthères à la première pause.

— Ce sont des maniaques! s'est exclamé Benoît en frottant sa jambe, à l'endroit où un bâton l'avait frappé. C'est comme jouer contre une bande de criminels!

— Et ce Luc! a renchéri Alexia. Les coups bas sont sa spécialité!

— C'est le genre de chic type avec qui je vais devoir jouer dans l'équipe des étoiles! a dit Cédric d'un ton ironique.

— Pauvre toi! a riposté Alexia d'un air faussement apitoyé.

— J'aimerais mieux l'avoir dans mon équipe que jouer contre lui! s'est exclamé Jonathan avec un regard craintif. Son bâton est une vraie baguette magique! Il peut faire des lancers levés aussi facilement que s'il tirait à pile ou face!

— Les Panthères nous devancent seulement d'un machin, a rappelé Boum Boum à l'équipe. Nous pouvons les battre si nous ne nous abaissons pas à leur bidule.

— Niveau, a traduit papa.

J'étais impressionné. Il fallait généralement passer des semaines avec Boum Boum avant de pouvoir interpréter ses paroles. Je ne savais pas que mon père était si intelligent!

La sirène a rappelé les équipes sur la patinoire.

Et bientôt, j'ai pu dicter dans mon magnétophone : « Bataille en dents de scie ».

Cédric a marqué un but qui a égalisé le pointage, 2 à 2. Puis les Panthères ont repris la tête. Kevin les a rattrapés avec l'une de ses fameuses attaques à reculons. Les Panthères ont rétorqué. Chaque but marqué par l'équipe adverse provenait de Luc, qui décochait toujours un lancer du poignet dans les airs.

D'accord, je ne suis pas impartial. Cela dit, l'équipe des Flammes était la meilleure. Leurs adversaires ne les devançaient qu'en raison des accrochages et retenues pour lesquels ils n'étaient jamais punis. Je me suis mis à qualifier les Panthères de tous les noms dans mon micro.

À un moment, nous avons eu chaud. Vers la fin de la troisième période, ce vaurien de Luc s'est dégagé et a décoché un autre excellent tir du poignet. Un centimètre plus bas, et il marquait un but. Le pauvre Jonathan s'est tapé la tête contre la barre en essayant d'arrêter la rondelle. Boum Boum a dû utiliser notre temps mort pour faire venir Jonathan jusqu'au banc et s'assurer qu'il n'était pas blessé.

Notre gardien était épuisé et en sueur.

— Je ne sais pas combien de temps je vais pouvoir continuer, a-t-il dit à l'entraîneur. Quand il arrive devant moi avec son drôle de bâton courbé...

Mon père a bondi sur ces paroles comme un chien sur un os :

— Courbé? Courbé comment?

Cédric, qui faisait face à Luc lors des mises au jeu, a tenté une approximation :

— Difficile à dire. Plus courbé que le mien, en tout cas.

Papa a regardé Boum Boum.

— Qu'est-ce qu'on fait?

Quand Boum Boum réfléchit, il lève ses yeux de mante religieuse au ciel. Cette fois, on ne voyait que le blanc.

Soudain, il s'est mis debout sur le banc :

— Arbitre!

— Votre temps est écoulé, a dit l'arbitre en s'approchant.

Notre entraîneur a désigné Luc Doucette.

— Le numéro machin-truc joue avec un bidule illégal. Je veux une gugusse!

Chapitre 6

L'officiel a dévisagé Boum Boum.

— Quoi?

L'équipe, mon père et moi avons tenté de traduire tous en même temps. De ce brouhaha, l'homme a été capable de saisir les mots « numéro 12 », « bâton illégal », « mesurer ».

Le silence régnait quand le chronométreur a tendu la boîte à mesurer à l'arbitre. Si le bâton était réellement illégal, la lame n'entrerait pas dans l'ouverture. Les Panthères recevraient donc une pénalité.

Nous avons tous retenu notre souffle. Si la courbe était acceptable, les Flammes écoperaient d'une pénalité pour avoir retardé le jeu. Avec un pointage de 4 à 3, nous ne pouvions pas nous permettre un désavantage numérique. Un autre but des Panthères creuserait un fossé infranchissable.

Cette crapule de Luc a essayé d'échanger son bâton contre celui d'un de ses coéquipiers, mais l'arbitre l'a vu.

Personne n'a donc été surpris de constater que la courbe était trop prononcée pour l'ouverture de la boîte. Le bâton était aussi illégal qu'un billet de trois dollars.

L'arbitre a brisé la lame du bâton avec son patin pour la rendre inutilisable. Luc s'est dirigé vers le banc des pénalités sous les huées de la foule.

Boum Boum a donné une tape sur l'épaule de mon père.

— Bonne idée, Michel!

Je savais déjà que mon père répondrait :

— À votre service!

C'était la première fois que les Flammes étaient en supériorité numérique, au cours de cette partie, et on aurait dit que les joueurs avaient conservé leur énergie pour ce moment-là. Tous les jeux de puissance auxquels ils auraient dû avoir droit ont été menés durant ces deux minutes. Les joueurs étaient impressionnants. Ils ont effectué neuf tirs au but avant que Carlos réussisse à marquer en déjouant le gardien par un mouvement rapide de derrière le filet; 4 à 4.

À partir de ce moment, le jeu est devenu étourdissant. Les deux équipes ont lutté de toutes leurs forces pour marquer le but de la victoire.

Luc a eu une ou deux occasions de marquer, mais sans son bâton « spécial », son lancer du poignet était plutôt mou et ordinaire. Jonathan prenait de plus en plus d'assurance face à lui.

Furieux, Luc a multiplié les coups bas. Il se ruait dans

les coins pour faire trébucher ses adversaires. Puis il a tenté d'accrocher Alexia.

Vous avez probablement compris qu'Alexia n'aime pas se faire bousculer. Après tout un match de coups bas, elle avait finalement trouvé le moyen de déjouer ces manœuvres sournoises. Quand le bâton de Luc lui a heurté la poitrine, elle l'a saisi de ses bras croisés, puis a fait une pirouette en entraînant Luc, qui tenait toujours l'autre bout du bâton. Avec un hurlement de terreur, Luc a décrit un demi-cercle comme s'il était attaché à un rotor d'hélicoptère. Puis Alexia l'a lâché.

Paf! Luc Doucette est allé percuter la bande. Je suis encore étonné qu'il ne l'ait pas défoncée.

— Dernière minute de jeu! ont crachoté les haut-parleurs.

Alexia a fait une passe à Benoît, qui s'est élancé à toute vitesse sur la glace. Il est le plus rapide des Flammes.

— Vas-y, Benoît! ai-je crié.

Il est passé devant le banc juste au moment où Marc-Antoine Montpellier franchissait la bande pour un changement de ligne. Bon, je ne veux pas dire que Marc-Antoine est lent. Sauf que pour le minuter, il faudrait utiliser un calendrier plutôt qu'un chronomètre.

C'était comme si une tortue se faisait emboutir par un lièvre. Benoît a percuté Marc-Antoine par-derrière. Quand la poussière est retombée, Benoît était étendu sur le dos et la rondelle était parvenue, on ne savait comment, sur la lame du bâton de Marc-Antoine.

Le style de patinage de Marc-Antoine consiste en une suite de petits pas brusques. On dirait qu'il file comme un dératé, alors qu'il fait pratiquement du surplace. Six de ses coups de patin équivalent à un coup de patin des autres joueurs.

Comme les Panthères n'avaient plus à s'occuper de Benoît, ils se sont hâtés de revenir dans leur zone. Alors, quand Marc-Antoine a franchi péniblement la ligne bleue, il n'y avait aucun joueur adverse pour le couvrir. Ils étaient tous rassemblés autour du filet.

Même si la technique de lancer de Marc-Antoine est meilleure que son coup de patin, elle est tout de même particulière. Nous l'appelons « le lancer balayé ». Il ramène la rondelle loin en arrière, puis la projette dans un long mouvement ample, comme s'il pelletait de la neige. Avec cinq défenseurs devant le but, le gardien était complètement caché. Tous ces bâtons et ces patins empêchaient Marc-Antoine de voir s'il avait marqué un but. Mais la lumière rouge qui venait de s'allumer ne laissait aucun doute. Pointage final : 5 à 4 pour les Flammes.

Dans le vestiaire, ce n'était que tapes dans les mains et claques dans le dos.

— Je n'arrive pas à croire qu'on a gagné! a crié Jonathan. Ils ont triché, et on les a quand même battus!

— Et quand ils ont mesuré le bâton! a lancé Kevin. Je n'oublierai jamais ça!

Bien entendu, Marc-Antoine recevait les félicitations de tout le monde. Il n'aurait pas pu choisir meilleur moment pour son premier but de la saison.

— Écoutez ça! ai-je dit en appuyant sur la touche de lecture de mon magnétophone.

Nous avons entendu : « Aaaaaah! Paf! »

— Qu'est-ce que c'est? a demandé Jean-Philippe, intrigué.

— Ça, c'est Luc Doucette qui percute la bande! ai-je répondu avec un gloussement.

L'équipe m'a fait jouer ce passage encore six fois. J'ai dû promettre à Alexia de lui en faire une copie.

Mme Blouin distribuait des barres de céréales au tofu et du jus de mangue quand mon père a surgi dans le vestiaire avec une grande boîte blanche.

— Approchez-vous! a-t-il lancé.

Quand tous les joueurs ont été rassemblés autour de lui, il a soulevé le couvercle.

— Tadam!

Nous n'en croyions pas nos yeux. C'était un énorme, magnifique, alléchant gâteau au chocolat! Ou plutôt trois gâteaux, chacun portant un numéro :

5 0 0

— C'est vrai! s'est exclamé Jonathan. Nous avons une fiche de 0,500, maintenant!

— Merci, monsieur Aubin, a dit Jean-Philippe.

— À votre service!

Papa avait apporté tout ce qu'il fallait : fourchettes de plastique, serviettes de papier et assiettes de carton portant le mot « Félicitations ».

Les Flammes ont dévoré les gâteaux comme des requins affamés. Qui aurait pu les blâmer? Entre le tofu et le gâteau, le choix était facile.

J'étais désolé pour les Blouin. Même si leur nourriture était infecte, elle était devenue une tradition d'après-match pour les Flammes. Et mon père venait de les détrôner avec ce délicieux dessert. Pourtant, l'entraîneur et sa femme ne semblaient pas froissés. En fait, ils ont chacun mangé un morceau de gâteau. Je ne me suis donc pas senti coupable d'en manger trois.

Cédric était le seul à se contenter de sa barre de céréales.

— Hé! a chuchoté Carlos. Es-tu fou? Tu manges du tofu au lieu du chocolat?

Cédric a haussé les épaules.

— Tu sais, je commence à m'habituer au goût.

J'étais stupéfait.

— Tu aimes vraiment ça?

— Mais oui, a-t-il répondu. Pourquoi pas?

J'ai compté toutes les raisons que j'aurais pu lui donner. J'ai abandonné à un milliard.

Chapitre 7

Une pensée m'obsédait : aucun Marsois dans l'équipe des étoiles. Chaque fois que je passais devant le tableau d'affichage, je fulminais.

J'étais furieux contre la ligue, mais j'étais aussi en colère contre moi-même. C'était mon rôle de journaliste de lutter contre cette arnaque. Et qu'est-ce que j'avais fait jusqu'ici? Rien du tout!

Mais qu'est-ce que j'aurais pu faire? Mme Spiro refusait de me laisser publier un numéro spécial de la *Gazette*. Elle ne voulait pas gaspiller de papier! J'ai presque craché sur le babillard. Le papier gaspillé, c'étaient l'annonce pour le club de Monopoly et celle du groupe de percussions de la maternelle. Les services de nutrition avaient aussi accroché deux pages sur les choux de Bruxelles! Tous les clubs, groupes, équipes et associations affichaient leurs prospectus un peu partout dans l'école.

Ça m'a donné une idée. Mme Spiro ne voulait pas que

je publie un numéro du journal, mais elle n'avait rien dit au sujet d'un prospectus! Je pourrais imprimer un texte réclamant l'intégration d'Alexia dans l'équipe des étoiles au nom de l'équité. Huit copies seraient suffisantes pour tous les couloirs de l'école. Si le cercle d'admirateurs de Barney le dinosaure avait droit à huit feuilles de papier, mon projet en méritait le même nombre! Je présenterais les officiels de la ligue comme les scélérats qu'ils étaient!

Je suis allé jeter un coup d'œil par la fenêtre. Parfait! La Subaru rouillée de Mme Spiro sortait justement du terrain de stationnement. La plupart des autres enseignants étaient déjà partis.

Je suis monté au deuxième étage. Coup de chance! La porte du bureau de la *Gazette* n'était pas fermée à clef.

La pièce était un vaste espace d'entreposage où on gardait le papier. Il y avait aussi un ordinateur, une imprimante et le vieux photocopieur de l'école. C'était loin de *Sports Mag,* mais c'était mieux que rien.

J'ai mis l'ordinateur en marche, puis j'ai écrit ce qui suit :

COMMENT PEUVENT-ILS DORMIR
SUR LEURS DEUX OREILLES?

La Ligue Droit au but de Bellerive nous doit des explications. L'équipe des étoiles doit être composée des meilleurs joueurs de la ligue. Alors comment se fait-il qu'Alexia Colin n'ait pas été sélectionnée? Est-ce parce qu'elle vient de Mars? Ou parce qu'elle est une fille? Ou bien les deux?

J'ai décidé d'éblouir les lecteurs en ajoutant toutes les statistiques dont je disposais au sujet d'Alexia : les buts, les aides, le rapport plus/moins. J'ai parlé de ses mises en échec, de son coup de patin, de ses qualités de capitaine. Une fois terminé, mon texte aurait convaincu un singe qu'Alexia devait avoir sa place parmi les étoiles.

Je sentais en moi le pouvoir de la presse. La ligue n'insulterait pas impunément le village de Mars. Moi, Tamia Aubin, j'allais faire en sorte que les gens soient mis au courant.

J'ai imprimé la page. C'était très bien, mais il manquait quelque chose. Dans le milieu journalistique, on dit qu'une photo vaut mille mots.

J'en avais justement une. C'était la photo d'équipe des Flammes qui avait accompagné ma chronique du mois précédent. Je l'ai sortie du classeur pour la reproduire à l'aide du scanneur. J'ai regardé l'image apparaître à l'écran de l'ordinateur. Alexia, le visage sérieux, était dans la deuxième rangée. À l'aide de la souris, j'ai encadré sa figure. Puis j'ai agrandi l'image pour obtenir un gros plan de la capitaine des Flammes.

Soudain, j'ai entendu le bruit métallique du seau du concierge. Il venait d'arriver au deuxième étage, ce qui voulait dire qu'il serait là dans 10 minutes. Je devais faire vite.

J'ai imprimé la feuille avec le texte et la photo. Sans vouloir me vanter, c'était tout à fait magnifique. J'ai ensuite placé la feuille dans le photocopieur et j'ai sélectionné neuf copies (une de plus pour le gros babillard en face du bureau). Puis je me suis rappelé que le dernier numéro du journal était sorti tout pâle et décoloré. La machine manquait d'encre.

La plupart des photocopieurs sont alimentés par des cartouches qu'on insère simplement dans l'appareil. Mais cette vieille machine fonctionnait avec de l'encre sèche qu'il fallait verser dans un contenant sur le haut de l'appareil. J'ai pris la bouteille, j'ai dévissé le bouchon et j'ai commencé à remplir le réservoir. C'est alors que j'ai compris pourquoi Mme Spiro ne laissait pas les élèves se charger de cette tâche.

C'était difficile! L'encre était une fine poudre noire qui devait être versée lentement et soigneusement. Le concierge était à quelques mètres de la pièce. Je n'avais pas le temps!

Un nuage de poudre noire s'est formé devant mon visage.

— *Atchoum!*

En éternuant, j'ai échappé la bouteille. C'est une chose que je ne vous conseille pas.

Le contenant de plastique a rebondi sur le sol et s'est mis à glisser, répandant de la poudre partout. Ce truc est si fin et si léger qu'un énorme brouillard noir s'est élevé dans la pièce, tel un nuage orageux.

Désespéré, j'ai plongé vers la bouteille. Juste au moment où je m'élançais, j'ai inspiré une bouffée de poussière. J'ai été secoué par de violents éternuements pendant que je planais dans les airs.

Paf! J'ai foncé sur le photocopieur, tête première. Je ne sais pas si je me suis évanoui ou si tout est devenu noir à cause des nuages d'encre qui flottaient autour de moi.

Étourdi, je me suis relevé et je suis resté là, hors d'haleine, reniflant et m'accrochant au photocopieur comme si ma vie en dépendait. J'ai ramassé la bouteille. À part quelques grains au fond, elle était vide. J'ai revissé le bouchon. Ne me demandez pas pourquoi.

J'ai couru ouvrir la fenêtre. Quelle chance! C'était une journée venteuse. Des courants d'air sont entrés dans la pièce et ont emporté une partie de la poussière noire à l'extérieur.

J'ai baissé les yeux. J'étais noir comme du charbon. Je ne pourrais pas toucher les feuilles sans les salir. C'est alors que j'ai entendu le concierge siffler. Oh non! Il était à deux portes de là! Il fallait que je finisse mon travail et que je décampe!

J'ai appuyé sur le bouton de démarrage, puis je me suis précipité vers les toilettes, de l'autre côté du couloir. Le temps de me nettoyer, et les copies seraient prêtes. Je pourrais alors m'enfuir par l'escalier.

Quand je me suis vu dans le miroir, j'ai failli perdre connaissance. Je savais, bien sûr, que je m'étais sali avec toute cette encre. Mais j'avais l'air du coyote après que la bombe destinée à l'oiseau coureur lui a explosé à la figure : les yeux fous, les cheveux en bataille et le corps couvert d'une matière noire.

Je me suis savonné et j'ai frotté. J'ai réussi à en enlever pas mal, mais mon visage et mes mains étaient encore tachés. Et mes vêtements, je n'ai pu que les éponger avec une serviette de papier humide, ce qui a permis de retirer une partie de la poussière noire.

J'ai entrouvert la porte et sorti la tête pour m'assurer que la voie était libre. Zut! M. Sarkis était dans la classe voisine! Je me suis dirigé vers le bureau de la *Gazette* sur la pointe des pieds et, sans bruit, j'ai refermé la porte derrière moi. La scène qui m'attendait m'a presque donné une crise cardiaque!

Le photocopieur fonctionnait toujours, imprimant copie après copie. Le problème, c'est qu'aussitôt que mes feuilles sortaient de la machine, elles s'envolaient directement par la fenêtre!

Je me suis approché d'un pas chancelant pour regarder dehors. Il y en avait des centaines, et elles formaient comme un nuage blanc!

— Mais je n'ai fait que neuf copies! me suis-je exclamé d'une voix rauque.

Je suis allé vérifier l'afficheur. La machine était en train d'imprimer la 416e copie! C'était impossible! Puis j'ai remarqué le clavier numérique. J'avais dû appuyer sur d'autres chiffres par mégarde quand je m'étais relevé. Au lieu de 9, il était réglé à 945!

J'ai entendu un déclic. Une fraction de seconde plus tard, la porte s'est ouverte toute grande. M. Sarkis, horrifié, s'est figé dans l'embrasure en apercevant le carnage.

— Mais qu'est-ce...

Je l'admets : j'ai paniqué. J'ai jeté ma veste sur ma tête et me suis sauvé en courant. J'ai dévalé l'escalier et je suis sorti de l'école.

En me dirigeant vers l'arrêt d'autobus, je pouvais voir mes feuilles s'envoler une à une par la fenêtre.

— Voyons, monsieur Sarkis! Débranchez l'appareil! ai-je crié.

Je suppose que je n'aurais pas dû être si dur avec le pauvre homme. Ce genre de situation n'était probablement pas prévu dans les cours donnés aux concierges.

J'ai aperçu mon reflet dans la vitre de l'abribus. Je ne pouvais pas rentrer chez moi dans cet état. Je ressemblais à Pigpen, le gamin toujours sale dans *Charlie Brown*.

J'ai jeté un coup d'œil derrière moi. Des empreintes noires allaient de la porte de l'école jusqu'à l'arrêt d'autobus. Même si je pouvais me faufiler dans la maison sans que ma mère me voie, je laisserais des traces de poudre partout sur le tapis. Et comment lui expliquer ce qui était arrivé à mes vêtements? Quoi que je fasse, j'étais coincé!

Puis je me suis souvenu. J'avais deux parents dans cette ville, ces jours-ci!

J'ai franchi à toutes jambes le kilomètre qui me séparait de l'Hôtel de Bellerive. Je suis entré dans le hall sur la pointe des pieds, en espérant que personne ne remarquerait ma malpropreté.

— Ne bouge pas, le jeune!

Évidemment, le préposé à la réception était un lutteur de sumo. Du moins, il en avait le gabarit.

Je me suis mis à bafouiller :

— Je suis venu voir mon père. Il est représentant de commerce. Il est en ville pour quelques semaines!

— Qu'est-ce que c'est, ce truc noir? De la boue? a-t-il dit en me touchant. Hé, ça ne s'enlève pas!

Il en avait plein les mains.

— Tamia! s'est exclamé mon père en sortant du casse-croûte. Qu'est-ce qui t'est arrivé? Ça va, c'est mon fils, a-t-il dit à l'employé.

— Il travaille dans une mine de charbon?

— Où es-tu allé traîner, Tamia? a demandé mon père.

J'étais tellement habitué à affronter ma mère que j'ai automatiquement commencé à mentir.

— Heu, c'est de la cendre volcanique. Vois-tu, je fais un projet sur les volcans et...

Tout à coup, je me suis souvenu que c'était mon père qui était devant moi. Il était tout aussi excentrique que moi. Si quelqu'un pouvait me comprendre, c'était bien lui.

— Est-ce qu'on peut parler dans un endroit plus... privé? ai-je chuchoté.

— Allons dans ma chambre, a-t-il répondu. Mais enlève d'abord tes souliers. Tu répands de la poudre partout.

Nous sommes montés à l'étage et je lui ai tout raconté, de la sélection des joueurs étoiles jusqu'à l'irruption de M. Sarkis dans le bureau du journal.

— Je suis désolé d'arriver ici dans cet état, ai-je terminé. Mais je n'aurais jamais pu expliquer ça à maman. Jamais dans un milliard de siècles!

— Ça va, m'a-t-il dit. Il n'y a pas de problème. Est-ce que je vais au moins pouvoir lire cet extraordinaire pamphlet?

— Je n'en ai même pas de copie, ai-je gémi. Les feuilles s'envolaient par la fenêtre. J'ai fait tout ça pour rien!

Il a éclaté de rire, puis m'a proposé un plan.

— Bon, va d'abord sous la douche. Moi, je vais apporter tes vêtements à la laverie de l'hôtel. En sortant de la douche, téléphone à ta mère. Dis-lui que je suis allé te chercher après l'école et que tu soupes avec moi. D'accord?

J'aurais pu le serrer dans mes bras, mais il portait un beau costume et ne méritait pas ça.

— Merci, papa!

— À ton service!

Chapitre 8

Il m'a fallu passer 40 minutes sous la douche pour enlever toute l'encre. Pendant que je parlais avec ma mère au téléphone, je me suis regardé dans le miroir. J'avais repris mon apparence humaine, sauf que j'avais un bleu sur le front. Bon, c'était assez facile à expliquer. Je m'étais cogné la tête. C'était la pure vérité. J'avais pratiquement défoncé le photocopieur avec mon crâne. J'étais chanceux d'être encore en vie!

La porte s'est ouverte.

— Qui veut des vêtements propres?

Mon père avait même lavé mes chaussures de sport. Je me suis habillé, puis nous sommes sortis souper. Nous traversions le stationnement quand *flap!* une feuille emportée par le vent s'est aplatie sur ma figure. J'étais sur le point de la jeter par terre quand j'ai lu les mots « COMMENT PEUVENT-ILS DORMIR SUR LEURS DEUX OREILLES? »

— C'est mon pamphlet! me suis-je exclamé, horrifié. Comment est-il arrivé jusqu'ici?

— Avec le vent, je suppose, a répondu mon père en haussant les épaules.

C'est alors que j'ai remarqué une foule d'autres papiers flottant dans la brise. De l'autre côté de la rue, une femme en a attrapé un et a commencé à le lire.

— Je suis fichu! ai-je gémi.

Papa a éclaté de rire.

— De quoi te plains-tu? Tu as fait ça pour attirer l'attention, non?

J'ai frissonné. J'avais la désagréable impression que j'allais attirer plus d'attention que je ne l'aurais voulu.

Le lendemain matin, j'ai considéré la possibilité de faire semblant d'être malade, puis je me suis ravisé. Ça aurait l'air trop suspect si j'étais le seul élève absent le lendemain du jour où quelqu'un avait saccagé le bureau de la *Gazette* et éparpillé 400 feuilles de papier dans la ville de Bellerive.

Je me suis donc levé. Je me suis brossé les dents, sans oublier la soie dentaire – 11 caries, vous vous souvenez? Ma mère était en bas, à répéter sa ritournelle habituelle :

— Dépêche-toi, Clarence! Tu vas manquer l'autobus!

J'ai regardé dans le miroir et j'en ai presque avalé ma brosse à dents. Le bleu sur mon front était spectaculaire. Pourtant, ce n'était pas le pire. Quand j'étais tombé la veille, ma tête devait avoir heurté le logo de métal du photocopieur. Sur mon front s'étalait le mot « Copymax » en rouge, mauve et bleu.

J'ai dû pousser un cri, car ma mère s'est précipitée au pied de l'escalier.

— Tout va bien, mon chéri?

— Oui, maman.

Ouais. Super bien. À l'exception de ce bleu qui annonçait à toute la population : « Le voilà. C'est lui le coupable. Arrêtez-le. Tuez-le. Il le mérite. »

Puis j'ai aperçu les produits de maquillage de ma mère sur l'étagère. J'étais sauvé! J'ai étalé du fond de teint sur mon bleu comme du liquide correcteur sur une faute de frappe. Ça fonctionnait! Enfin, c'était un peu grumeleux et bleuâtre, mais au moins, on ne lisait plus le mot « Copymax » en relief.

Maman n'a rien remarqué quand j'ai traversé la cuisine pour me diriger vers la porte.

Je me suis figé net en m'engageant dans l'allée. Il y avait une copie de mon pamphlet sur notre plate-bande. Une autre était coincée dans l'arbre du voisin. Je n'en croyais pas mes yeux. Ces papiers avaient franchi trois kilomètres pour parvenir jusqu'à Mars!

Dans l'autobus, tous les enfants avaient lu mon message et en discutaient.

— *Comment peuvent-ils dormir sur leurs deux oreilles!* a répété Jean-Philippe en gloussant. C'est génial!

— Tous les détails y sont! a renchéri Benoît. Je me demande qui l'a écrit?

— Qui, à ton avis? a répondu Alexia d'une voix basse

mais rageuse. Cédric Rougeau, évidemment! C'est lui qui n'arrête pas de protester parce que je n'ai pas été sélectionnée. Quand je vais tenir cette grande gueule, je vais offrir des vacances permanentes à ses dents!

J'ai frissonné et je me suis renfoncé dans mon siège.

Jonathan a levé les yeux au ciel.

— Tu ne pourrais pas accepter un compliment, pour une fois? Quelqu'un, nous ne savons pas encore qui, essaie de défendre tes intérêts. De défendre nos intérêts à tous! Pourquoi es-tu si fâchée?

Alexia a frappé sa feuille en prenant un air dégoûté.

— Personne ne va se battre à ma place, et surtout pas un clown comme Cédric Rougeau. C'est la chose la plus idiote que j'aie jamais vue! Ce n'est même pas ma photo!

— Hein? ai-je fait en m'approchant du groupe qui regardait par-dessus l'épaule d'Alexia.

Elle avait raison! J'avais dû encadrer le mauvais visage. La photographie était floue parce qu'elle était agrandie, et on ne pouvait pas vraiment voir la différence, mais...

— C'est Carlos! ai-je balbutié.

— Vraiment? a dit Carlos, flatté. Super! Ma photo est publiée!

— En tant que fille! a ajouté Jean-Philippe.

— Tais-toi.

— Assoyez-vous! a lancé Mme Costa. Nous entrons maintenant dans l'atmosphère terrestre.

— Vous savez, c'est impossible que ce soit Cédric, a dit Kevin d'un ton songeur pendant que nous reprenions nos places. Comment un enfant aurait-il pu distribuer des millions de feuilles en une seule nuit? Je parie qu'elles ont été lâchées d'un hélicoptère. Ce ne peut être qu'un adulte.

— Boum Boum, peut-être? a suggéré Benoît. Lui aussi trouve injuste qu'Alexia n'ait pas été sélectionnée.

— Impossible, a répliqué Alexia. Le texte est tout en français. Si c'était l'entraîneur qui l'avait écrit, il y aurait plein de trucmuches et de bidulotrucs.

— Mme Blouin parle bien français, a fait remarquer Carlos.

Jean-Philippe a claqué des doigts.

— Je parie que c'est M. Aubin! Il adore notre équipe! Et vous savez qu'il est le genre d'homme à faire bouger les choses. Il a même réussi à obtenir qu'on mette nos noms sur nos chandails!

Dans toute l'excitation, j'avais presque oublié ce détail. Mon père s'était entendu avec un de ses amis pour faire imprimer les noms des joueurs sur des bandes de tissu qu'ils pourraient ensuite coudre au dos de leur chandail. En tant que principal partisan de notre équipe, il était le suspect numéro un. Il fallait que je mette les choses au clair.

— Ce n'est pas mon père, ai-je dit aux autres. J'étais avec lui, hier soir. S'il avait planifié un projet de cette envergure, je m'en serais aperçu.

— Eh bien, dans ce cas, c'est qui? a demandé Jonathan. J'aimerais le rencontrer pour lui serrer la main.

— Tu ne peux pas serrer la main de quelqu'un qui a les deux bras cassés, a dit Alexia d'une voix basse.

Quand l'autobus est arrivé devant l'école, Cédric nous attendait. Il avait un feuillet à la main.

— Avez-vous vu ça? a-t-il demandé d'un ton excité quand nous sommes descendus de l'autobus. Qui l'a écrit?

Alexia l'a transpercé d'un regard acéré comme une flèche.

— Très habile, la vedette! Continue à faire croire que tu n'es pas la pire peau de vache de Bellerive.

Le pauvre Cédric a ouvert la bouche de stupeur. Alexia a chiffonné sa feuille et la lui a enfournée dans la bouche. Puis elle est entrée dans l'école comme un ouragan.

Cédric est resté là, la bouche pleine de papier.

— Qu'effe-que v'ai fait, fette fois? a-t-il marmonné.

L'école était une vraie maison de fous! On aurait dit que chaque élève avait apporté un ou deux pamphlets. Chacun disait en avoir vu bien plus, un peu partout en ville. J'ai dû entendre une douzaine d'histoires sur l'endroit où ils avaient trouvé leur copie : dans un arbre, sur une clôture, dans les airs, sur le pare-choc d'une voiture, dans la gueule d'un chien, et je ne sais plus quoi d'autre.

L'annonce de 9 heures m'a donné la frousse. Le directeur, M. Lambert, a pris le micro et exigé que le coupable se dénonce. En cours de français, Mme Spiro a tempêté au sujet du gaspillage de papier et de la bouteille d'encre sèche de cinq dollars. À la cafétéria, M. Sarkis nous a sermonnés à cause des dégâts qu'il avait mis quatre heures à nettoyer.

— Cette poudre est légère comme de la poussière, mais pire que de l'encre de Chine, rageait-il. Il y en avait partout!

Oui. Je suis au courant.

C'était une autre journée difficile pour les Marsois, mais moins pénible que je ne l'aurais cru. Pour chaque bozo de Bellerive qui était vexé, il y en avait un aussi qui reconnaissait le bien-fondé de nos arguments. Plusieurs filles se demandaient si Alexia avait été écartée de l'équipe parce qu'elle n'était pas un garçon.

Il y avait aussi Rémi Fréchette.

— Je vous avais dit qu'il ne fallait pas laisser entrer les Martiens dans la ligue! a-t-il déclaré en cours d'éducation physique. Ils ne font que causer des problèmes depuis...

Paf!

Cette andouille aurait mieux fait de ne pas parler pendant une partie de ballon chasseur. Surtout quand Alexia jouait.

— Hé, Tamia! a lancé Jean-Philippe. Qu'est-ce qu'il y a sur ton front?

Mon front?

— Il faut que j'aille aux toilettes! ai-je crié avant de sortir du gymnase.

En passant devant le miroir du vestiaire, j'y ai jeté un coup d'œil.

— Oh non!

Pendant que je jouais au ballon chasseur, j'avais transpiré et la sueur avait délavé le fond de teint. Mon bleu était de nouveau apparent, avec les lettres multicolores en relief : « Copymax ».

C'était une catastrophe! Si l'un de mes enseignants voyait mon visage et tirait les conclusions qui s'imposaient, j'étais dans le pétrin. Je devais cacher ce bleu. Sauf que le maquillage de ma mère était chez moi, à trois kilomètres de là!

J'ai regardé autour de moi en cherchant une solution. Si j'enlevais mon caleçon et l'enroulait autour de ma tête, est-ce qu'on verrait qu'il ne s'agissait pas d'un foulard? Soudain, j'ai aperçu la boîte des objets perdus. Je me suis jeté dessus. Des chaussettes, des lacets, un muffin au son... Quel genre d'idiot apporte un muffin en éducation physique? Ah, voilà!

J'ai sorti un petit bandeau et l'ai glissé sur ma tête. Il me serrait comme un python. En plus, il était rose vif, avec un palmier sur le devant. Au moins, il ne portait pas le mot « Copymax ».

— Tout va bien, Clarence? m'a demandé M. Valois quand je suis revenu au gymnase.

— Oui. Je suis juste allé chercher mon bandeau.

Jean-Philippe m'a dévisagé :

— C'est à toi? Ça fait deux ans qu'il est dans cette boîte!

— J'étais trop occupé! ai-je répondu d'un ton sec.

Être journaliste est un travail hyper stressant.

Chapitre 9

— Regarde-moi ça! a dit ma mère en traversant le pont de Bellerive. Tous ces papiers qui jonchent les rues. Il y en a jusqu'à Beaumont! Selon Mme Colin, Alexia pense que le petit Rougeau est responsable.

— Ce n'est pas Cédric, ai-je rétorqué.

— Comment peux-tu en être certain?

— Je suis le journaliste de l'équipe. Les journalistes sont au courant de tout.

Elle m'a lancé un regard en biais :

— Sais-tu qui a fait ça?

Il y avait deux réponses possibles : la vérité ou ce que j'ai dit :

— Non.

— Désolée, Clarence, a dit maman. J'avoue que je t'ai soupçonné d'être mêlé à cette histoire. C'est à cause du bandeau. Comme il est rose, j'ai cru que tu le portais pour manifester ton appui aux filles, afin qu'elles soient acceptées dans l'équipe des étoiles.

— Tu ne connais rien à la mode! lui ai-je dit d'un air insulté. Ce bandeau est le dernier cri. Tout le monde en porte à l'école.

En fait, la seule raison pour laquelle j'endurais cet instrument de torture trop serré était que je n'avais pas pu trouver de casquette qui descendait assez bas pour cacher mon bleu.

Après avoir garé la voiture, nous nous sommes dirigés vers la porte de l'école, surmontée d'une pancarte où on pouvait lire : BIENVENUE À LA SOIRÉE PARENTS-ENSEIGNANTS.

Les couloirs étaient remplis d'élèves accompagnés de leurs parents. Pas un seul ne portait de bandeau rose orné d'un palmier.

Kevin m'a fait signe à travers la foule.

— Tamia! Tu portes toujours ce truc rose?

Maman m'a jeté un regard soupçonneux :

— La dernière mode, hein?

Oups.

— Tu veux que j'aie un esprit indépendant, non?

— En tout cas, tu ne manques pas d'esprit d'à-propos! Vite, nous sommes en retard. Espérons que Mme Spiro n'a pas commencé avec un autre parent.

Ses hauts talons cliquetaient rapidement dans le couloir. Ma mère prend les questions scolaires très au sérieux. J'ai dû me hâter pour la rejoindre à la porte de la classe de Mme Spiro.

Nous avons vu en même temps qu'il y avait un autre parent dans la classe. C'était mon père!

Il devait avoir raconté une blague, car Mme Spiro riait à gorge déployée. Papa connaît beaucoup de bonnes blagues. C'est un truc de vendeur. Il devait en avoir raconté une super tordante pour dérider Mme Spiro, elle qui n'a aucun sens de l'humour!

Papa m'a vu entrer :

— Nous étions justement en train de parler de toi, Tamia! Heu, Clarence, je veux dire, a-t-il ajouté en voyant le regard désapprobateur de maman.

— Bonjour, papa!

— Comment Clarence travaille-t-il? a demandé ma mère à l'enseignante.

— Numéro un! a dit papa. Et maintenant, si on allait manger une pizza tous les trois? C'est moi qui vous invite!

— Laisse-moi d'abord parler à Mme Spiro, a insisté ma mère, avant de se tourner vers l'enseignante. Clarence joue au journaliste depuis des mois dans le cadre de son cours de français. J'aimerais que quelqu'un d'autre que lui m'explique en quoi c'est bénéfique.

— Ne vous inquiétez pas, madame Aubin, a répondu Mme Spiro en souriant. Quand Clarence écrit au sujet des Flammes, il travaille beaucoup et ses textes s'améliorent. J'aimerais seulement qu'il s'en tienne à ce sujet et passe moins de temps à parler de bonbons durs.

— Ce problème est réglé, a déclaré maman à l'enseignante.

Le regard qu'elle m'a lancé était à tout le moins radioactif. Comme si on pouvait avoir une carie rien qu'en écrivant ces mots!

Papa a tenté de venir à ma rescousse en changeant de sujet.

— Hé, mon gars, lequel est ton pupitre? Celui-là?

Ce n'était pas difficile à deviner. J'avais inscrit les mots *Sports Mag* dessus avec un marqueur lavable.

Mon pupitre était un vrai dépotoir, rempli à craquer. Mon père a essayé de sortir un cahier. Comme il était coincé, il a tiré d'un coup sec.

— Non, papa!

Tout le contenu de mon pupitre a explosé sur ses genoux : des papiers chiffonnés, des cahiers écornés, un boomerang en plastique, une vieille chaussette, un contenant de soie dentaire (intact) et – non! – la boule phosphorescente aux fruits que papa m'avait donnée après le souper, le soir du désastre de la *Gazette*.

Je me suis précipité pour l'attraper après le premier rebond et l'ai cachée dans la poche de ma chemise. Cette boule mauve a été visible tout au plus une seconde et demie! Mais ma mère est née avec un radar à bonbons durs. Non seulement elle peut reconnaître une boule phosphorescente à travers un blizzard de bric-à-brac, mais elle peut aussi deviner qui me l'a donnée.

— Michel! Pourquoi lui donnes-tu encore des bonbons?

Mon père n'a pas répondu « À ton service », cette fois. Il n'a même pas ouvert la bouche.

J'ai aussitôt compris deux choses. D'abord, cette boule phosphorescente ne passerait jamais mes lèvres. Ensuite, la soirée pizza n'aurait pas lieu.

Je m'attendais à endurer un des fameux sermons de ma mère. Au lieu de ça, nous avons roulé jusqu'à Mars dans le silence le plus complet. C'était encore pire que de me faire réprimander.

Finalement, en entrant dans la maison, je n'ai pas pu m'empêcher de dire :

— Ce n'est pas papa qui m'a donné cette boule! C'était... un échantillon gratuit!

— Du club des gros bonbons durs, je suppose? a-t-elle répliqué d'un ton ironique.

Un mauvais menteur devrait toujours éviter les histoires compliquées.

Puis ma mère a fait une chose inattendue. Elle a souri.

— Te souviens-tu quand tu avais 10 ans et que ton père avait promis de t'emmener à la pêche à la mouche?

J'ai hoché la tête. Je m'en souvenais très bien. Comment aurais-je pu l'oublier?

— Il avait tout acheté, a-t-elle poursuivi. Une canne et un moulinet, une boîte pour l'équipement, et même un chapeau avec des leurres. Tu t'es levé à 4 heures du matin et tu as attendu sous le porche, dans ces cuissardes trop grandes pour toi...

— Et il n'est pas venu, ai-je conclu d'un ton morne. J'ai attendu jusqu'à midi.

— Je ne dis pas que ton père n'est pas quelqu'un de bien. Nous savons tous les deux que ce n'est pas vrai. Mais les gens qui se fient trop à lui finissent généralement par être déçus. Tu comprends?

Je me suis affalé sur le canapé.

— Sois réaliste, maman! Je n'ai plus 10 ans!

— Non, tu en as 11.

— Presque 12, ai-je insisté. Ce que je veux dire, c'est que je connais papa. C'est moi qui suis resté en plan avec un kart à moitié fichu avant la course. C'est moi qui ai fait voler mon cerf-volant tout seul pour le concours père-fils. Quand on passe huit heures dans des cuissardes de caoutchouc par une journée d'août torride, ça donne une leçon. En plus du pied d'athlète!

— Tu as 11 ans, mais bientôt 30! a-t-elle dit en riant.

— Je sais bien que papa est ici pour son travail, ai-je continué. Un de ces jours, son travail va l'emmener ailleurs. Mais ça ne veut pas dire que je ne peux pas profiter de sa présence pendant qu'il est ici.

— Bien sûr que tu peux apprécier sa compagnie, a acquiescé ma mère. C'est un homme fantastique. Je voulais juste te ramener sur terre. Je ne veux pas que tu sois déçu.

— Ne t'en fais pas. Tu devrais voir à quel point les joueurs de l'équipe aiment papa! Jean-Philippe veut pratiquement l'adopter! Il aide beaucoup l'entraîneur. Et il va nous accompagner à Montréal pour la finale!

Maman avait l'air inquiète.

— Il faudrait peut-être prévenir les Flammes...

— Tu veux rire? me suis-je écrié. Papa va même obtenir les noms des joueurs pour qu'ils les cousent sur leurs chandails! Il a tout organisé avec quelqu'un qu'il connaît.

— Ton père connaît toujours « quelqu'un », a dit doucement maman.

— Même les Pingouins n'ont pas leurs noms sur leurs chandails! ai-je insisté.

— Souviens-toi, a-t-elle répété. Toi et moi, nous connaissons ton père. Ce n'est pas le cas de l'équipe.

J'étais fâché contre elle. Que voulait-elle que je fasse? Que j'aille voir les Flammes pour dénigrer mon propre père? De plus, comment savait-elle qu'il n'avait pas changé, du moins un peu? Peut-être qu'elle était jalouse parce qu'il savait s'amuser et s'intéressait au hockey, alors qu'elle se préoccupait de dentiste et de bulletins, et jetait des bonbons durs tout neufs dans les toilettes? Papa était presque un membre des Flammes, à présent. S'il y avait une chose que j'avais apprise depuis que Mars avait une équipe, c'était que la loyauté était primordiale.

J'ai fait mes devoirs dans ma chambre, ce soir-là, en signe de loyauté envers papa, mon coéquipier.

Juste avant d'aller au lit, une idée qui me trottait dans la tête depuis quelques jours a refait surface. Le gâteau géant que mon père avait acheté pour célébrer la victoire des Flammes... C'était très gentil de sa part, mais il avait dû commander ce gâteau *avant* le match. Et si nous avions perdu? La fiche de l'équipe n'aurait pas été de 0,500, et le gâteau aurait fini à la poubelle. *Les* gâteaux, en fait.

Commandés exprès pour l'occasion. Cela devait bien valoir 50 $!

J'ai secoué la tête. Pourquoi m'inquiéter ainsi? Nous avions gagné. Le gâteau était un cadeau généreux, idéal, fantastique, provenant d'un parent plein de fierté. Et pourtant...

Bon, assez réfléchi. Je me suis couché et j'ai allumé mon radio-réveil.

« Si ces statistiques sont véridiques, a déclaré l'annonceur, alors elle doit faire partie de l'équipe des étoiles. »

Je me suis redressé dans mon lit. L'équipe des étoiles? Elle?

« On aurait dû limiter les équipes de la ligue à la ville de Bellerive, s'est plaint un auditeur au téléphone. Cela nous aurait évité bien des problèmes... et un grand nettoyage. On parle de centaines de pamphlets! Ils devraient arrêter les responsables. »

« Il faut être juste, a dit un autre auditeur. Je ne voulais pas des Martiens non plus, mais maintenant qu'ils sont là, il faut les considérer sur le même pied que les autres. Même lorsqu'il s'agit d'une fille. »

Un instant! C'était l'émission *Parlons sports*, destinée aux adultes. Tous ces auditeurs étaient des grandes personnes! Ils discutaient habituellement de Wayne Gretzky et de Jerry Rice, pas d'Alexia Colin et de la Ligue Droit au but de Bellerive! Qu'est-ce qui se passait?

La réponse m'est apparue en même temps qu'une

boule dans ma gorge, de la taille d'un golden retriever. Ma mésaventure dans le bureau de la *Gazette* avait dispersé tellement de feuillets que tout le comté les avait lus.

« L'auteur de ce texte a raison, a renchéri une auditrice. Comment, en effet, peuvent-ils dormir sur leurs deux oreilles? »

Oh, j'étais vraiment dans le pétrin! J'ai éteint l'appareil d'une main tremblante. Quand même, je n'ai pas pu réprimer un sentiment de fierté. Car on pouvait vraiment parler d'une mission accomplie! Alexia avait été flouée et tout le monde était au courant. Grâce à Tamia Aubin.

Et au pouvoir de la presse.

Chapitre 10

Le samedi suivant, mon bleu n'avait même pas commencé à s'estomper. J'étais un panneau d'affichage vivant pour la compagnie Copymax. Je devais porter ce ridicule bandeau rose sans arrêt, même pour dormir. La dernière chose que je voulais, c'était que ma mère entre dans ma chambre durant la nuit et aperçoive mon front.

Je ne pouvais même pas changer de bandeau. Pas après avoir affirmé à ma mère que le rose était le nec plus ultra de la mode. Il me serrait comme un étau, mais au moins, j'étais certain qu'il ne tomberait pas. Un centimètre suffirait à dévoiler le pot aux roses. Toute cette histoire sur l'équipe des étoiles avait fait le tour de la ville.

Tous les Marsois, et même Cédric, ont tour à tour été appelés au bureau du directeur. M. Lambert nous a demandé si nous savions qui était le coupable. Le journal de Bellerive publiait un article par jour sur le sujet, donnant les commentaires des joueurs, des parents, des officiels de la ligue, et même du maire. Ce dernier a surtout parlé des sommes dépensées pour ramasser 400 feuilles de papier.

La seule personne qui se refusait à tout commentaire était la principale intéressée, Alexia elle-même. Ou alors, son volume était réglé si bas que personne ne pouvait l'entendre. Elle ne voulait pas se faire interviewer par le journal. Et quand j'ai mis mon magnétophone en marche dans le camion du magasin d'aliments naturels, alors que nous étions en route pour un match, elle me l'a arraché des mains. Sous mes yeux horrifiés, elle a retiré les piles et les a jetées dans un baril de cornichons biologiques.

— Hé! me suis-je écrié en me jetant sur le baril de plastique.

Juste au moment où je soulevais le couvercle, Boum Boum a abordé un virage en tête d'épingle. Une immense vague de marinade est sortie du contenant et a éclaboussé tous les joueurs. J'étais chanceux que le baril ne se soit pas renversé.

— Ah, zut! Tamia! s'est écrié Kevin en essuyant la saumure verdâtre sur le rétroviseur de son casque.

— Pouah! Ça pue! a ajouté Jean-Philippe.

— Ce n'est pas ma faute! ai-je protesté en repêchant mes piles et en rabattant le couvercle d'un coup sec.

J'ai fusillé Alexia du regard.

— Que fais-tu de la liberté de presse? lui ai-je lancé.

Il est impossible d'avoir le dessus avec Alexia, surtout quand elle est de mauvaise humeur.

— La presse est libre de s'occuper de ses oignons, a-t-elle répondu d'une voix calme.

Cédric nous attendait à l'aréna.

— Venez voir ça! s'est-il exclamé.

Il nous a précédés à l'intérieur et nous a conduits le long du couloir jusqu'à la petite pièce qui servait de bureau à la ligue. Nous avons regardé par la porte entrouverte. M. Fréchette, président de la ligue et oncle de Rémi (ils ont un air de famille : ce sont deux idiots), était assis derrière le bureau. Il était en train d'ouvrir une montagne de courrier.

— Je ne comprends pas, a dit Carlos en fronçant les sourcils. Pourquoi est-ce qu'un homme aussi méchant que M. Fréchette reçoit autant de courrier?

— C'est à cause du pamphlet! a dit Jonathan, tout excité. Les gens lui écrivent pour appuyer Alexia!

Cédric a hoché la tête.

— Toutes ces lettres ne peuvent pas venir uniquement de Mars. Beaucoup d'entre elles doivent provenir de citoyens de Bellerive qui trouvent cette décision injuste.

Alexia lui a lancé un regard méprisant.

— Tu ne peux vraiment pas t'empêcher de parler de tes précieux pamphlets, n'est-ce pas?

— Ce ne sont pas *mes* pamphlets, a répliqué Cédric. Mais la personne qui les a écrits est un génie. Maintenant, toute la ville est au courant de ce qu'on t'a fait.

— Ah oui? a-t-elle répondu d'une voix basse. Comment sais-tu que ces lettres ne félicitent pas M. Fréchette? Peut-être que les gens ne veulent pas qu'une Martienne vienne contaminer le grand Cédric Rougeau et sa brillante équipe d'étoiles!

— Je crois que tu te trompes, Alex, est intervenu Jonathan. M. Fréchette a l'air plutôt mécontent. Ce qui veut dire que beaucoup de gens nous appuient.

Il ne croyait pas si bien dire. Nous l'avons constaté quand les Flammes ont fait irruption sur la glace pour l'échauffement. Aussitôt qu'Alexia est entrée sur la patinoire, les spectateurs ont poussé des cris aigus, avant de scander :

— Alexia! Alexia! Alexia!

J'ai tripoté mon magnétophone pour enregistrer la foule. C'était incroyable! Les gradins étaient remplis à craquer. C'est vrai que les Flammes attirent toujours beaucoup de spectateurs, mais cette fois-ci, il n'y avait pas que des Marsois. On aurait dit que toutes les filles des écoles primaires des environs étaient venues assister au match. Quelqu'un avait dû fabriquer des pancartes, parce qu'un grand nombre de spectatrices en agitaient dans les airs. Elles représentaient une silhouette féminine stylisée (comme celle qu'on voit sur la porte des toilettes des filles) à l'intérieur d'une grosse étoile.

Boum Boum était stupéfait.

— D'où viennent toutes ces bidules? Et pourquoi ont-elles des trucmuches?

Mon père a jeté un coup d'œil aux pancartes et a souri.

— Vous ne comprenez pas? Les filles peuvent être des étoiles! C'est pour appuyer Alex!

Il m'a fait un clin d'œil entendu. C'était plutôt génial de

partager ce secret avec lui. Si vous aviez vu comme il avait ri la première fois que je lui avais montré mon bleu Copymax. Ça m'avait presque fait oublier le pétrin où je me trouvais.

Je m'attendais à ce que les choses se calment, une fois le match commencé. C'est plutôt le contraire qui s'est produit. Les spectatrices poussaient des cris chaque fois qu'Alexia touchait à la rondelle. Si Alexia l'avait pu, elle se serait cachée sous la glace.

Nos adversaires étaient les Avalanches de la Plomberie du Plateau. C'était une équipe plutôt nulle, à l'exception du gardien, Lucas Racicot, qui avait été sélectionné pour l'équipe des étoiles. Les Avalanches n'avaient pas l'habitude de jouer devant tant de monde, et la foule exubérante les rendait nerveux. Bientôt, un élève du secondaire s'est attaqué à Alexia, la mettant en échec contre la bande.

Papa et Boum Boum ont réclamé une pénalité, mais leurs cris ont été noyés sous les hurlements des partisans d'Alexia. L'arbitre a levé le bras, et le coupable a patiné jusqu'au banc des punitions. Je crois qu'il était content d'aller s'asseoir là. Si l'arbitre l'avait envoyé dans les gradins, les filles l'auraient mis en pièces.

— Trucmuche machin-chouette! a crié l'entraîneur Blouin.

— Avantage numérique! a traduit mon père.

Je me suis penché en avant. L'amélioration du jeu de puissance était l'une des tâches dont l'entraîneur avait chargé mon père. Les résultats étaient évidents. Cédric a gagné la mise au jeu et fait une passe à Alexia, qui a exécuté un lancer frappé percutant.

— C'est un but! me suis-je écrié dans mon micro.

Tout à coup, Lucas Racicot a surgi de nulle part. Il a fait le grand écart et a repoussé la rondelle dans le coin de la patinoire. Carlos est allé la chercher et l'a passée à Kevin, à la pointe. Notre défenseur a fait une feinte, puis il s'est élancé vers le but à reculons. Juste avant l'enclave, il a passé la rondelle à Cédric, qui a effectué un tir du revers foudroyant en direction du filet.

— Il marque... ai-je commencé.

Sauf que Lucas a une fois de plus arrêté la rondelle. Les avants des Flammes se sont précipités pour se saisir du rebond. Lucas a réussi cinq autres arrêts spectaculaires avant de geler la rondelle.

Boum Boum et mon père ont échangé des regards peinés.

— Super machin, a dit l'entraîneur.

— Super gardien, a confirmé mon père.

Le jeu de puissance des Flammes ne faisait qu'une bouchée des pauvres Avalanches. Mais Lucas réussissait toujours à se placer devant chaque tir. Il a même réussi à déjouer l'une des feintes classiques de Cédric. À la fin de la première période, le compte de tirs au but était de 19 à 3 en faveur des Flammes, mais le pointage était toujours de 0 à 0.

— Dommage que nous n'ayons pas encore nos noms

sur nos chandails, a dit Jean-Philippe à mon père dans le vestiaire. Ça nous aurait été utile aujourd'hui.

— Comment ça? ai-je demandé, étonné.

— Nous aurions eu l'air si professionnels que nos adversaires auraient été démoralisés. Et ils auraient encore plus mal joué.

L'entraîneur avait des conseils plus concrets. En quelque sorte.

— Quand vous vous retrouvez dans un gugusse, ne perdez pas votre machin. Continuez à tirer sur le cossin. Il va finir par faire une patente.

— Une erreur, a traduit mon père.

Jonathan a enlevé son masque et s'est tourné vers sa sœur :

— Tu as vu tout le monde qui est venu t'encourager, Alex? Que penses-tu de ces pamphlets, maintenant?

Alexia l'a fait taire d'un regard qui aurait arrêté une horloge.

Au cours de la deuxième période, j'ai dicté ce titre dans mon micro : « Quelle frustration! »

Les Flammes surpassaient les Avalanches, tant par leur technique de patinage que par leurs mises en échec et leurs tirs au but. Malheureusement, Lucas était imbattable dans le filet.

— C'est comme essayer de marquer contre Dominik Hasek, s'est plaint Carlos après que son tir a été bloqué par le gardien des Avalanches.

— Ou contre un mur de briques, a renchéri Alexia.

— Ne nous affolons pas, a dit mon père pour les calmer.

Cependant, les Flammes commençaient effectivement à s'affoler. Constamment bloqués par Lucas, ils en faisaient trop pour parvenir à marquer. Et cela risquait de leur causer des problèmes.

Benoît s'est lancé dans une attaque si impétueuse qu'il n'a pas pu s'arrêter. Il a enfoncé ses lames dans la glace, mais le reste de son corps a continué sur sa lancée. Il a culbuté vers l'avant et a atterri dans le coin. Carlos s'est précipité pour saisir un rebond, mais il a trébuché et son casque a percuté un des poteaux du filet. Jean-Philippe était tellement tendu qu'il essayait de rabattre la rondelle chaque fois qu'elle s'élevait à plus de 15 centimètres de la glace. Il avait l'air de jouer au hand-ball, pas au hockey. Quant à Kevin, il était si essoufflé que son rétroviseur était tout embué et l'empêchait de voir où il allait. Il a subi quelques mises en échec cataclysmiques de la part des défenseurs des Avalanches. À un moment donné, il a même reculé directement dans la porte destinée à la resurfaceuse, est passé par-dessus la bande et a atterri dans un tas de neige à côté de la grosse machine.

Même Cédric frappait la rondelle sans réfléchir. La moitié de ses lancers rebondissaient sur le corps du gardien, et les autres étaient soit saisis par le gant de Lucas, soit arrêtés par son bâton ultra rapide. Il ne laissait rien passer!

Enfin, presque rien. Durant la troisième période, Jean-Philippe a bondi dans les airs pour rabattre un tir du revers dans le cercle de mise au jeu. Son gant a frappé la rondelle, l'expédiant dans le filet par-dessus l'épaule de Lucas. La lumière rouge s'est allumée et la foule s'est déchaînée.

Chapitre 11

L'arbitre a agité les bras.

— Pas de but! a-t-il décrété. On ne peut pas marquer avec la main!

— Allons donc! a grogné Jean-Philippe. Quelle règle idiote! Comment se fait-il qu'un grand sport comme le hockey ait une règle aussi ridicule?

Carlos lui a donné un coup de coude.

— C'était peut-être un autre événement surnaturel inexpliqué... comme la fois où la rondelle a disparu dans ton chandail!

— Arrête de te moquer de moi! a crié Jean-Philippe, le visage empourpré. Ça s'est vraiment produit!

J'imagine que les admiratrices d'Alexia ne connaissaient pas plus les règlements du hockey que Jean-Philippe. Elles étaient persuadées que les officiels n'étaient pas objectifs à cause de la présence d'une fille dans l'équipe des Flammes. Elles ont commencé à huer, puis à taper du pied sur les gradins de métal. Ça a créé un tel fracas que M. Fréchette est sorti de son bureau pour voir ce qui se passait.

Boum Boum a demandé un temps mort pour calmer son équipe. En fait, il était plus agité que les joueurs. Son crâne chauve luisait de transpiration et ses yeux globuleux brillaient comme des phares de voiture. Il a essayé de donner quelques conseils aux joueurs, mais n'a pu sortir que des bidules et des machins.

Mon père a dû prendre la relève.

— Calmez-vous, tout le monde, a-t-il ordonné. Vous agissez comme si vos adversaires avaient 10 buts d'avance, alors que le pointage est de zéro à zéro! Vous n'êtes pas en train de perdre!

Le jeu a repris et les choses sont allées de mal en pis. Un joueur des Avalanches a envoyé la rondelle à l'autre bout de la patinoire pour dégager sa zone, mais Kevin ne l'a pas vue dans son miroir embué. L'ailier a battu Kevin de vitesse et a projeté la rondelle devant le filet. Alexia a plaqué avec l'épaule le joueur qu'elle couvrait, mais la rondelle a heurté son patin et a dévié vers le défenseur à la pointe.

Paf! D'accord, ce n'était pas un lancer puissant; il était bas et plutôt lent. Pourtant, la rondelle a frappé le masque du joueur de centre étendu sur la glace, puis elle est entrée dans le filet, prenant Jonathan au dépourvu. Mon cœur s'est serré. Les Avalanches venaient de marquer le premier but du match!

Les Flammes ont cherché à marquer à leur tour, bombardant le gardien vedette de l'équipe adverse. Ils ont mené une attaque après l'autre, créant de multiples occasions de marquer. Le compteur de tirs au but a atteint 43 à 9 en faveur des Flammes. Mais le seul compteur qui importait était celui qui indiquait 1 à 0 pour les Avalanches.

Les Marsois hurlaient dans les gradins. Les admiratrices d'Alexia, pour leur part, commençaient à s'impatienter. C'est vrai que son jeu était solide. Toutefois, il faut être un adepte du hockey pour pouvoir apprécier les mises en échec, les passes et le jeu défensif. Ces filles étaient venues voir Alexia marquer une dizaine de buts et impressionner tout le monde.

Elles ont donc fait ce que font les gens qui s'ennuient : elles ont commencé à gigoter, à baisser leurs pancartes et à bavarder. Ce n'était pas très grave, sauf que des spectateurs ont voulu retourner le fer dans la plaie.

— Hé, la fille! a crié un garçon à Alexia. Qu'est-ce qui est arrivé à ton cercle d'admiratrices?

— On dirait qu'elles ont décidé d'avoir plutôt une soirée Tupperware? a lancé un autre.

— Pas de fille dans les étoiles! a scandé un abruti. Pas de fille! Pas de fille! Pas de fille!

— Taisez-vous! a crié Cédric en direction des gradins.

Carlos s'est penché pour harponner un joueur, pendant qu'Alexia s'attaquait au même joueur en lui donnant un coup d'épaule par-derrière. Le coup était si brutal qu'il a projeté non seulement l'ailier, mais aussi Carlos, dans les airs. Alexia s'est aussitôt emparée de la rondelle et s'est élancée sur la glace.

Imaginez un rhinocéros qui charge sur patins : voilà de quoi Alexia avait l'air quand elle s'est lancée à l'attaque. Elle n'a pas fait une seule feinte. Elle n'a même pas essayé d'éviter les défenseurs. Elle a juste foncé droit devant elle, à toute vitesse. Quiconque tentait de l'arrêter se faisait aplatir.

Cédric a surgi devant elle. C'était une stratégie qu'ils avaient répétée des centaines de fois : un changement de trajectoire pour tromper le gardien, une passe rapide, un lancer. Mais cette fois, Alexia était si concentrée qu'elle n'a même pas vu Cédric. Celui-ci a dû s'écarter de son chemin pour ne pas être écrasé par le rouleau compresseur.

Lucas s'est avancé pour réduire l'angle de tir. Au lieu de lancer, Alexia a accéléré. À travers le grillage du casque du gardien, on a pu voir ses yeux horrifiés au moment où il s'est rendu compte qu'elle allait foncer sur lui aussi.

Il a tenté de reculer, mais a trébuché. Pendant qu'il tentait de reprendre son équilibre, Alexia a fait glisser la rondelle entre ses jambières.

Dans les gradins, les filles se sont levées d'un bond en lançant leurs pancartes. L'espace d'un instant, une nuée d'écriteaux a flotté au-dessus de la patinoire. Puis la glace a été recouverte de cartons, sur lesquels les joueurs se sont mis à trébucher.

— Alexia! Alexia! Alexia! ont recommencé à scander les filles en chœur.

Des garçons ont entonné en même temps :

— Pas de fille! Pas de fille! Pas de fille!

Je me suis demandé si mon prochain article porterait sur un match de hockey ou sur une émeute.

— Silence!

C'était M. Fréchette, debout au centre de la patinoire, le visage tout rouge, qui criait dans le mégaphone de la ligue.

La foule s'est tue.

— La partie est officiellement terminée. Les Flammes perdent par forfait, les Avalanches remportent la victoire.

— Forfait? a répété Boum Boum. Mais pourquoi?

— C'est le règlement de la ligue, a répondu la voix amplifiée de M. Fréchette. Chaque équipe est responsable du comportement de ses partisans.

— Mais ce ne sont pas nos partisans! ai-je balbutié. Ce sont des étrangers! Des gens qui ont décidé de venir assister à un match!

Les joueurs des Avalanches célébraient leur victoire. Ils ont essayé de faire un tour triomphal, mais se sont retrouvés étendus sur les pancartes comme un jeu de quilles. Au moins, ils avaient gagné.

Cet imbécile de M. Fréchette a même décidé que les Flammes devaient rester à l'aréna pour nettoyer la patinoire. J'ai pensé que Boum Boum protesterait, mais l'entraîneur semblait plus préoccupé par la nécessité de calmer ses joueurs en colère. Je tremblais de rage. C'était ma faute. C'était mon pamphlet qui avait attiré ces filles ici!

Papa a deviné mes pensées.

— Calme-toi, mon gars. Tu n'es pas responsable.

— Mais notre fiche n'est plus de 0,500, me suis-je écrié. Après le gâteau, et tout le reste!

— Ça ira mieux la prochaine fois, a-t-il dit pour me rassurer.

Les filles ont continué de huer pendant quelques instants. Puis elles ont fini par comprendre que ça ne changerait rien et elles sont rentrées chez elles.

Lucas Racicot s'est arrêté en face d'Alexia.

— Elles ont raison, tu sais, a-t-il dit timidement. Tu aurais dû faire partie de l'équipe des étoiles.

Puis il est parti en zigzag, se servant des écriteaux éparpillés comme de pierres de gué.

Je savais que M. Fréchette avait entendu son commentaire. Il était là, juste à côté. Mais il a fait semblant de vérifier une ampoule brûlée sur le tableau de pointage.

Il a aussi fait mine d'ignorer ma nouvelle idée de titre, bien que je l'aie enregistrée pratiquement dans son oreille : « Une autre injustice à l'égard des Marsois! »

Chapitre 12

Le mercredi avant le tournoi des étoiles a eu lieu la Journée de l'esprit sportif, à l'école élémentaire de Bellerive. C'était un événement annuel; tous les élèves portaient un uniforme de sport, un écusson et une casquette à l'effigie de leur équipe. Même si nous étions toujours piqués au vif après le forfait de la fin de semaine précédente, nous étions gonflés à bloc. Les Marsois avaient, bien sûr, déjà participé à des sports à Bellerive. Mais pour nous, rien n'était plus important, pour le moment, que la Ligue Droit au but. Nous avions enfin notre propre équipe de hockey à encourager.

Les couloirs de l'école étaient un tourbillon de couleurs. Tout le monde arborait un logo d'équipe. Les casiers étaient ornés de fanions et d'autocollants. Même les enseignants prenaient part à la fête. Mme Spiro s'était glissée dans le costume de meneuse de claque qu'elle avait porté à l'école secondaire, pompons compris. M. Lambert personnifiait Shaquille O'Neal – mais un Shaquille O'Neal de petite taille, avec un gros bedon et une barbe rousse broussailleuse. M. McGinnis, un natif d'Écosse, avait pratiqué un sport étrange où il faut lancer un objet ressemblant à un poteau de téléphone – sans blague! Il s'est donc présenté à l'école vêtu d'un kilt qui violait, d'au moins sept centimètres, le règlement sur la longueur des jupes! Mais il n'a pas été puni. Lors de la Journée de l'esprit sportif, tout est permis.

Comme c'était la saison du hockey, on voyait surtout des chandails de la Ligue Droit au but de Bellerive. J'ai demandé à l'entraîneur Blouin de me prêter un chandail des Flammes. Sa couleur verte jurait avec mon bandeau, mais, bon, c'est difficile de trouver des vêtements de garçon qui vont bien avec le rose vif.

Toutes les équipes de la ligue étaient bien représentées. Les Pingouins, conduits par Rémi Fréchette et Olivier Vaillancourt, formaient le groupe le plus bruyant et le plus détestable de tous. Évidemment.

— Regardez-les, a dit Alexia avec un regard de mépris. Ils pensent qu'ils sont les maîtres du monde.

— Ils le sont, lui ai-je rappelé. Ils n'ont jamais été défaits, sauf la fois où nous les avons battus. Et, même là, c'était un coup de chance. Je n'aurais jamais pensé qu'ils seraient si bons sans Cédric.

— Au fait, où est Cédric? a demandé Jonathan.

Nous l'avons tous vu au même moment, debout devant son casier. Il portait un chandail du Canadien de

Montréal et une casquette à l'effigie du 32e Super Bowl.

Jean-Philippe avait l'air déçu.

— Il ne porte pas son chandail des Flammes!

— Il fait partie de l'équipe des étoiles, maintenant, a lancé Alexia, dégoûtée. Il est trop important pour faire preuve de loyauté envers les Martiens.

— Qu'est-ce que tu racontes? a dit son frère en lui jetant un regard surpris. Toi non plus, tu ne portes pas ton chandail!

— Ce n'est pas la même chose, a rétorqué Alexia d'un ton vertueux. Je ne porte pas le mien parce que je trouve ridicule cette Journée de l'esprit sportif.

— Peut-être que Cédric pense comme toi, ai-je suggéré.

Elle a fait la grimace.

— Alors, pourquoi participe-t-il à l'assemblée de cet après-midi?

— L'assemblée a pour but de souligner la réussite sportive et d'encourager les étoiles avant le tournoi, a répondu son frère en roulant les yeux.

— Ce qu'on va faire cette fin de semaine est encore mieux que de faire partie de l'équipe des étoiles! a dit Jean-Philippe avec enthousiasme. On va assister à la finale du tournoi et voir une vraie partie de la LNH! Et tout ça, grâce à ton père! a-t-il ajouté en se tournant vers moi.

J'étais ravi que l'équipe apprécie mon père, mais je devais rectifier son erreur.

— Écoute, Jean-Philippe, mon père est un bon gars, c'est vrai. Mais ce voyage est l'idée de Boum Boum. Et c'est lui qui a obtenu les billets pour le match.

On aurait dit que j'avais parlé à un mur. Jean-Philippe a poursuivi comme s'il n'avait rien entendu :

— En plus, ça va être super de patiner sur la glace avec mon nom sur mon dos : Éthier! Tu sais, mon père est comptable. J'aimerais qu'il soit aussi génial que le tien, a-t-il ajouté en me lançant un regard envieux.

Carlos est arrivé en courant, évitant les bâtons de hockey, les pieds et les cartables qui encombraient le couloir.

— Vous ne devinerez jamais ce qui arrive! a-t-il lancé, tout excité. Regardez ça!

Il a ouvert un magazine aux pages glacées. Je suis resté bouche bée en lisant le titre en haut de la page : *COMMENT PEUVENT-ILS DORMIR SUR LEURS DEUX OREILLES?*

— C'est le pamphlet d'Alexia! s'est exclamé Jonathan, ravi.

— De Cédric, tu veux dire, a-t-elle corrigé à voix basse.

Mon texte était reproduit dans un encadré, à côté d'un court article. Mon cœur battait à tout rompre pendant que je lisais ces lignes :

En cette époque de salaires et de contrats de commanditaires avoisinant les millions, il est facile d'oublier la passion et l'ardeur qui sont à l'origine de notre amour des sports. Dans une petite ville portant le nom inhabituel de Mars, les jeunes sont si outrés par l'exclusion d'une coéquipière de l'équipe des étoiles qu'ils ont imprimé des centaines de ces pamphlets...

Alexia a sauvagement arraché l'article des mains de Carlos.

— Quelle sorte de magazine stupide publie de telles idioties? a-t-elle grogné en regardant la page couverture.

Mes yeux se sont écarquillés. C'était le dernier numéro de *Sports Mag*!

J'ai ravalé un « Youpi! » si énorme que ma tête aurait dû exploser. Cet encadré contenait *mon texte*! Et il était publié dans *Sports Mag*!

Un horrible sentiment d'amertume m'a envahi. Je ne pouvais le dire à personne! Si Alexia apprenait que j'étais l'auteur de ce texte, j'étais mort! Et si cette information parvenait à Mme Spiro et M. Lambert... C'était une perspective trop terrible à imaginer.

Il y avait tout de même une personne avec qui je pouvais partager cette merveilleuse nouvelle! Juste avant que la cloche sonne, je me suis rué sur le téléphone payant près du bureau et j'ai composé le numéro de l'hôtel de mon père. Ah, zut! Il n'était pas dans sa chambre! Et moi qui avais envie de crier cette nouvelle sur tous les toits!

Je ne pouvais pas rester déçu très longtemps durant la Journée de l'esprit sportif. Il y avait beaucoup trop d'animation.

L'excitation ne cessait d'augmenter à mesure que la journée avançait. À midi, l'atmosphère était telle dans la cafétéria qu'on aurait dit une réunion d'avant-match. J'ai laissé mon magnétophone fonctionner sur le banc. De cette façon, j'ai pu surprendre quelques conversations étranges : Qui était le meilleur? Gordie Howe ou Paul Kariya? Peu importe si 40 ans séparaient les carrières de ces deux joueurs! Wayne Gretzky était-il aussi doué pour le hockey que Michael Jordan pour le basketball? Et s'ils faisaient une partie de bras de fer, lequel des deux gagnerait? J'ai même entendu un élève de cinquième année parier que, si les Pingouins jouaient ensemble une fois adultes, ils pourraient battre l'équipe des Red Wings qui avait gagné la Coupe Stanley.

Complètement farfelu. Mais il faut dire que, dans un monde où l'un de mes textes pouvait être publié dans *Sports Mag*, tout était possible. J'ai essayé de joindre mon père à trois reprises pendant le repas. Pas de réponse.

Toutes ces folies ont mené à l'assemblée de 14 h 30, où l'école entière s'est entassée dans l'auditorium. J'ai pris place entre Jonathan et Jean-Philippe pendant que les meneuses de claque de l'école secondaire soulevaient l'enthousiasme de la foule.

L'équipe des étoiles était sur la scène. Je peux dire, sans craindre de me tromper, que certains des pharaons d'Égypte ont été moins adulés que ces joueurs. M. Lambert a insisté sur le fait que le trio ROC allait être réuni pour le tournoi. Cédric se trouvait entre Rémi et Olivier. Ces deux idiots avaient apporté la bannière du championnat de la ligue, qui était normalement suspendue au centre de loisirs. Ils l'agitaient à bout de bras comme des maniaques et, à chaque instant, la brandissaient à cinq centimètres du nez de Cédric. Le message était clair : « Nous sommes les tenants du titre, et pas toi! »

Lorsque M. Lambert a présenté le trio ROC, Rémi et Olivier ont reçu une ovation debout, alors que Cédric n'a été que mollement applaudi. On a entendu quelques sifflements, et quelqu'un a même crié : « Martien! » C'était tout à fait injuste. Cédric Rougeau venait de Bellerive, comme eux.

J'ai senti Jonathan se raidir à côté de moi.

— Crétins.

J'avais oublié tout ce que Cédric devait endurer parce qu'il faisait partie de notre équipe. Pas étonnant qu'il n'ait pas porté son chandail des Flammes. Il ne voulait pas envenimer la situation.

Puis le directeur a présenté M. Fréchette, qui avait une annonce à faire au nom de la ligue.

— Nous avons constaté qu'une erreur a été commise dans la liste des joueurs qui vont faire partie de l'équipe des étoiles, a-t-il déclaré. En effet, un nom a été omis. Je demanderais à Alexia Colin de bien vouloir se lever.

C'est ce qu'elle a fait, en pointant le menton presque jusqu'à la ville de Mars. Avec son air provocant, elle ressemblait à une capitaine au long cours au milieu d'un ouragan. Sauf qu'au lieu du vent et de la pluie, c'étaient des acclamations et des huées qui s'élevaient autour d'elle.

M. Fréchette lui a adressé un sourire glacial.

— Félicitations, Alexia. On dirait bien que tu vas te

joindre à l'équipe des étoiles pour le tournoi.

Jonathan, Jean-Philippe et moi nous sommes tapé les mains en signe de victoire.

— C'est à cause de *Sports Mag*, ai-je chuchoté. Ce magazine a beaucoup d'influence!

Des idées de titres se sont mises à tournoyer dans ma tête comme des M & M dans un mélangeur : *L'étoile de Mars*! *Une étoile féminine*! Et même : *Il était temps*!

Alexia a attendu que le silence revienne, puis a déclaré d'une voix douce :

— Je suis désolée, mais je dois me laver les cheveux la fin de semaine prochaine.

Sur la scène, Cédric s'est levé d'un bond :

— Quoi?

Ce « quoi? » s'est répercuté jusqu'à nous à travers la centaine de spectateurs.

M. Fréchette avait les yeux exorbités.

— Toute la fin de semaine? a-t-il fini par bredouiller.

Alexia a hoché la tête :

— J'aime avoir les cheveux très propres.

C'était une nouvelle incroyable! Personne n'avait jamais refusé de faire partie de l'équipe des étoiles, encore moins la seule fille à y être acceptée! Je me suis presque cassé le bras en essayant de sortir mon magnétophone de ma poche. Quand j'ai fini par le mettre en marche, tout ce que j'ai pu enregistrer était le silence consterné qui régnait dans l'auditorium.

J'ai donc chuchoté, à mon intention : « Ne pas oublier

d'acheter une centaine d'exemplaires de *Sports Mag* avant qu'ils soient tous vendus. »

Chapitre 13

Ça n'a pas été facile de faire mes bagages le samedi matin. Comme nous étions nombreux, chacun ne pouvait apporter qu'une petite valise. Maman voulait que je gaspille le peu d'espace dont je disposais pour y mettre des vêtements.

— Je suis un journaliste, pas un mannequin, lui ai-je rappelé. Je n'ai pas besoin de caleçons propres. J'ai besoin de piles pour mon magnétophone et d'un appareil photo avec un zoom.

— Eh bien, tu n'en as pas, Clarence. Alors, tu peux emporter des caleçons. Tu as aussi besoin d'argent de poche, a-t-elle ajouté en sortant un billet de 20 $ et en le tenant hors de ma portée. Je veux d'abord que tu me promettes de ne pas dépenser un cent pour un gros bonbon dur.

— D'accord, maman.

Je ne mentais même pas. Je n'avais pas l'intention de

dépenser un cent pour acheter des gros bonbons durs. Mais le reste de l'argent, c'est-à-dire 19,99 $, à quoi allait-il servir? À l'achat de gros bonbons durs, bien sûr!

Papa était censé venir me chercher à 10 heures, mais je n'y comptais pas trop. Mon père est toujours en retard pour ce genre de choses. J'ai donc été très surpris d'entendre la sonnette à 10 heures précises.

J'ai ouvert la porte.

— Bonjour, papa! Prêt à...

C'était Boum Boum.

— Désolé, monsieur Blouin. Je pensais que c'était mon père.

— Il n'est pas ici? m'a-t-il demandé avec une lueur d'anxiété dans ses yeux de mante religieuse.

— Pas encore. Pourquoi?

L'entraîneur semblait mal à l'aise.

— Je viens d'appeler à son machin. Le zigoto de la réception m'a dit qu'il avait quitté l'hôtel hier.

Ma mère est arrivée dans le couloir.

— Bonjour, Boum Boum.

Puis, en voyant le visage inquiet de l'entraîneur et mon air déconfit, elle a ajouté :

— Oh, non! Ne me dites pas que…

— Il avait peut-être un rendez-vous dans une autre ville hier, ai-je bredouillé, et c'est pour ça qu'il a quitté l'hôtel. Il va sûrement revenir aujourd'hui....

— Je vais téléphoner à la compagnie de location de voitures, m'a interrompu maman en disparaissant dans la cuisine.

Quand elle est revenue, elle avait une expression sérieuse.

— Il a rapporté la fourgonnette à l'aéroport hier matin.

— Ça alors... a dit l'entraîneur en prenant une profonde inspiration. Là, nous sommes vraiment dans la patente!

— Pourquoi n'a-t-il pas appelé? ai-je gémi.

Ma mère a haussé légèrement les épaules.

— Il ne voulait probablement pas te décevoir, Clarence.

— Mais il *avait promis*! ai-je insisté.

— Il va falloir trouver un moyen de caser 14 personnes dans seulement deux patentes! a murmuré Boum Boum d'un air songeur.

— Patentes? a répété ma mère.

— Voitures, ai-je traduit, sans pouvoir regarder ma mère dans les yeux. C'est ma faute! Tu m'avais prévenu, mais je ne voulais pas t'écouter! Maintenant, le voyage est à l'eau!

Oui, j'étais en colère contre mon père. Mais j'étais surtout fâché contre moi-même. Je savais qu'il ne resterait pas pour toujours, mais j'avais espéré que son départ aurait lieu plus tard. Je nous avais vus, l'équipe et moi, lui faire des signes de la main en le regardant partir. Je n'aurais jamais pensé qu'il nous abandonnerait avant le voyage! Je me sentais plus idiot que trahi. C'était l'histoire des cuissardes et de la pêche qui se répétait.

— Les joueurs vont me tuer! ai-je gémi.

— Mais non, a dit Boum Boum d'un ton qui n'était pas très convaincant.

— Je vais vous accompagner, a soudain déclaré ma mère.

Je l'ai fixée des yeux.

— Je croyais que tu devais travailler cette fin de semaine.

— Laisse-moi donner un ou deux coups de fil, et je vais me libérer, a-t-elle répliqué.

Le soulagement de l'entraîneur était évident.

— Vous nous sauvez la bébelle, Lisa!

— La vie! ai-je traduit. Tu es super, maman!

Nous, les journalistes, savons apprécier l'aide d'autrui dans l'adversité. Ce qu'elle faisait là équivalait à marquer le but de la victoire, à la dernière seconde d'une quatrième période de prolongation!

Le trajet entre Mars et Montréal était très long. J'avais un mal de tête lancinant, que mon bandeau trop serré aggravait. J'aurais donné un million de dollars en petite monnaie pour avoir un gros bonbon dur. Cependant, avec maman au volant, je voyageais avec mon garde du corps personnel. Ce qui n'aidait pas, c'était que Jean-Philippe et Carlos n'arrêtaient pas de parler de mon père.

— Je n'arrive pas à croire qu'il va manquer ce voyage, a dit Carlos. C'est dommage pour lui!

— Il n'est pas chanceux, ai-je acquiescé tristement.

Jean-Philippe était affolé.

— Que vais-je faire sans M. Aubin? Je commençais à faire des progrès dans le « rabattage » de la rondelle. Il m'a tellement aidé!

— Je suis certaine qu'il voudrait que tu continues à t'exercer, a murmuré ma mère d'un air absent.

Jonathan, notre troisième passager, était plus perspicace que Carlos et Jean-Philippe. Je pense qu'il avait compris que mon père nous avait abandonnés sans plus de cérémonies. Il s'est contenté de me dire :

— Désolé, Tamia.

Carlos était intarissable.

— J'imagine qu'il va apporter les noms pour les chandails quand il va revenir.

— Tu sais, Carlos, M. Aubin est très occupé, a dit ma mère avec douceur. Je ne crois pas que tu le reverras bientôt.

— Oh, je vois! a dit Jean-Philippe en hochant la tête. Il va nous les envoyer par la poste.

Quand il s'agit de faire des déductions, le pauvre Jean-Philippe raisonne comme un tambour.

Les trois véhicules qui transportaient l'équipe ont fait une pause dans une aire de repos, sur l'autoroute. Nous avons chacun commandé une boisson, et Mme Blouin a distribué des Mallomars.

Ça tombait bien : j'avais envie de sucré! J'ai pris une énorme bouchée... C'était du tofu! Nous nous sommes tous précipités aux toilettes, où les Mallomars ont péri par noyade.

— Dommage que Cédric ne soit pas avec nous, a dit Benoît. Il est le seul à aimer ces trucs.

Kevin a éclaté de rire.

— Peut-être que le tofu peut transformer un joueur en étoile!

— Non, a rétorqué Jonathan. Alexia a été choisie, et elle n'en mange jamais. Je suis certain qu'elle est dans les toilettes des filles en train de faire comme nous.

— Je ne comprendrai jamais ta sœur, a dit Carlos. Si on m'offrait une place dans l'équipe des étoiles, je ne me ferais pas prier!

— Comme tout le monde, a dit Jonathan en haussant les épaules. Sauf qu'Alexia n'est pas comme tout le monde. S'ils l'avaient choisie dès le début, elle serait avec eux en ce moment. Mais ils ne l'ont pas fait. Alors, ils ont manqué leur chance.

La plupart des joueurs ont changé de voiture pour le reste du trajet. Jean-Philippe et Carlos ont gagné à pile ou face, et sont donc montés avec Mme Blouin. Jonathan a pris place avec Boum Boum dans l'Express Machin. Benoît, Kevin et Marc-Antoine sont venus avec maman et moi. J'ai donc encore dû écouter trois gars désolés pour « ce pauvre M. Aubin » qui avait dû rater le voyage.

Nous sommes arrivés à Montréal vers 15 h 30 et sommes aussitôt allés à notre hôtel, celui où étaient aussi descendues les 16 équipes d'étoiles. Le hall était le quartier général du tournoi. Des tableaux d'affichage géants donnaient toutes les statistiques des matchs.

Les résultats des demi-finales de la journée venaient d'être affichés. L'équipe de la ligue de Trois-Rivières avait gagné son match. Ce n'était pas étonnant : cette équipe avait remporté le championnat l'année précédente, et voilà qu'elle allait encore participer à la finale. L'autre équipe gagnante était...

— On a gagné! s'est écrié Carlos.

Nous avons poussé des cris de joie. Les résultats étaient là : Bellerive 5, Marieville 2. Bon, c'est vrai qu'il n'y avait aucun Marsois dans l'équipe de Bellerive. Mais au moins, nous allions pouvoir encourager Cédric lors de la finale du lendemain.

J'ai sorti mon magnétophone pour prendre note des statistiques affichées. Cédric était le meilleur marqueur du tournoi, avec sept buts et cinq aides en seulement trois matchs. Avec ses 12 points, il serait sûrement élu Joueur le plus utile à son équipe. C'était six points de plus que le joueur en deuxième place – j'ai froncé les sourcils –, Rémi Fréchette. Et qui se trouvait en troisième place? Mon cœur s'est serré. Olivier Vaillancourt.

Le titre était évident. Même le pire des journalistes y aurait pensé : *Le trio ROC plus solide que jamais!*

Je ne pouvais me résoudre à le dire à haute voix.

— Wow, a fait Jonathan.

J'ai regardé autour de moi. De toute évidence, mes camarades pensaient comme moi, même les plus obtus d'entre eux. Les Flammes faisaient beaucoup d'efforts et s'amélioraient de jour en jour. Mais malgré ses bons résultats, l'équipe freinait Cédric. Maintenant qu'il avait retrouvé ses anciens coéquipiers des Pingouins, il dominait le tournoi.

— Je suppose qu'on ne reverra plus Cédric Rougeau, a dit sèchement Alexia. Il ne va sûrement pas revenir avec nous après cet exploit.

— Il est notre coéquipier, a protesté faiblement Jonathan.

— Notre ami M. Fréchette peut arranger ça, a-t-elle répliqué avec aigreur. Qui oserait refuser quoi que ce soit au célèbre Cédric Rougeau après ce tournoi?

Boum Boum s'est approché de nous avec une poignée de clefs.

— Vous serez deux par patente, a-t-il annoncé.

— Par chambre, a traduit sa femme. Allons porter nos bagages, puis retrouvons-nous ici dans 10 minutes.

Chapitre 14

L'entraîneur avait quelques courses à faire avant le souper. Ma mère et Mme Blouin nous ont donc emmenés visiter la ville. Comme nous n'avions pas souvent l'occasion de voir de grandes villes comme Montréal, nous nous sommes amusés à observer les grands immeubles et à marcher parmi la foule, au son des klaxons de voitures. Nous remarquions des détails auxquels les citadins ne prêtent plus attention : les taxis, les parcomètres, les sirènes des voitures de police, les laveurs de vitres juchés au sommet des gratte-ciel. On ne voit rien de tel à Mars, dont le plus grand immeuble est la maison de Carlos.

Boum Boum s'est joint à nous pour le souper, que nous avons pris dans un restaurant grec du centre-ville. Puis est arrivé le meilleur moment : le match du Canadien.

En entrant au centre Bell, je me suis rappelé que l'engouement pour le hockey était dans la tradition de cette ville, de Maurice Richard et Guy Lafleur aux vedettes d'aujourd'hui comme Steve Bégin et Cristobal Huet.

J'aurais été impressionné même si nos sièges avaient été dans la dernière rangée, derrière une colonne. Sauf que l'entraîneur nous avait obtenu des sièges dans la tribune de la presse. La tribune de la presse! J'étais épaté!

— Comme de vrais journalistes! me suis-je écrié. C'est génial!

Je me suis précipité sur la porte comme si j'étais projeté par un canon. Même si le match n'avait pas encore commencé, j'ai appuyé mon nez sur la vitre pour contempler la patinoire déserte.

Une voix râpeuse s'est élevée dans mon dos :

— Hé, le jeune! Tu laisses des traces sur la vitre. Certains d'entre nous doivent travailler, ici, tu sais!

— Moi aussi, je travaille, ai-je dit à l'homme aux vêtements chiffonnés assis derrière moi. Je fais un reportage pour la *Gazette* de l'école élémentaire de Bellerive.

— Bellerive? a-t-il répété. – Il semblait intéressé. – N'est-ce pas la ville où ils ont refusé de laisser une fille jouer dans l'équipe des étoiles?

— Vous avez lu l'article dans *Sports Mag*? ai-je demandé, ravi.

— Le jeune, c'est moi qui ai écrit cet article. Je suis journaliste de hockey pour *Sports Mag*. Daniel Francœur, a-t-il ajouté en me tendant sa grande main large.

J'étais ébloui en lui serrant la main.

— Comment avez-vous obtenu le pamphlet? Est-ce

qu'une feuille a volé jusque chez vous?

Il a éclaté de rire.

— Je suis arrivé au bureau un matin, et le feuillet était arrivé par télécopieur. Je ne me rappelle pas qui l'a envoyé. Un certain Michel.

Papa! Ça lui ressemblait bien! Qui d'autre aurait pu être aussi fantastique et horrible au cours d'une même semaine?

— Ça tombait à pic, a poursuivi M. Francœur. Je devais remettre un papier ce jour-là et je manquais d'inspiration.

Je l'ai observé. Une bosse révélatrice et familière est passée de sa joue droite à sa joue gauche. S'il n'avait pas eu de barbe, j'aurais eu l'impression de regarder dans un miroir.

— Est-ce que c'est... un gros bonbon dur? ai-je demandé.

— Oui, à la réglisse, a-t-il confirmé.

Je ne pouvais pas garder cette incroyable découverte pour moi.

— Maman! C'est le journaliste de *Sports Mag*! Il mange des gros bonbons durs!

— Est-ce que son dentiste roule en Rolls Royce? a-t-elle répliqué aussitôt.

Décidément, elle n'avait qu'une idée en tête.

J'ai présenté M. Francœur à l'équipe. Il n'a pas reconnu Alexia, mais avait l'impression d'avoir déjà vu Carlos quelque part.

— C'était ma photo sur le feuillet, a expliqué fièrement

Carlos. Mais tout le reste concernait Alexia.

M. Francœur était un homme très sympathique. Même quand j'ai admis que j'avais l'intention de lui voler un jour son boulot, il a continué d'être gentil avec moi. J'aurais été heureux ce soir-là, même si le Canadien n'avait pas été sur la glace. Mais l'équipe était bel et bien là! Et elle a joué de façon incroyable!

Nous applaudissions le Canadien, bien sûr, parce que c'était l'équipe locale. Mais comme elle affrontait celle de Calgary, nous encouragions cette dernière aussi puisqu'elle portait le même nom que notre équipe à nous.

Avec une égalité de 2 à 2, le match s'est poursuivi en prolongation. Nous avions la voix rauque à force de crier lorsque Steve Bégin a marqué le but de la victoire. Ravis de notre soirée, nous sommes rentrés à l'hôtel.

Jonathan et moi partagions la même chambre. Nous étions épuisés, mais trop excités pour dormir. Je me suis dirigé vers le téléphone.

— Allô, c'est le service aux chambres? Pourriez-vous envoyer un énorme bol de gros bonbons durs à la chambre 504, s'il vous plaît?

J'ai entendu un rire au bout du fil.

— Nous ne vendons pas de bonbons durs, mon gars, a répliqué la femme. De plus, un certain M. Blouin nous a prévenus de ne rien faire monter à vos chambres.

Découragé, j'ai raccroché.

— Je ne savais pas que l'entraîneur était si soupçonneux, ai-je dit à Jonathan.

— Je vais appeler Cédric, a décidé ce dernier. J'aimerais le féliciter et lui souhaiter bonne chance pour la finale de demain.

— Bonne idée.

Pendant que Jonathan parlait au téléphone, j'ai jeté un coup d'œil par la fenêtre, au cas où j'apercevrais un magasin de bonbons près de l'hôtel. Pas de chance.

Jonathan a raccroché avec un froncement de sourcils.

— On m'a dit, à la réception, que les joueurs étaient sortis pour célébrer leur victoire.

J'ai regardé ma montre.

— Il est passé 11 heures du soir. Ce doit être toute une fête!

— Peut-être qu'Alex a raison, a soupiré Jonathan. Cédric serait mieux sans nous.

Cette pensée a quelque peu assombri notre soirée. Nous avons appelé la chambre de Cédric à plusieurs reprises. Il était presque minuit quand nous nous sommes finalement endormis, épuisés.

Je me suis réveillé en entendant frapper à la porte. Quelqu'un criait dans le couloir :

— Monsieur Blouin! Réveillez-vous!

J'ai regardé le réveil : 1 h 17.

— Allez, réveillez-vous! C'est une urgence!

Jonathan et moi nous sommes empressés d'ouvrir. Dans le couloir, les vêtements froissés et les yeux hagards, se tenait Cédric Rougeau.

— Qu'est-ce qu'il y a? s'est écrié Jonathan.

— Où est l'entraîneur? a répliqué Cédric.

Ma mère est apparue dans le couloir, suivie d'Alexia.

— Qu'est-ce qui se passe? a-t-elle demandé. Pour l'amour du ciel, Clarence, ne me dis pas que tu dors même avec ce bandeau ridicule? a-t-elle ajouté en m'apercevant.

— J'arrive de l'hôpital! a dit Cédric d'une voix haletante.

— De *l'hôpital*? a répété Boum Boum en sortant de sa chambre, vêtu d'un pyjama à fleurs.

— M. Fréchette nous avait emmenés manger une pizza, a expliqué Cédric. Et maintenant, toute l'équipe souffre d'une intoxication alimentaire! Le médecin dit que c'est à cause du pepperoni!

— Tu n'as pas l'air bien malade, a dit Alexia d'un ton déçu.

— Je suis le seul à ne pas avoir mangé de pepperoni, a répliqué Cédric. J'ai choisi une pizza au tofu. Je vous avais dit que je commençais à aimer ça, a-t-il ajouté en haussant les épaules, embarrassé.

— Laisse-moi récapituler, a dit l'entraîneur. Tous les zigotos sauf toi ont mangé des machins, et maintenant, ils ont tous une gugusse?

— Ils sont malades comme des chiens, a confirmé Cédric.

Ma mère s'est alarmée.

— Est-ce qu'ils vont s'en remettre? a-t-elle demandé.

— Oui, mais ils ne pourront pas jouer demain!

Je venais justement de lire les règlements du tournoi.

— Alors, vous allez être remplacés par l'équipe perdante qui a obtenu le plus de points lors des demi-finales, ai-je informé Cédric.

— Personne ne va nous remplacer! s'est-il écrié obstinément.

— Tu as beaucoup de talent, Cédric, a déclaré Alexia. Mais tu ne peux pas remporter la partie tout seul. Tu dois être entouré d'une équipe.

— Mais j'ai une équipe! a-t-il insisté. Nous! Nous sommes tous membres de la Ligue Droit au but! Nous pouvons former l'équipe des étoiles!

Carlos et Jean-Philippe venaient de sortir dans le couloir, et c'est la première chose qu'ils ont entendue.

— Nous? a soufflé Carlos. Des étoiles? Mais comment...

— Les joueurs ont été empoisonnés, a expliqué Jonathan.

Carlos et Jean-Philippe ont jeté un regard horrifié à Alexia.

— Je n'ai rien fait! a-t-elle protesté. C'est à cause du pepperoni.

Au même moment, la porte de l'ascenseur s'est ouverte et M. Fréchette en est sorti, le visage vert et la démarche chancelante.

— Blouin, j'ai besoin de votre équipe!

Boum Boum a ouvert la bouche, et une avalanche de trucs-machins en est sortie.

— Nous n'avons pas nos affaires! Leurs cossins ne seront pas de la bonne pointure! Nous avons besoin de tous nos bidules!

Le président de la ligue a levé les bras pour demander le silence.

— Ne criez pas. Je viens de me faire pomper l'estomac.

Mes antennes de journaliste se sont mises à vibrer. La plus importante nouvelle de tous les temps était en train de prendre forme sous mes yeux, dans le couloir de l'hôtel. Il fallait que ça continue.

— Vous pouvez y arriver, monsieur Blouin! ai-je insisté. Vous avez les bâtons et l'équipement de l'autre équipe. Certains de leurs patins seront de la bonne pointure. Les joueurs qui n'en auront pas pourront en louer à la patinoire...

— C'est la seule solution, a ajouté M. Fréchette en ravalant ce qui semblait être un renvoi au goût désagréable. Sinon, on nous fera perdre par forfait.

— Et nous savons tous à quel point ce serait injuste, est intervenue Alexia d'un ton plein de sous-entendus.

Boum Boum a regardé ses joueurs en pyjama.

— Qu'en dites-vous? Voulez-vous faire partie des patentes?

La réponse lui est parvenue dans un torrent d'exclamations enthousiastes. C'était une histoire digne de la une de *Sports Mag*! Nous passions de l'absence de Marsois dans l'équipe des étoiles à une équipe d'étoiles formée entièrement de Marsois!

Le titre m'est apparu sans effort :

Les étoiles de Mars!

Chapitre 15

On a découvert qu'Alexia avait la même taille que Rémi Fréchette. Elle a donc porté tout son équipement, à l'exception des patins, qu'elle a dû louer.

Carlos a eu plus de difficultés. Il a pris les épaulières d'Olivier, le casque de Luc Doucette et deux coudières non assorties. Ses grands pieds étaient de la même pointure que ceux de l'entraîneur Morin.

Jean-Philippe a dû emprunter la culotte de hockey du Roi de la Couche, ce qui a bien fait rigoler Carlos :

— Hé, Jean-Philippe, ce sont des Huggies ou des Pampers?

Les jambières de Lucas Racicot arrivaient au menton de Jonathan, mais le reste de son équipement était de la bonne taille. Quant à Marc-Antoine le maigrichon, sa tête était la plus petite de toute la Ligue Droit au but. Boum Boum a dû tapisser le casque rouge de Thomas Coulombe avec une serviette de l'hôtel pour qu'il tienne en place. Quand Marc-

Antoine s'est levé, prêt à l'action, il ressemblait à une pomme glacée.

L'équipement de Xavier Giroux, y compris les patins, allait parfaitement à Kevin. Malheureusement, aucun rétroviseur n'était fixé à son casque. Mme Blouin a donc collé son poudrier à la grille. Ainsi, notre défenseur à reculons allait pouvoir patiner à son aise.

Aucun joueur des Flammes ne s'était attendu à jouer au hockey pendant ce voyage. Ils portaient donc des vêtements ordinaires sous leur uniforme. Carlos avait enfilé une chemise de soirée blanche, car c'était tout ce qui restait dans sa valise. Un col de dentelle dépassait du chandail d'Alexia. Kevin portait son haut de pyjama parce qu'il n'avait rien d'autre à manches longues. Jean-Philippe était vêtu d'un kangourou molletonné dont le capuchon était roulé en boule dans son cou. Il avait l'air du bossu de Notre-Dame.

L'atmosphère était tendue dans le vestiaire. Les joueurs étaient à la fois surexcités à l'idée de disputer ce match et tenaillés par la peur.

Jonathan a exprimé tout haut ce que ses camarades pensaient :

— Comment allons-nous les battre? Ce sont des joueurs étoiles, les meilleurs de leur ligue, alors que notre équipe est ordinaire... et même médiocre.

— Nous n'avons même plus notre moyenne de 0,500, s'est plaint Kevin.

— Comment ça, médiocre? s'est exclamé Cédric,

indigné. Ne dis pas ça!

— Oh, tais-toi, la vedette! a lancé Alexia. On vient peut-être de Mars, mais on peut lire le tableau des statistiques. Tu as besoin de nous seulement parce que le reste du trio ROC est en train de vomir!

J'ai cru que de la fumée allait sortir des narines de Cédric.

— Le trio ROC? Je ne peux plus supporter le trio ROC! J'ai détesté chaque minute de jeu que j'ai dû passer avec Rémi et Olivier. Je n'ai envie de jouer avec personne d'autre que vous! Je ne suis peut-être pas un génie, mais je sais reconnaître mes vrais amis!

Jean-Philippe a inspiré profondément.

— Je me sentirais mieux si M. Aubin était là.

Soudain, Boum Boum a fait claquer ses doigts.

— J'allais oublier! s'est-il exclamé. J'ai reçu ce colis aujourd'hui.

Il a vidé le contenu d'une boîte sur la table. J'ai écarquillé les yeux, bouche bée. C'étaient les noms des joueurs! Les lettres de soie blanche se détachaient sur un fond vert assorti au chandail des Flammes.

— C'est mon père qui les a envoyés? ai-je demandé à Boum Boum.

— La boîte nous attendait ce matin, à la réception du machin, a répondu l'entraîneur avec un sourire.

— Hourra pour M. Aubin! a crié Jean-Philippe.

Tout en poussant des hourras, les joueurs se sont jetés sur la boîte pour y trouver leur nom. Je ne pouvais détacher mon regard des bandes de tissu : ÉTHIER, ARSENAULT, A. COLIN, J. COLIN, ROUGEAU. C'était magnifique! Mais le plus beau, c'était que papa avait tenu sa promesse.

— Dommage qu'on ne puisse pas les porter, a dit tristement Jonathan.

Mme Blouin s'est avancée avec une boîte pleine d'épingles de sûreté.

— Nous les coudrons sur vos vrais chandails en rentrant à la maison. Mais pour aujourd'hui, nous pouvons les fixer avec des épingles.

C'est vrai que ça rappelait un peu Noël, ces bandes vertes sur des chandails rouges, mais lorsque l'équipe de Bellerive s'est élancée sur la glace cet après-midi-là, elle exhibait les noms de ses joueurs à la face du monde entier.

J'ai pratiquement flotté jusqu'à mon siège dans les gradins.

— Regarde, maman! Papa a envoyé les noms! Il a tenu sa promesse!

— Comment a-t-il su que les Flammes joueraient aujourd'hui? a-t-elle dit, déconcertée.

Quoi? Je n'avais pas le temps d'y réfléchir. On commençait à présenter les équipes.

L'équipe de Trois-Rivières était la première. Je n'ai pas pris la peine de noter les noms des joueurs. Je me suis contenté de les baptiser King Kong, Godzilla, Tyrannosaure, Homme des neiges… Bref, vous voyez ce que je veux dire. Ils étaient gigantesques. Le plus petit était de la taille de notre plus costaud, Carlos. Le plus grand devait avoir son propre indicatif régional de la compagnie de téléphone.

On a ensuite présenté notre équipe. Quel désastre! Je suppose que personne n'avait prévenu les officiels que les véritables étoiles étaient ailleurs, en train de se remettre de leur ingestion de pepperoni avarié.

— Numéro 7 : Rémi Fréchette. Numéro 8 : Luc Doucette...

Nos joueurs sont restés là, attendant en vain que leur nom soit prononcé. On aurait dit un numéro de comédie. Des éclats de rire ont fusé dans la foule. L'arbitre a cru que les joueurs faisaient les clowns.

— Vous devez avancer quand on dit votre nom! Pour qui vous prenez-vous? Pour des petits malins?

— Ou des petites malignes! a répliqué Alexia.

— Numéro 14 : Olivier Vaillancourt...

— Allons, où est Olivier Vaillancourt? a demandé l'arbitre.

— Il souffre d'une intoxication alimentaire, a répondu Benoît.

— C'est assez, a dit l'arbitre, furieux. Vous vous croyez trop importants pour qu'on vous présente?

— Numéro 16 : Cédric Rougeau.

Cette fois, l'annonceur avait le bon nom. Cédric s'est avancé pour recevoir une ovation, et l'arbitre s'est éloigné en marmonnant.

Puis ce fut la mise au jeu : Godzilla contre Cédric.

Cédric était plus rapide, mais Godzilla était si puissant qu'il a immobilisé le bâton de Cédric avec le sien. Cédric ne pouvait pas bouger. Alexia s'est élancée sur le gros centre pour le mettre en échec, mais elle a rebondi contre lui.

Godzilla n'était pas seulement fort. Il savait patiner et tricoter, et son lancer frappé était un vrai boulet de canon. Du point de vue de Jonathan, il devait ressembler à un train lancé à toute allure en direction du filet.

Je dois reconnaître que notre pauvre gardien a essayé de tenir tête à Godzilla. En vain. Huit secondes après le début de la partie, le compte était de 1 à 0 pour Trois-Rivières.

Oups! Ai-je dit 1 à 0? C'était plutôt 2 à 0. L'Homme des neiges venait de passer à travers nos joueurs comme s'ils avaient été des arbres, plantés là, enracinés.

On pouvait voir notre équipe commencer à s'écrouler. Les mouvements des joueurs se faisaient hésitants. L'équipe adverse sortait victorieuse chaque fois que les joueurs se ruaient sur la rondelle pour tenter de s'en emparer. On aurait dit que Jonathan bougeait au ralenti quand il essayait de bloquer la rondelle. Et quand il brandissait son gant ou avançait une jambière, il était évident qu'il ne s'attendait pas à réussir un arrêt.

Je me suis répété que l'équipe adverse avait remporté le championnat l'année précédente. Nul ne pouvait s'attendre à ce qu'une équipe ordinaire la supplante. N'empêche qu'il était tout de même pénible de voir nos joueurs se défendre si mal. Ils patinaient comme s'ils se déplaçaient dans un océan de caramel mou.

Le joueur que j'avais surnommé King Kong s'est lancé dans une attaque foudroyante qui l'a mené d'un bout à l'autre de la patinoire. Il écartait ses adversaires comme s'il ne s'agissait que de moustiques importuns. Arrivé devant Jonathan, il a fait une feinte... et marqué le troisième but de son équipe.

Alors que je croyais que rien de pire ne pouvait arriver, la situation s'est encore détériorée. L'équipe des étoiles de la ligue de Bellerive est entrée dans l'aréna. Je veux dire la véritable équipe des étoiles, avec les Pingouins et l'entraîneur Morin. Même d'aussi loin, leur teint semblait grisâtre. Au moins, ils ne vomissaient plus. Je sais que ce n'est pas loyal envers les Flammes, mais je me suis honnêtement demandé si ces zombis du pepperoni s'en tireraient mieux que leurs remplaçants sur la glace.

Évidemment, Rémi et Olivier sont venus s'asseoir derrière moi. Le fait d'avoir été malades ne les empêchait pas de dire des idioties.

— Ah, regarde ça! a grogné Rémi. Ils ont donné mon équipement à la fille!

— Ce n'est rien, a répliqué Olivier. Regarde qui porte mon chandail : Éthier! C'est l'idiot qui a fait disparaître la rondelle!

Je ne pouvais pas rester là sans réagir.

— Taisez-vous, les gars! ai-je dit sèchement en me retournant. Les Flammes vous rendent bien service!

À ce moment précis, Godzilla a marqué un autre but,

faisant passer le pointage à 4 à 0.

— Dis à tes amis martiens d'aider quelqu'un d'autre la prochaine fois, a lancé Rémi d'un ton méprisant. Ce match va entrer dans les annales sous notre nom!

Olivier a tiré mon bandeau, puis l'a relâché comme un lance-pierres.

— Aïe! ai-je crié avant d'ajouter, en les regardant droit dans les yeux : Oignons frits! Hamburgers ultra graisseux! Foie sauté au bacon!

J'ai vu, avec satisfaction, leur visage tourner au vert. Les lèvres serrés, ils ont porté les mains à leur ventre. Puis, sans un mot de plus, ils se sont levés pour se précipiter vers les toilettes.

Je sais, ce n'était pas gentil de ma part. Mais il fallait bien que je défende l'équipe. Elle n'était certainement pas en état de se défendre elle-même!

Les Flammes ont été chanceux de terminer la première période avec un retard de quatre buts seulement.

Dans le vestiaire, nous avons assisté à un spectacle que nous n'avions jamais vu auparavant : Boum Boum a piqué une crise.

— Vous jouez comme une bande de machins-chouettes! Ce match est un vrai trucmuche! N'avez-vous donc aucune patente?

Personne n'a eu besoin de traduction. Le message était clair : l'équipe de Trois-Rivières était excellente, mais elle n'avait pas vraiment besoin de l'être. Les Flammes filaient vers la défaite sans l'aide de qui que ce soit.

Chapitre 16

Les joueurs avaient la tête basse. Ils n'avaient jamais vu Boum Boum perdre ainsi son calme. Et, croyez-moi, c'était un spectacle inoubliable! Ses yeux globuleux étaient rouges et lançaient des éclairs. L'élastique qui retenait sa queue de cheval s'était cassé, et ses longs cheveux étaient dénoués. Étonnamment, ils ne pendaient pas sur ses épaules : ils étaient hérissés comme si l'entraîneur venait de mettre le doigt dans une prise électrique. Son visage était empourpré par les efforts qu'il faisait pour communiquer.

Mon magnétophone était en marche, dans l'attente des instructions de Boum Boum, mais il s'est contenté de crier jusqu'à ce qu'il ne trouve plus de mots, puis s'est écroulé contre le mur, épuisé.

— Vous avez raison, monsieur Blouin, a soupiré Alexia. Après avoir raté ma première mise en échec, je n'en ai pas fait d'autre. Je suis désolée.

— Moi aussi, a dit Kevin d'un air penaud. J'ai patiné

vers l'avant. Où avais-je la tête?

— Moi, je les ai laissés me bousculer, a admis Cédric. Ça ne se passera plus comme ça, je vous le promets!

L'un après l'autre, les joueurs ont pris la parole pour s'accuser d'avoir mal joué.

— J'avais peur d'aller dans les coins de la patinoire.

— Je suis resté planté là pendant qu'ils marquaient des buts.

— J'étais certain de ne pas pouvoir arrêter ce colosse, alors je n'ai même pas essayé.

Quel bon entraîneur! Sans même avoir parlé français, il avait réussi à faire comprendre son message.

La sirène a retenti. Comme Boum Boum ne trouvait toujours pas ses mots, il s'est contenté d'ouvrir la porte et de désigner la glace du doigt. C'était le geste le plus motivant que j'aie jamais vu. Les joueurs sont sortis, gonflés à bloc.

En tant que capitaine, Alexia a été la première à tenir tête à l'équipe adverse. Dès la mise au jeu, elle a, encore une fois, tenté de plaquer Godzilla. Et, encore une fois, elle a rebondi comme une balle de ping-pong. Mais j'ai remarqué une différence : quand elle s'est relevée, elle pointait le menton d'un air déterminé. Elle a continué sans relâche : plaquage avec l'épaule, avec la hanche. Elle a fini par foncer sur un des joueurs adverses à un angle idéal.

C'était Tyrannosaure qui faisait une montée. Alexia l'a d'abord mis en échec avec la hanche. Puis, quand elle a senti que son adversaire perdait pied, elle s'est redressée pour terminer le coup avec l'épaule. Tyrannosaure s'est envolé.

Le beau coup d'Alexia a galvanisé ses coéquipiers. Cédric maniait mieux son bâton. Oui, ses adversaires lui enlevaient la rondelle. Pourtant, chaque fois, il réussissait à la garder un peu plus longtemps, et notre équipe a pu mener quelques attaques. Les ailiers ont travaillé fort dans les coins, et bientôt, Bellerive a eu son premier tir au but. On a même entendu quelques cris d'encouragement, provenant surtout des véritables joueurs étoiles de Bellerive, qui étaient éparpillés dans les gradins.

— Ils s'améliorent, a dit Olivier d'un air revêche.

— Ils sont pourris! a lancé Rémi. Ils vont se faire lessiver!

Je me suis tourné vers eux et j'ai dit doucement :

— Lasagne. Soupe à l'oignon gratinée. Œufs frits.

Cette fois, ils ne se sont pas précipités vers les toilettes, mais ils n'avaient pas l'air dans leur assiette. De toute façon, j'étais content qu'ils soient là pour voir le premier but des Flammes.

Le but a été marqué par accident, c'est vrai, mais c'était tout de même un grand moment. Dix minutes après le début de la période, Kevin a finalement pu s'emparer de la rondelle. *Zoum!* Il s'est retourné et est parti à reculons.

Les joueurs de l'équipe adverse étaient déconcertés. Lequel d'entre eux était censé couvrir ce joueur? Et de quelle façon, au juste, puisque la rondelle était du mauvais côté? Avant qu'ils puissent se décider, Kevin est arrivé devant le filet.

— Plaquez-le! a crié leur gardien, Frankenstein.

Les deux gros défenseurs ont coincé Kevin devant l'enclave. La double mise en échec était si brutale qu'un petit nuage de poudre s'est échappé du poudrier de Mme Blouin et a flotté jusqu'au visage du gardien de but.

— Atchoum!

Pendant que Frankenstein se pliait en deux pour éternuer, Kevin a réussi, d'un petit coup de bâton, à faire pénétrer la rondelle dans le filet.

J'ai crié mon idée de titre :

— *Bellerive passe à l'action!*

Rémi avait un autre titre en tête :

— *Coup de chance!*

Je me suis tourné vers lui :

— Nachos au chili et au fromage.

Une minute plus tard, quand Godzilla a reçu une pénalité pour avoir fait trébucher un de nos joueurs, j'ai commencé à croire que le vent pouvait tourner. Un but en avantage numérique ferait passer le pointage à 4 à 2, et il nous resterait la troisième période pour faire une remontée.

Je sentais des gouttes de transpiration couler de mon bandeau. Le jeu de puissance des Flammes paraissait solide. Benoît et Kevin contrôlaient la ligne bleue et faisaient des passes à Cédric et à Alexia. Carlos s'élançait dans les coins, se saisissant de la rondelle abandonnée ou des rebonds.

Puis Alexia a lancé! Arrêt de Frankenstein, au moyen

de son bâton!

Riposte de Cédric avec un tir du revers, aussitôt bloqué par Frankenstein avec sa jambière!

Carlos a ramené la rondelle derrière le filet et a tenté de déjouer le gardien en faisant passer la rondelle devant. Le solide gardien a plaqué son patin contre le poteau, et la rondelle a rebondi dans les airs.

Elle est retombée en plein sur le bâton de Godzilla, qui s'est mis à traverser la patinoire à vive allure. Dans leur précipitation pour lui bloquer le passage, Kevin et Benoît sont entrés en collision. Leurs casques se sont heurtés et les deux coéquipiers sont tombés sur la glace. Il y avait juste assez d'espace entre eux pour laisser passer le centre adverse en échappée.

Je n'ai pas aimé en être témoin, mais je dois admettre que c'était un but magnifique, marqué par un joueur plein d'assurance. Godzilla avait à peine franchi notre ligne bleue qu'il a projeté la rondelle entre les jambières de Jonathan; 5 à 1 pour Trois-Rivières.

Un but en désavantage numérique! Quoi de plus déprimant que de voir marquer un but contre son équipe alors qu'on bénéficie d'un avantage numérique. Et c'est arrivé juste au moment où les Flammes semblaient reprendre du poil de la bête!

À la pause, le vestiaire était silencieux. Les joueurs étaient démoralisés.

— On ne pourra pas les battre, a gémi Jonathan. Ils sont bien meilleurs que nous.

— Ils sont assez bons pour jouer dans la LNH, a acquiescé Benoît.

Même Cédric était ébranlé.

— Le problème, a-t-il dit, c'est que chacun d'eux est capable de s'emparer de la rondelle et de se rendre jusqu'au filet pour marquer un but. Pensez-y. Ils ont marqué cinq buts et chacun était le résultat d'un jeu individuel bien monté. Je parie qu'il n'y a pas une seule aide dans les statistiques de cette équipe.

Boum Boum l'a dévisagé. Ses yeux de mante religieuse se sont écarquillés.

— C'est ça! a-t-il fini par lancer. C'est notre bidule!

Toute l'équipe s'est tournée vers lui.

— Ces zigotos sont meilleurs que nous, a expliqué l'entraîneur, mais seulement un à la fois. Ils ne se passent pas la rondelle. Ils ne font que des bidules individuels.

— Pourquoi n'y a-t-on pas pensé avant? a lancé Alexia en se levant d'un bond. Ce sont des crâneurs. Ils ont l'habitude de recevoir des passes, pas d'en envoyer.

— Alors, si on les oblige à faire des passes, ils vont commencer à commettre des erreurs! s'est exclamé Carlos avec entrain, avant de se tourner vers l'entraîneur. Comment va-t-on réussir ça?

— Avec beaucoup de mises en échec! a répondu immédiatement Boum Boum.

— C'est ça! a ajouté Cédric. Ne les laissez pas patiner. Interrompez leur jeu. Il faut qu'ils fassent des passes!

Les Flammes avaient tellement hâte de retourner sur la

patinoire que je me suis presque fait écraser quand la sirène a sonné. J'ai voulu me diriger vers mon siège, mais Cédric m'a saisi par le collet.

— Attends une minute, Tamia. J'ai un petit boulot pour toi.

— Tout ce que tu veux, Cédric!

J'étais si absorbé par ce match que j'aurais été prêt à explorer les égouts pour aider les Flammes.

Il a mis son bras sur mes épaules et a chuchoté pour que l'entraîneur ne puisse pas entendre :

— Il y a une autre chose qui pourrait distraire ces gars.

— Laquelle? ai-je demandé, tout oreilles.

— Mme Blouin! a-t-il répondu avec un clin d'œil.

Chapitre 17

Parler à Mme Blouin est beaucoup plus difficile qu'on ne croit. Le simple fait d'être debout devant elle, à contempler son visage de mannequin, ses longs cheveux noirs, ses yeux... Ah, ne me demandez pas d'en dire plus! Pour résumer, j'ai gravi les gradins, j'ai jeté un regard vers Mme B. et j'ai aussitôt oublié notre plan.

— Heu, comment ça va? ai-je balbutié.

Maman m'a ramené à la réalité.

— Clarence, as-tu de la fièvre? Ton visage est tout rouge!

— Oh, je vais bien, suis-je parvenu à répondre. Je suis seulement préoccupé par le match...

Le match!

— Mme Blouin, l'entraîneur a besoin de vous sur le banc, ai-je annoncé.

— Pourquoi? a-t-elle demandé, surprise.

J'ai pris un air vague.

— Il a parlé de machins-trucs. Allez, venez!

Elle m'a suivi jusqu'en bas. Croyez-moi, personne dans cette section ne regardait la mise au jeu.

Une fois au niveau de la patinoire, elle a pris place sur le banc à côté de son mari.

— Qu'est-ce que tu veux, Boum Boum?

— Quoi?

— Que veux-tu que je fasse?

— Rien.

— Mais, Boum Boum...

C'est alors que l'Homme des neiges a aperçu la belle Mme Blouin. *Crac!* Il a percuté le plexiglas.

Kevin s'est emparé de la rondelle et s'est dirigé à reculons vers la zone adverse. Je pouvais le voir froncer les sourcils dans son miroir pendant qu'il cherchait les défenseurs du regard. Mais il n'y en avait aucun. Les joueurs de Trois-Rivières restaient immobiles, à contempler notre banc. Kevin a fait une passe à Carlos, qui a expédié la rondelle à Marc-Antoine, lequel a exécuté son lancer-pelletée. La rondelle est entrée dans le coin supérieur du filet : 5 à 2.

Mme Blouin s'est réjouie avec nous, puis a dit :

— Bon, comme personne n'a besoin de moi...

— Mme Blouin! s'est écrié Cédric. Mon nom est en train de se détacher de mon chandail! Pouvez-vous le rattacher?

Pendant ce temps, King Kong s'est si bien penché par-dessus la bande pour mieux voir qu'il a basculé sur la glace. L'arbitre a donné un coup de sifflet.

— Une pénalité pour Trois-Rivières! a-t-il crié. Trop de joueurs sur la glace!

— Aïe! J'ai quelque chose dans l'œil! me suis-je écrié. Il fallait bien garder la femme de l'entraîneur près du banc durant le jeu de puissance, n'est-ce pas?

Pendant qu'elle me tamponnait l'œil avec un coton-tige, Frankenstein la regardait au lieu de suivre la rondelle des yeux. Benoît s'est élancé de la pointe, puis, avec un mouvement plutôt maladroit des poignets, il a projeté la rondelle dans le filet, faisant ainsi passer le pointage à 5 à 3.

L'entraîneur de l'équipe adverse a réclamé un temps mort. Lorsqu'il a demandé à ses joueurs ce qui se passait, ils ont tous désigné Mme Blouin.

— C'est elle qui vous distrait à ce point? a-t-il lancé d'un air dégoûté. Vous devriez avoir honte!

Puis il a griffonné une stratégie sur sa tablette de chocolat et pris une bouchée de sa planchette à pince.

Quand le jeu a repris, les tenants du titre gardaient les yeux sur la glace. Ça les empêchait de penser à Mme Blouin, mais ça ouvrait aussi la voie à de spectaculaires mises en échec. Je n'en croyais pas mes yeux! Les Flammes renversaient ces géants un peu partout sur la patinoire. Et pas seulement nos meilleurs plaqueurs! Le petit Marc-Antoine a expédié Godzilla dans un vol plané qui l'a fait atterrir sur Frankenstein. Les deux joueurs se sont écroulés dans le filet.

Incapables de patiner sans se faire plaquer, les joueurs de Trois-Rivières se sont mis à faire des passes. C'est alors que nous avons compris que Boum Boum avait raison. Ces super vedettes, ces machines indestructibles, étaient les plus piètres passeurs de l'univers.

Cédric a bientôt intercepté une passe de King Kong à Tyrannosaure, et a fait entrer la rondelle dans le filet, à la droite de Frankenstein; 5 à 4.

Puis Benoît a intercepté un lancer plutôt faible et a fait une passe à Kevin, qui est parti à reculons. Le lancer de Kevin a été bloqué, mais Carlos était là pour se saisir du rebond et expédier la rondelle dans le filet.

— Égalité! ai-je hurlé dans mon micro. Quelle remontée!

Boum Boum a demandé un temps mort pour permettre à ses joueurs épuisés de se reposer. Sa voix était rauque, à force d'avoir crié, ce qui le rendait encore plus incompréhensible.

— Il ne reste qu'une minute et demie de machin! Faites durer le truc pour conserver vos forces et remporter la victoire en patente!

— En prolongation? a traduit Cédric, horrifié. Mais il n'y en a pas de prolongation, dans le championnat des étoiles!

— Hein? s'est exclamé Jean-Philippe. Tu veux dire qu'on laisse une partie se solder par un match nul?

Cédric a secoué la tête.

— En cas de match nul, le trophée va à l'équipe qui a marqué le plus de buts au cours du tournoi. Et dans ce cas-ci, Trois-Rivières a marqué plus de buts que Bellerive.

Jonathan a levé son masque.

— Tu veux dire que...

— On est en train de perdre, a confirmé sa sœur à voix basse.

— Exactement, a repris Cédric. Si on ne gagne pas d'ici la fin de la période, on va terminer en deuxième place.

Quel suspense! Tout allait se jouer en une minute et demie. Le tout pour le tout! De tels moments n'arrivent qu'au hockey.

Mme Blouin n'allait sûrement pas quitter le banc maintenant! Des cris s'élevaient dans l'aréna, certains pour encourager les Flammes à continuer de faire des miracles, d'autres pour supplier Trois-Rivières de tenir le coup. C'était impressionnant d'entendre certains de nos pires ennemis nous soutenir. Debout sur leurs jambes flageolantes, Luc Doucette, Thomas Coulombe et Lucas Racicot poussaient des cris d'encouragement. Même l'entraîneur Morin et M. Fréchette semblaient gagnés par la fébrilité.

Ce n'était pas le cas de Rémi et d'Olivier. Ces deux minables étaient si odieux qu'ils criaient à pleins poumons... pour l'autre équipe! Ils préféraient voir Bellerive perdre plutôt que de laisser un peu de gloire rejaillir sur les Marsois. Était-ce possible d'être mesquin à ce point?

Je me suis tourné vers ces deux traîtres et leur ai lancé à la figure :

— Blintzes au fromage et à la crème sure!

Ils devaient être rétablis, parce que ça n'a pas semblé les dégoûter. Olivier s'est penché pour tirer de nouveau sur mon bandeau. Mon mouvement de recul a fait glisser le bandeau, qui lui a claqué dans la main avant de s'élever dans les airs et d'atterrir sur la glace, juste à côté de la ligne bleue de notre équipe.

— Oh non! me suis-je écrié.

Au même moment, la rondelle est tombée. Cédric s'en est emparée et l'a envoyée dans le camp opposé. C'était le signal pour que Jonathan quitte la glace et se fasse remplacer par un sixième attaquant. Il s'est dirigé vers le banc, mais s'est subitement affalé sur la glace. Les yeux exorbités, je me suis rendu compte qu'il avait trébuché sur mon bandeau!

— Lève-toi! a hurlé Boum Boum.

Épuisé, empêtré par les grosses jambières de Lucas, Jonathan se déplaçait au ralenti.

King Kong est sorti de la mêlée derrière le filet adverse. Visant soigneusement, il a effectué un lancer frappé au centre de la patinoire.

Les spectateurs ont retenu leur souffle. La rondelle se dirigeait tout droit vers le filet désert.

Avec une exclamation horrifiée, Jonathan s'est lancé de côté le long de la ligne bleue, tentant désespérément d'intercepter la rondelle. Cette dernière a heurté l'extrémité de son bâton et a dévié vers la zone neutre.

— Dernière minute de jeu, ont crié les haut-parleurs.

Les joueurs des deux équipes se sont rués sur la

rondelle. Jonathan a fait de même, patinant comme un joueur d'avant avec ses jambières encombrantes.

— Ne franchis pas la bébelle! lui a crié Boum Boum.

— La ligne rouge! ai-je aussitôt traduit.

En effet, un gardien qui traverse cette ligne écope d'une pénalité. Mais Jonathan n'avait pas entendu. Son patin droit s'est avancé vers la ligne.

Boum! Alexia s'est jetée sur son frère pour l'arrêter. Le choc l'a fait pivoter, puis il s'est écroulé et a glissé jusqu'à sa propre ligne bleue, hors de danger.

J'ai regardé l'horloge avec inquiétude. Plus que 30 secondes!

Cédric a réussi à s'emparer de la rondelle, mais un harponnage violent l'a expédiée au loin. Benoît et Godzilla se sont précipités, leurs bâtons s'entrechoquant au-dessus de la rondelle. Deux coups de golf distincts se sont unis pour la projeter dans les airs.

L'aréna est devenu silencieux. Deux équipes et près de 300 spectateurs ont retenu leur souffle. En mon for intérieur de journaliste, je savais que l'endroit où retomberait cette rondelle serait déterminant pour l'issue du tournoi.

Puis une voix s'est écriée :

— Je l'ai!

Chapitre 18

J'ai ouvert de grands yeux étonnés. La voix était celle de Jean-Philippe. Sa silhouette, qui se découpait sur les projecteurs de la patinoire, lui donnait l'allure de Michael Jordan en plein élan, pendant qu'il bondissait pour exécuter le plus impressionnant rabattage de tous les temps.

— C'est trop haut! ai-je crié.

Jean-Philippe attendait ce moment depuis des semaines. Il s'était exercé sans relâche pour parfaire sa technique. Il a écarté les doigts de son gant et rabattu la rondelle en plein vol.

Elle est retombée de biais et a rebondi sur le casque de l'Homme des neiges.

Apparemment contrôlée par un esprit malfaisant, elle a tournoyé, puis s'est enfoncée dans l'encolure du chandail de Jean-Philippe.

— Oh non! a gémi ce dernier. Pas encore!

Ses patins ont repris contact avec la glace et il a exécuté une espèce de danse effrénée en gesticulant dans tous les sens.

Il restait 15 secondes! L'arbitre a commencé à lever le bras pour porter son sifflet à sa bouche, quand soudain, la rondelle est tombée du chandail de Jean-Philippe. Elle a roulé à travers un fouillis de bâtons pour parvenir à Cédric.

— Vas-y! ai-je hurlé, un œil sur la glace et l'autre sur l'horloge.

Neuf, huit, sept...

N'oubliez pas qu'il s'agissait du grand Cédric Rougeau! Il savait exactement combien de temps il lui restait quand il s'est élancé vers le filet. À trois secondes de la fin, il a effectué un superbe tir du poignet vers le coin inférieur du filet.

Ping!

— Il a frappé le poteau! ai-je murmuré, catastrophé.

Non! Être passé si près...

Puis Alexia a surgi de nulle part, son corps parallèle à la glace dans un plongeon désespéré. Avançant son bâton vers la rondelle, elle a réussi à la frapper avec le talon de la palette.

Frankenstein s'est élancé pour la bloquer, sans succès. La rondelle a glissé sous lui et la lumière rouge s'est allumée une fraction de seconde avant que le chronomètre indique zéro.

Pointage final : 6 à 5 pour les étoiles de Mars. Les Flammes venaient de remporter le championnat!

Nous n'avions pas beaucoup de partisans dans l'aréna. Mais nous avons crié assez fort pour compenser. Les quelque 18 000 spectateurs du Centre Bell n'avaient pas crié plus fort la veille. En tous cas, ils n'étaient pas plus heureux que nous, c'est certain!

Boum Boum et l'équipe ont envahi la patinoire, soulevant Alexia sur leurs épaules pour la transporter jusqu'au vestiaire. Je les suivais de près. En tant que journaliste, je suis toujours à l'affût du spectaculaire. Je me suis avancé sur la glace en glissant pour aller ramasser la rondelle de la victoire dans le filet. Chaque fois que nous la verrions, nous pourrions revivre en pensée le plus grand moment de la brève histoire du hockey marsois.

La tenant à bout de bras, je suis entré dans le vestiaire où régnait un joyeux brouhaha. Je me suis dirigé vers le membre de l'équipe qui la méritait le plus.

— Tiens, ai-je déclaré à Alexia. Tu devrais la garder.

Elle ne l'a même pas regardée. Elle fixait mon visage.

— Tamia, pourquoi le mot « Copymax » est-il écrit sur ton front?

Oh non! Dans toute l'excitation, j'avais oublié que je n'avais plus de bandeau!

Je pouvais voir des déclics se produire dans le cerveau d'Alexia. Mon bleu... Le photocopieur Copymax... Les pamphlets...

— C'était toi! a-t-elle dit en plissant les yeux. Ces feuillets idiots! C'est toi qui les as imprimés?

Et voilà... Dans ce grand moment de triomphe et de

bonheur parfait, j'allais me faire aplatir comme une galette.

— Vas-y! lui ai-je lancé. Écrase-moi! Mais je ne regrette pas de l'avoir fait!

— Tu as fait ça pour moi? a-t-elle dit avec une expression étonnée. C'était gentil, Tamia. Merci.

— Gentil? a répété Cédric en bondissant de son siège. Gentil? Quand tu pensais que c'était moi, tu m'as fait bouffer un de ces feuillets!

Alexia lui a souri.

— Tiens, la vedette! a-t-elle répliqué en lui tendant la rondelle. Amuse-toi avec ça!

Il a regardé la rondelle en fronçant les sourcils.

— Un instant, a-t-il dit. Ce n'est pas la bonne rondelle.

— Mais oui, ai-je insisté. Je l'ai ramassée dans le filet.

— Le logo du tournoi doit être gravé sur la rondelle. Celle-ci porte les lettres LDBB. C'est une rondelle de la Ligue Droit au but de Bellerive!

— Laissez-moi voir ce machin, est intervenu Boum Boum, interloqué. Comment est-elle arrivée ici?

Benoît l'a contemplée avec étonnement.

— Hé, ce ne serait pas la rondelle que Jean-Philippe avait perdue pendant le match contre les Rois?

— C'est impossible! a protesté Jean-Philippe. Cette rondelle avait disparu! Et même si c'était la même, comment se fait-il qu'elle soit ici, à des centaines de kilomètres de chez nous? Vous pensez que je la transportais dans mon nombril?

Pour illustrer son propos, il a tapoté son ventre.

— Dites donc, il y a quelque chose là-dedans! s'est-il écrié avec une drôle d'expression.

Il a soulevé son chandail pour dévoiler le manchon de son kangourou. Plongeant la main à l'intérieur, il en a sorti une rondelle.

— Elle porte le logo du tournoi! s'est exclamé Kevin.

— Je le savais! a lancé Benoît. Je vous l'avais dit que cette rondelle était dans la lessive! Elle a dû rouler dans le kangourou, et c'est comme ça qu'elle s'est rendue jusqu'ici!

Jean-Philippe était stupéfait.

— Et elle a marqué le but décisif! a-t-il conclu dans un souffle.

Cédric a froncé les sourcils et s'est tourné vers l'entraîneur.

— La vraie rondelle avait disparu et celle qui est entrée dans le but venait de l'extérieur. Alors, en principe, ce but ne devrait pas compter.

Alexia lui a jeté un regard méprisant.

— Une rondelle est entrée dans le chandail de Jean-Philippe et une autre en est ressortie. Qu'importe si ce n'est pas la même?

— Qu'est-ce qu'on devrait faire, monsieur Blouin? a demandé Jonathan, inquiet.

Au même instant, la porte du vestiaire s'est ouverte et M. Fréchette est entré. Il apportait le trophée scintillant du championnat.

Vif comme l'éclair, Boum Boum a mis la rondelle illégale dans sa bouche, a fermé les lèvres et a fait de son mieux pour sourire comme un entraîneur triomphant.

J'étais sidéré. C'était une véritable caverne, là-dedans!

— Eh bien, Blouin, a déclaré M. Fréchette en lui tendant le trophée, je tire mon chapeau. J'admets que j'avais des doutes, mais vos Martiens... heu, vos joueurs ont vraiment fait leurs preuves aujourd'hui. Avez-vous un commentaire pour le bulletin d'information de la ligue?

— *Hon, hon,* a fait Boum Boum, le visage écarlate.

Comme j'étais le reporter de l'équipe, j'ai voulu parler au nom des joueurs :

— Mettez simplement que nous sommes ravis d'être ici.

Il n'a pas noté ma phrase. Il est resté planté là, à me regarder. Son regard fixait un point au-dessus de mes yeux.

— Jeune homme, pourquoi le mot « Copymax » est-il écrit sur ton front?

Ah, zut!

Chapitre 19

M. Fréchette m'a dénoncé à la direction de l'école. J'ai été renvoyé deux jours. J'aurais préféré que ma sanction dure jusqu'à la retraite de M. Sarkis. Mais je me suis dit que je pourrais probablement m'arranger pour l'éviter jusqu'à l'obtention de mon diplôme.

D'une certaine manière, je ne m'en suis pas trop mal tiré. Alexia ne m'a pas tué, et l'équipe m'a acclamé comme un héros. Même ma mère était plutôt fière que j'aie défendu un membre de l'équipe, surtout une fille. Qui se souciait de l'opinion de M. Fréchette de toute façon?

Ces deux journées m'ont donné le temps de terminer mes entrevues et de préparer mon article pour le prochain numéro de la *Gazette*.

J'ai interviewé Mme Blouin en dernier, car j'ai beaucoup de mal à me concentrer en sa présence. J'ai choisi un bon moment. Elle était assise à son bureau, en train de régler des factures pour le magasin d'aliments naturels.

Elle ne m'a souri qu'une fois. J'en ai été si troublé que je suis tombé de ma chaise. Mais c'était une bonne chose : pendant que j'étais par terre, j'ai trouvé un reçu qu'elle avait laissé tomber. Je vous jure que je ne voulais pas être indiscret. C'est mon instinct de journaliste qui m'a poussé à y jeter un coup d'œil.

La facture provenait d'une entreprise appelée Les Uniformes athlétiques de Montréal. On pouvait y lire qu'un M. Blouin avait commandé 11 bandes de tissu personnalisées (lettres blanches sur fond vert). C'était une commande urgente datée de la veille de la finale du tournoi.

Mon cœur s'est emballé. Les noms pour les chandails! C'est donc Boum Boum qui les avait commandés. Non seulement ça, mais quand nous avons cru que c'était mon père qui les avait envoyés, il ne l'a pas nié.

Est-ce que je vous ai déjà dit que Boum Boum était le meilleur gars du monde? Eh bien, multipliez ça par trois. Il a acheté ces noms parce qu'il ne voulait pas que ses joueurs soient déçus. De plus, il a accordé tout le mérite à mon père parce qu'il savait que j'avais honte de la façon dont il nous avait abandonnés.

— Qu'est-ce que tu tiens là, Tamia?

Je lui ai tendu le reçu. Nos regards se sont croisés.

— Madame Blouin, je dois dire la vérité à l'équipe.

— Ce n'est pas ce que souhaite Boum Boum, a-t-elle répliqué d'un ton ferme.

— Tout le monde devrait savoir comme c'est

formidable, ce qu'il a fait, ai-je insisté.

Elle m'a fait promettre de garder le secret. Je n'avais même pas le droit de dire à Boum Boum que j'étais au courant.

Mais j'en ai parlé à mon père quand il m'a téléphoné une semaine plus tard. Il a admis que Boum Boum était un homme très spécial.

Avec une bouche assez grande pour dissimuler une semi-remorque, ai-je pensé. Puis j'ai dit à mon père :

— Je sais que c'est toi qui as envoyé mon feuillet à *Sports Mag*. Grâce à toi, mon rêve s'est réalisé! Merci!

— À ton service.

Un silence embarrassé s'est installé entre nous. Puis mon père a repris la parole :

— Quelle fin de semaine extraordinaire ç'a été pour les Flammes, n'est-ce pas, Tamia? Je suis vraiment désolé d'avoir raté ça.

J'ai réprimé l'envie de dire : « Ce n'est pas grave. » Parce que ça l'était. Mais je n'étais plus en colère contre lui. Il est comme ça, mon père, c'est tout. En faire tout un plat aurait équivalu à engueuler une boussole parce qu'elle refuse d'indiquer le sud.

— De toute façon, tout a fini par s'arranger.

— Dis donc, Tamia, a-t-il ajouté en gloussant. Comment va mon copain Jean-Philippe? Est-ce qu'il a appris à rabattre les rondelles?

— Oh, papa! ai-je répondu en riant. Un jour, quand tu auras un mois devant toi, je te raconterai ce qui s'est passé. C'était un événement surnaturel inexpliqué!

Gordon Korman

DROIT AU BUT 3

L'imposteur

Pour Crestview et Hillcrest,
où j'ai découvert le hockey

Chapitre 1

Quand les choses vont mal pour une équipe de hockey, on dirait que c'est la fin du monde.

Prenons les Flammes des Aliments naturels de Mars. À ses débuts, cette équipe était la risée de la ville. Mais elle a réussi à renverser la situation. Après le tournoi des étoiles, elle est devenue l'une des meilleures équipes de la Ligue Droit au but de Bellerive. Puis elle a connu...

— *Une mauvaise passe,* ai-je dicté dans mon magnétophone de poche. Par Clarence « Tamia » Aubin, journaliste sportif de la *Gazette*. Je suis devant la porte du vestiaire des Flammes...

— Écarte-toi, Tamia, a grommelé Jonathan Colin.

Il est entré en me bousculant et a lancé son masque de gardien par terre, d'un air dégoûté. Puis il a enlevé son gant et jeté un regard furieux à la patte de lapin blanche qu'il tenait entre ses doigts.

— Tu es *pourrie*! a-t-il lancé à son porte-bonheur. Et

parce que tu es pourrie, *je* suis pourri!

C'était la deuxième pause du match contre les Vipères du Marché Robert, une équipe qui était bonne dernière dans la ligue. En tant que journaliste sportif, je savais que c'était là l'occasion idéale pour les Flammes de remporter une victoire après trois défaites consécutives. Toutefois, au terme de deux périodes plutôt ennuyantes, le pointage était toujours de 1 à 1.

— On devrait avoir au moins quatre buts d'avance, s'est plaint Cédric Rougeau, capitaine adjoint et meilleur marqueur de la ligue. Qu'est-ce qui m'arrive? On dirait que je patine avec des briques attachées aux pieds!

— Ne passe pas cette porte! a soudain crié Benoît Arsenault.

Marc-Antoine Montpellier s'est aussitôt immobilisé.

— Mais il faut que j'aille aux toilettes!

— La dernière fois qu'on a gagné, c'est Carlos qui est allé aux toilettes en premier après la deuxième période, a répliqué Benoît, furieux. Veux-tu nous porter malchance?

— Dépêche-toi, Carlos, a dit Marc-Antoine d'un ton irrité en se rassoyant. Il faut vraiment que j'y aille.

— Je suis occupé, a marmonné le grand Carlos Torelli en ouvrant son sac de sport, dont il a sorti un énorme bocal rempli de pièces d'un cent.

Il s'est mis à remplir les poches de sa culotte de hockey avec des poignées de pièces de monnaie.

Je l'ai dévisagé.

— Qu'est-ce que tu fais là?

— J'ai besoin de ma pièce chanceuse pour recommencer à marquer des buts, m'a-t-il expliqué.

— Combien de pièces chanceuses as-tu?

— Seulement une, a-t-il répliqué. Mais ma mère l'a mise dans ce bocal, et maintenant je ne sais plus laquelle c'est! Alors, je les ai toutes apportées.

— Eh bien, moi, je vais aux toilettes! a lancé Marc-Antoine d'un air de défi.

— On va *perdre*! a prévenu Benoît.

Marc-Antoine s'est laissé retomber sur le banc.

— Voyons donc, les gars!

Même si c'était pénible, j'ai laissé mon magnétophone en marche. Soyons honnêtes : les causes de l'effondrement d'une équipe sont tout aussi importantes que les raisons de sa cohésion et de sa réussite. Un jour, quand je serai reporter pour *Sports Mag*, cela pourra me servir de sujet pour un article. Qu'est-ce qui explique qu'un joueur patinant à merveille le mercredi oublie comment se tenir debout le samedi suivant? Qu'est-ce qui amène des équipiers loyaux et des amis fidèles à se chamailler comme des chiffonniers? Comment des athlètes raisonnables en arrivent-ils à croire que leur avenir dépend de l'ordre dans lequel les joueurs vont aux toilettes?

— Je sais comment faire tourner la chance, a déclaré sérieusement Jean-Philippe Éthier. Il faut que nos partisans fassent la vague.

Jean-Philippe a souvent des idées insensées. D'habitude, ses coéquipiers sont plutôt compréhensifs.

Mais pas ce jour-là.

— La seule vague qu'il y a ici, c'est la vague de stupidité qui déferle de vos bouches, a prononcé une voix calme.

C'était Alexia Colin, la sœur jumelle de Jonathan. Elle parlait si doucement que nous pouvions voir à quel point elle était en colère.

Alexia est la capitaine des Flammes, et la seule fille de la Ligue Droit au but de Bellerive. Elle exerce une espèce de réglage de volume inversé. Elle baisse le ton dans les moments où n'importe qui se mettrait à crier.

Elle avait autre chose à dire. Avec Alexia, il y a toujours autre chose. Notre capitaine ne mâche pas ses mots.

— Le prochain qui sort un trèfle à quatre feuilles, je le lui fais avaler. Ça me dérange moins de perdre que d'être témoin de ces superstitions ridicules. Arrêtez ça! Et toi, Marc-Antoine, va donc aux toilettes avant d'exploser!

Marc-Antoine est sorti en courant au moment où l'entraîneur Boum Boum Blouin entrait. Tout le monde s'est tu. Si quelqu'un s'y connaît en fiasco, c'est Boum Boum. Notre entraîneur est un ancien joueur de la LNH des années 1970. Je ne voudrais pas le diminuer en aucune façon, mais sa carrière au complet a été une série de fiascos. Il a été un dernier choix de repêchage qui s'est ensuite fait échanger trois fois par saison. Et ça, c'est quand il ne se faisait pas renvoyer dans les ligues mineures. Si vous regardez le mot *fiasco* dans le dictionnaire, vous y trouverez probablement une photo de Boum Boum.

Il est plutôt facile à reconnaître. Avec ses yeux globuleux et son maigre dos courbé, il ressemble à une mante religieuse de 1,80 mètre. Il a le front dégarni, mais ses longs cheveux frisottés sont noués en queue de cheval. Ajoutez à cela un nez de travers et quelques dents manquantes, et vous avez le portrait de l'entraîneur et commanditaire des Flammes.

Mais son allure étrange est doublement compensée par sa gentillesse. Boum Boum est le meilleur. Il n'y a qu'un seul problème à l'avoir comme entraîneur...

— Bon, pas de panique! a-t-il déclaré pour rassurer ses joueurs. La malchance peut arriver à tout le monde. Surtout, ne changez pas votre bidule.

Votre quoi? Votre coiffure? Votre caleçon? Votre attitude? Votre style de jeu?

— Ces gugusses n'ont aucune patente contre une affaire comme la nôtre, avec notre expérience et notre machin.

Vous voyez ce que je veux dire? Notre entraîneur a un langage bien à lui. Quand on le connaît depuis un certain temps, on apprend à décoder ses propos. Par exemple, je crois qu'il venait de dire : « Ces Vipères n'ont aucune chance contre une équipe comme la nôtre, avec notre expérience et notre talent. »

— Vous avez raison, a dit Cédric en lançant son tire-lacets chanceux. Nous allons faire tourner la chance en jouant de notre mieux, pas en nous fiant à des amulettes porte-bonheur!

— La vague nous aiderait bien, pourtant, a fait remarquer Jean-Philippe.

Boum Boum a eu l'air étonné.

— La vague? Comme dans un stade trucmuche?

Jean-Philippe a hoché la tête d'un air enthousiaste.

— N'importe quelle équipe peut remporter la coupe Stanley. Mais qu'est-ce que tous les champions ont en commun? Leurs partisans font la vague!

Pauvre Boum Boum. Raisonner Jean-Philippe peut être aussi pénible qu'un arrachage de dents. Notre entraîneur est un joueur de hockey à la retraite; il n'a pas beaucoup de dents en réserve.

— Heu, Jean-Philippe...

Boum Boum a eu l'air soulagé quand la sonnerie a rappelé les équipes au jeu pour la troisième période.

Chapitre 2

Quelques sifflements se sont mêlés aux acclamations lors du retour des Flammes sur la glace. Un petit malin a crié : « Des Martiens! », ce qui m'a vraiment mis en colère. Vous voyez, nous faisons partie de la Ligue de Bellerive. Même si tous les joueurs de notre équipe fréquentent l'école de Bellerive, nous ne vivons pas dans cette ville. Notre localité, Mars, est située de l'autre côté d'un étroit canal, à trois kilomètres de là. Cédric est le seul joueur des Flammes qui habite Bellerive. Tous les autres sont des Marsois (et non des Martiens!). C'était notre première année au sein de la ligue, et bien des gens de Bellerive pensaient qu'elle se portait beaucoup mieux avant notre arrivée.

Après à peine une minute de jeu, je dictais un nouveau titre dans mon microphone : *La mauvaise passe se poursuit*.

Je ne dis pas que les Flammes jouaient comme une équipe de maternelle. En fait, si on les prenait un par un, les joueurs avaient plutôt fière allure. Cédric est un excellent patineur qui sait manier le bâton, et Alexia se démarque par ses mises en échec. Benoît est le plus rapide et Kevin patine mieux à reculons que la plupart des joueurs vers l'avant. Il est si habile qu'il a un rétroviseur collé à son casque. Il peut ainsi effectuer une attaque entière à reculons tout en voyant où il se dirige.

Mais cette fois, les joueurs semblaient mal synchronisés. C'était comme un orchestre de bons musiciens jouant les notes voulues, mais au mauvais moment. Les passes étaient imprécises et les lancers rataient le filet. Les changements de trio s'effectuaient dans la plus grande confusion, laissant un ou deux joueurs des Flammes face à cinq Vipères. Les jeux de puissance se terminaient en queue de poisson. C'était lamentable.

À quatre minutes de la fin du jeu, les Vipères ont pris l'avance, 2 à 1. Les partisans des Marsois ont poussé une exclamation horrifiée. Ils avaient vu leur équipe favorite essuyer trois revers successifs. Mais nul n'avait imaginé qu'elle pourrait se faire vaincre par la pire équipe de la ligue!

— Ne perdez pas votre machin-truc! a hurlé Boum Boum.

Votre sang-froid.

Mais même cela était hors de portée des Flammes. Alors que les précieuses secondes s'écoulaient, Cédric a écopé d'une pénalité, imité 10 secondes plus tard par Alexia.

J'ai regardé l'horloge, désespéré. Il restait seulement 1 minute 37 secondes de jeu. Seul un miracle permettrait aux Flammes de reprendre du terrain. Le reste de la partie allait se jouer en avantage numérique de deux joueurs pour les Vipères! Et les deux meilleurs joueurs des Flammes étaient sur le banc des punitions.

Mon regard s'est détourné du visage rouge de nos deux capitaines et s'est posé sur les trois héros que l'entraîneur Blouin envoyait sur la glace pour sauver la mise. Jean-Philippe, un ailier, se trouvait au centre. Carlos et Benoît étaient à ses côtés. Ils étaient à peine visibles parmi tous les chandails bleus.

Oh, non! Jean-Philippe venait de perdre la mise au jeu. Il y a eu une mêlée autour de la rondelle. Puis un événement incroyable s'est produit, digne de *Sports Mag*. Un brouhaha à mes côtés a attiré mon attention. Un mulot effrayé et désorienté courait le long des gradins, semant la panique parmi les spectateurs. Les gens criaient et grimpaient sur les bancs pour laisser passer la bestiole effarouchée.

— *Jean-Philippe*! a crié Boum Boum. Ne reste pas là! *Patine*!

J'en étais bouche bée. Au lieu de lutter pour la rondelle, Jean-Philippe restait figé sur la glace, à observer l'agitation de la foule. Bien sûr, il ne pouvait pas voir le mulot. Tout ce qu'il apercevait, c'était des gens qui se levaient et se rassoyaient dans un mouvement d'oscillation tout autour de la patinoire. Comme s'ils faisaient...

— *La vague*! s'est écrié Jean-Philippe dans un élan d'enthousiasme.

Il a foncé si rapidement qu'il a enlevé la rondelle au centre des Vipères sans même avoir à le plaquer. Puis il a filé sur la glace à toute vitesse.

Je l'admets : j'ai lu le nom sur le dos de son chandail pour m'assurer qu'il s'agissait bien de Jean-Philippe. Il volait littéralement, porté par ce qu'il croyait être la vague. Avec la grâce de Wayne Gretzky, il a dansé autour d'un défenseur, a déjoué l'autre d'une feinte magistrale, puis a fondu sur le gardien.

— *Lance*! a hurlé Boum Boum.

Et c'est ce qu'il a fait. Son lancer frappé s'est faufilé entre les jambières du gardien. Égalité : 2 à 2.

C'était la première fois que nous avions quelque chose à célébrer en quatre longs matchs. Les cris et les acclamations étaient quatre fois plus bruyants que la normale. Nous n'avions quand même pas fini de nous ronger les sangs. Les Vipères avaient toujours l'avantage numérique. Mais rappelez-vous que le Marché Robert était destiné à occuper la dernière place. Les Vipères ont gaspillé leurs chances, les secondes se sont égrenées, et nous nous sommes retrouvés en période de prolongation.

Au cours de la période supplémentaire de cinq minutes, Jean-Philippe a passé tout son temps sur le banc, à crier :

— Faites encore la vague! La vague!

Mais les spectateurs, qui n'avaient pas fait la vague la

première fois, ne comprenaient pas ce qu'il voulait. En outre, le mulot avait disparu.

Les Flammes ont eu un regain d'énergie lorsque Cédric et Alexia ont quitté le banc des punitions. Mais chaque rondelle libre semblait rebondir dans la mauvaise direction. Les joueurs n'arrivaient pas à mener une attaque.

Finalement, Kevin a réussi à s'emparer d'un rebond dans la zone des Flammes. Pivotant brusquement, il s'est lancé dans une de ses fameuses attaques à reculons. Kevin est un joueur difficile à défendre, puisque son corps se trouve toujours entre vous et la rondelle. Mais si vous le contournez pour essayer de le harponner, il vous dépasse. Et il est impossible à rattraper avec son incroyable vitesse à reculons. Les bonnes équipes lui font face tant bien que mal. Pour les pauvres joueurs des Vipères, Kevin était un véritable casse-tête qu'ils n'étaient pas près de résoudre.

Il a fait une passe à Alexia, qui s'est dirigée vers la ligne bleue, flanquée de Cédric. Dans une manœuvre bien rodée, les deux attaquants se sont croisés. Alexia a soulevé la rondelle en direction de Cédric, qui a exécuté un lancer frappé percutant. Le gardien a fait un arrêt avec son bâton.

— Saisissez le bidule! a crié Boum Boum.

— Le rebond! ai-je traduit.

Les deux équipes se sont ruées sur la rondelle libre. Le grand Carlos était notre meilleur atout dans les empilages. Il s'est emparé du rebond avec une longueur d'avance sur les autres, mais a trébuché sur le bâton d'Alexia. Il a fait une culbute spectaculaire. Pendant une fraction de seconde, il s'est retrouvé la tête en bas. Des poignées de pièces de un cent totalisant une vingtaine de dollars se sont échappées de sa culotte.

Évidemment, une pièce de monnaie est la dernière chose à laisser tomber sur une patinoire. Après avoir séjourné dans une poche, elle est plus chaude que la glace, à laquelle elle adhère aussitôt.

En un instant, l'action devant le filet s'est transformée en spectacle clownesque, les joueurs des deux équipes trébuchant à qui mieux mieux sur 2000 obstacles minuscules. Pendant que le gardien était affalé sur le dos, Cédric a projeté la rondelle par-dessus lui, directement dans le filet.

— You...

Je n'ai pas pu terminer mon acclamation, car l'arbitre agitait les bras.

— Pas de but! a-t-il déclaré en désignant Carlos d'un air furieux. Le numéro 16 a laissé tomber une poignée de cents sur la glace!

— Mais c'est ma pièce chanceuse! a protesté Carlos.

L'arbitre l'a fixé des yeux.

— *Toutes* ces pièces?

— Calme-toi, Carlos, a lancé Boum Boum du banc. Ramasse tes cossins et terminons la bébelle.

Mais c'était plus facile à dire qu'à faire. Les cossins adhéraient solidement à la glace. Les arbitres ont dû les décoller à l'aide de pelles. Après 15 minutes d'attente, Carlos s'est vu remettre sa collection de pièces de monnaie dans un seau rempli de gadoue.

— Super, a commenté Alexia d'un ton sarcastique. Une barbotine cuivrée!

Carlos a trouvé ce commentaire si drôle qu'il s'est écroulé de rire sur le banc, la tête dans le seau.

Tout ça pour qu'on puisse jouer les 49 secondes restantes et terminer avec un pointage de 2 à 2.

Chapitre 3

Je vous dis que j'avais besoin d'une boule magique!

Quand je suis déprimé, c'est la seule chose qui me remonte le moral. C'est d'ailleurs pour cette raison qu'on me surnomme « Tamia ». J'ai la joue gonflée par un gros bonbon dur depuis que je suis tout petit.

Mais c'est terminé. Bilan dentaire : 11 caries. Je n'ai pas mangé de boule magique depuis deux mois, trois semaines, cinq jours, quatorze heures et trente-deux minutes, plus ou moins quelques misérables petites secondes sans sucre.

Pourtant, même une boule volcanique piquante à la cannelle n'aurait pas pu effacer l'humiliation que nous avions subie la veille. Imaginez : les joueurs des Flammes ont dû essayer de se réjouir d'un match nul, obtenu de justesse contre la pire équipe de la ligue! C'est encore pire que perdre! La mauvaise passe n'était pas finie. Elle empirait.

Il y avait de quoi devenir fou. Moins de deux mois auparavant, ces mêmes Flammes avaient battu l'équipe championne du tournoi des étoiles! Une équipe dont chaque joueur figurait parmi les as de sa ligue. À ce moment-là, on aurait dit que chaque rebond se dirigeait vers le bâton approprié, et que même les poteaux de but prenaient pour les Flammes des Aliments naturels de Mars. Et maintenant, les Flammes patinaient comme des empotés. Le moral de l'équipe n'avait jamais été aussi bas.

Et moi? Eh bien, un reporter ne vaut jamais plus que le contenu de ses articles. J'écrivais sur les Flammes en les présentant comme une équipe Cendrillon. Mais il n'y avait rien dans ce conte de fées qui disait que Cendrillon et son prince vivraient malheureux jusqu'à la fin des temps.

C'est pourquoi, le lundi matin, j'étais dans la réserve qui servait de bureau à la Gazette de l'école élémentaire de Bellerive, en train d'utiliser le vieux photocopieur de l'école pour imprimer le dernier numéro du journal. J'avais trouvé l'angle parfait pour secouer les Flammes et les faire sortir de ce terrible marasme.

J'ai pris une copie fraîchement imprimée et je suis allé directement à la section des sports.

LES FLAMMES TOUJOURS DANS LA COURSE!

par Clarence « Tamia » Aubin,
journaliste sportif de la *Gazette*

Bien que les Flammes n'aient remporté aucun de leurs quatre derniers matchs, l'équipe a encore la possibilité d'atteindre les éliminatoires. Croyez-le ou non, si la nouvelle équipe de Mars termine la saison régulière avec trois victoires consécutives, elle pourrait se retrouver en huitième place, rang actuellement occupé par les Aigles, et ainsi accéder aux séries éliminatoires...

— Clarence? a dit Mme Spiro en passant la tête dans l'embrasure de la porte. Que fais-tu ici? La cloche va sonner dans cinq minutes.

— J'imprime le journal, lui ai-je répondu.

— Je pensais que nous le ferions après l'école, a-t-elle dit. Tu es bien pressé!

— Je veux le distribuer *aujourd'hui,* ai-je répliqué. Il faut absolument que les Flammes lisent mon dernier article.

Elle a levé les yeux au ciel, comme elle sait si bien le faire.

— Bon, d'accord. Mais nous avons un cours d'anglais important dans le local d'arts plastiques. Ne sois pas en retard.

— D'accord, madame Spiro.

Heureusement, le photocopieur était rapide. J'ai imprimé les 100 copies habituelles et ajouté quelques exemplaires. Mme Spiro est très stricte pour ce qui est du gaspillage de papier. Puis j'ai déposé une pile de journaux au bureau du directeur et une autre à la cafétéria, avant de me faufiler dans le local d'arts plastiques un millionième de seconde avant la sonnerie.

— La nouvelle *Gazette*! ai-je annoncé en agitant une poignée de feuilles. Fraîchement imprimée!

J'ai commencé à circuler dans les allées pour distribuer le journal.

— Super! a raillé Rémi Fréchette en prenant son exemplaire. Ça tombe bien. Il n'y a plus de papier dans les toilettes.

— Oh, merci! a dit Olivier Vaillancourt, avant de froisser la feuille et de s'en servir pour se moucher.

— Hé, on parle aussi de votre équipe là-dedans! leur ai-je dit.

Aucun journaliste sportif ne peut ignorer les Pingouins électriques, même s'il est parfois tentant de le faire. Au premier rang du classement, ils étaient pratiquement certains de remporter de nouveau les éliminatoires. Ils surpassaient les autres équipes de cent coudées, bien qu'ils aient été encore meilleurs l'année précédente, quand Cédric faisait partie de leur équipe.

— Attends une minute! a dit Rémi en lisant le titre d'un air dégoûté. Toujours dans la course? *Les Martiens*?

— *Vraiment*? a demandé Cédric en se précipitant pour saisir un exemplaire du journal. Tu es certain, Tamia? Je croyais qu'on était éliminés parce qu'on n'avait pas battu les Vipères!

— Mais les Vipères ont ensuite perdu aux mains des Matadors, ai-je expliqué en lui montrant le classement. Alors, on a encore une chance.

Olivier s'est levé d'un bond.

— Les Matadors ont vaincu les Vipères? Impossible! Les Matadors sont pourris!

— Les Matadors ont un nouveau joueur, a déclaré Rémi en claquant des doigts. Il s'appelle Stéphane Soutière.

Comme son oncle est président de la ligue, Rémi a accès à des informations privilégiées. Il a lancé un regard mauvais à Cédric, son ancien coéquipier.

— Fais attention, Rougeau! Ce gars-là doit être bon s'il a permis aux Matadors de gagner un match! Tu peux oublier le titre de joueur le plus utile à son équipe cette année!

Alexia est intervenue avec son truc de volume inversé :

— Je te connais, Fréchette, a-t-elle dit d'un ton calme. Tu as peur de ce Soutière.

— Pas vrai! a protesté Rémi.

Je n'étais pas content. La ligue comptait un nouveau joueur, excellent par surcroît, et personne n'en avait informé le journaliste sportif? J'ai plongé la main dans ma poche pour mettre mon magnétophone en marche.

— Je n'ai jamais entendu parler de ce Soutière, ai-je dit. Est-ce qu'il va à l'école secondaire?

— Oui, à celle du compté, a expliqué Rémi. Il s'est joint aux Matadors quand Louis Buissonneau s'est cassé la jambe.

— Pourquoi ne suis-je pas surprise? a grogné Alexia. Ce gars-là ne vit même pas à Bellerive, et ils le supplient de faire partie des Matadors. Et pourtant, il a fallu 30 ans aux Marsois pour avoir une équipe dans cette ligue minable.

Cédric a haussé les épaules :

— Il y a beaucoup de fermes à l'est de la ville. Elles ont des adresses de Bellerive, mais les enfants qui y vivent vont à l'école du comté. Stéphane habite probablement là-bas.

— Au moins, il vient de la planète Terre, lui! a ajouté méchamment Olivier.

Une autre pique à l'intention des Marsois. Vous pouvez imaginer les blagues d'extraterrestres que nous devons subir.

Mme Spiro est entrée en coup de vent. Nous avons tous regagné nos places.

— Bonjour, tout le monde, nous a-t-elle lancé en souriant. Vous vous demandez probablement pourquoi nous sommes dans le local d'arts plastiques. Eh bien, c'est aujourd'hui que les élèves de sixième année deviennent parents. Vous êtes ici pour créer vos bébés œufs.

Un grognement collectif a jailli, faisant vibrer les fenêtres. Non! Pas des bébés œufs! Mme Spiro avait fait le même coup à ses élèves l'année dernière, et ils disaient tous que c'était la pire chose qui leur soit arrivée. Et maintenant, c'était notre tour.

Tout commençait par une coquille d'œuf évidée. Nous devions la peindre, la baptiser et faire semblant qu'il s'agissait d'un vrai bébé. Il fallait la garder en sécurité. Nous ne pouvions jamais la laisser seule. Si nous devions aller quelque part, nous étions obligés de payer quelqu'un pour s'en occuper. Je n'invente rien! Et le plus ridicule de toute l'histoire, c'est que cette idiotie devait durer deux semaines!

— De plus, a poursuivi Mme Spiro, vous devrez chacun tenir un journal, heure par heure. Vous devrez y noter l'emplacement de votre bébé œuf et le nom de la personne qui en prend soin. Et pas question de refiler cette responsabilité à votre mère, a-t-elle ajouté en souriant. Vous ne pouvez pas vous éloigner de votre bébé œuf plus de trois heures par jour.

Elle a poursuivi d'un air sérieux :

— Certaines leçons ne peuvent pas être évaluées par un A, un B ou un C. Cette expérience vous permettra de comprendre la responsabilité qui incombe aux parents. J'estime que ce projet est le plus important de l'année. N'essayez surtout pas de tourner ça en plaisanterie.

Elle nous a distribué chacun un œuf. Notre première tâche était de l'évider.

Nous devions suivre les étapes une à une. Il fallait d'abord faire un trou à chaque extrémité avec une aiguille, puis souffler pour faire sortir l'intérieur visqueux. Facile.

Le mien s'est cassé. Je suppose que j'avais soufflé trop fort. Alors, pendant que les autres peignaient un visage sur leur œuf, j'ai dû recommencer avec un autre œuf. Il s'est aussi cassé.

Mme Spiro m'a jeté un regard courroucé en me tendant un troisième œuf.

— Clarence, c'est ton bébé! Tu dois y aller plus doucement!

— Il n'est pas né tant que le jaune n'est pas sorti, ai-je

protesté.

J'ai recommencé. Les autres étaient en train de coller des tampons d'ouate dans des boîtes à chaussures pour créer un environnement sécuritaire pour leur bébé œuf.

J'ai été le dernier à terminer. Quand j'ai entendu la cloche de la deuxième période, je me suis empressé de lui dessiner un visage. Mon œuf avait l'air triste. Mais moi, j'avais l'air encore plus déprimé.

J'ai couru à la porte.

— Pas si vite! a ordonné Mme Spiro. Ton bébé œuf est une personne. Il doit avoir un nom.

J'ai jeté un œil dans ma boîte à chaussures. Tout ce qui a une forme arrondie me rappelle mes bonbons durs. Les blancs sont des icebergs à la menthe glacée.

— Il s'appelle Glaçon, ai-je annoncé.

Après m'avoir jeté un regard soupçonneux, elle a noté ce nom dans son cahier.

À 15 h 30, les couloirs de l'école étaient impraticables. Les élèves de sixième année avançaient à pas lents et prudents, leur boîte à chaussures à la main. Il y avait un embouteillage monstre.

Toutes les conversations tournaient autour des noms de bébés : Avril, Jonathan, Léo (d'après l'acteur Leonardo DiCaprio). Alexia avait nommé le sien Amelia (en l'honneur d'Amelia Earhart, la célèbre pilote des années 1930). La plupart des Flammes avaient choisi des noms de joueurs de hockey : Wayne, Mario, Gordie, Eric, Dominic.

Enfin, vous voyez le tableau. Les joueurs des autres équipes avaient fait des choix similaires. Mon œuf était le seul à s'appeler Glaçon.

Donc, nous étions là, avec nos boîtes à chaussures, à essayer de nous frayer un chemin jusqu'à notre autobus. Les enfants de Bellerive l'appelaient *Pathfinder*, d'après la sonde de la NASA qui s'était rendue sur Mars. Une autre blague aux dépens des Marsois.

J'ai compris que quelque chose clochait quand j'ai aperçu l'attroupement d'élèves hilares à notre arrêt d'autobus. Ils se sont écartés pour révéler une grande pancarte :

PREMIÈRE BANQUE NATIONALE DE MARS

À côté de la pancarte se trouvait une grosse bassine remplie de neige sale. Un petit écriteau portait les mots ÉPARGNES MARTIENNES, ainsi qu'une flèche désignant une poignée de cents dans la gadoue. Une pelle étiquetée RETRAITS était enfoncée dans la neige.

J'étais furieux. C'était bien le genre de blague que feraient les idiots de Bellerive : utiliser l'incident des cents de Carlos pour ridiculiser tous les Marsois. J'ai déposé ma boîte par terre, puis j'ai arraché leur pancarte stupide, que j'ai déchirée en morceaux.

— Hé, ne la déchire pas! a protesté Carlos. Je veux l'ajouter à ma collection de blagues!

— Mais c'est une blague à tes dépens! a chuchoté Alexia d'un air furieux.

— Oui, mais elle est bonne! s'est esclaffé Carlos.

Notre ailier est capable de se tordre de rire en lisant l'annuaire téléphonique.

L'autobus est arrivé, et les élèves de Bellerive ont rigolé de plus belle. J'ai compris pourquoi en me retournant. Le pneu avant droit avait roulé sur ma boîte à chaussures. Elle était aussi plate qu'une crêpe.

— Oh! oh! a dit Jean-Philippe. J'espère que ton bébé œuf n'est pas brisé.

Comme si une coquille d'œuf avait la moindre chance de survivre à un autobus de 20 tonnes!

Après avoir ramassé ma boîte, j'ai soulevé ce qui restait du couvercle. Glaçon était réduit en poudre.

Chapitre 4

Mon gros titre avait eu l'effet voulu. Les Marsois étaient estomaqués de voir qu'ils avaient toujours une faible chance de se rendre aux éliminatoires. Cela avait injecté de l'espoir dans leurs veines. De l'espoir et de la détermination. L'équipe a donc décidé d'ajouter des séances d'entraînement pour se sortir du creux où elle stagnait.

Le problème, c'est que nous n'avions pas de temps de jeu au centre communautaire avant jeudi. Il y avait une patinoire extérieure à Mars, mais elle ne servait pas à grand-chose quand la température se réchauffait. En arrivant à la pratique l'après-midi suivant, les Flammes ont constaté que la glace était comme de la soupe.

— Oh, non! a gémi Jonathan. On aurait dû apporter nos maillots de bain!

— Ah! ah! s'est esclaffé Carlos. Je la comprends! C'est parce que la patinoire est pleine d'eau!

— Mais où allons-nous nous entraîner? a demandé Benoît.

Au même moment, le camion du magasin d'aliments naturels est arrivé dans un bruit de ferraille, avec Boum Boum au volant.

— Montez à l'arrière, nous a-t-il dit. J'ai loué des gugusses.

Les gugusses, c'étaient des patins à roues alignées. L'entraînement a donc eu lieu dans le stationnement du magasin d'aliments naturels.

La femme de l'entraîneur s'est proposée pour garder les bébés œufs des joueurs. Rappelez-vous que nous ne devions pas quitter ces trucs débiles, à moins de les confier à quelqu'un.

J'ai décidé de lui remettre ma boîte à chaussures comme les autres. Oui, j'avais créé un nouvel œuf, avec les trous d'aiguille et tout le tralala.

Mme Blouin a froncé les sourcils en lisant le nom sur ma boîte.

— Raisin?

Mme Spiro m'avait suggéré de peindre ce bébé œuf pour lui donner plus de personnalité. La seule couleur disponible était le mauve, exactement comme les méga-bombes aux raisins avec explosions fruitées à l'intérieur.

J'aurais bien voulu expliquer tout ça à Mme Blouin, mais j'ai du mal à m'exprimer en sa présence, comme tous les gars d'ailleurs. Elle est si belle, si époustouflante, si incroyablement superbe... Oubliez ça. On ne peut pas décrire Mme B. avec des mots. Elle est mille fois plus jolie que la plus sensationnelle des mannequins vedettes, même lorsqu'elle a l'air fatiguée, comme c'était le cas durant cette période. Son air pâlot s'expliquait probablement par son inquiétude au sujet des revers de l'équipe.

Avec Raisin entre ses mains compétentes, j'ai pu me consacrer à mon reportage sur l'entraînement. Le jeu n'était pas exactement du niveau de la coupe Stanley. L'allée était en pente et parsemée de nids-de-poule, et personne ne savait comment freiner avec des patins à roues alignées. Les collisions se multipliaient pendant que les Flammes trébuchaient sur des cailloux et des brindilles, franchissaient des ornières et percutaient les bordures de trottoir dans leurs efforts pour attraper la balle. Oui, j'ai bien dit la balle. On ne peut pas se servir d'une rondelle sur l'asphalte.

Ce n'était donc pas tout à fait du hockey. Mais j'ai remarqué une chose tout aussi importante : pour la première fois depuis un mois, les Flammes s'amusaient. Les joueurs riaient, criaient, blaguaient, fanfaronnaient. Carlos effectuait des lancers frappés puissants qui envoyaient la balle droit dans les airs. Cédric mélangeait le hockey et le soccer, et faisait des passes avec son casque. Jean-Philippe avait abandonné son bâton et tournait autour du stationnement en faisant la vague à lui tout seul, avec des effets sonores de foule en délire. Même la raisonnable Alexia, son bâton à la main, faisait la démonstration de ses sauts et pirouettes de patinage artistique.

Boum Boum était impressionné.

— Hé, où as-tu appris ces patentes?

Il a essayé de reproduire son saut de boucle piqué et s'est affalé par terre sur le dos.

— Boum Boum, est-ce que ça va? s'est écriée Mme B. en accourant vers son mari.

— Nos bébés œufs! nous sommes-nous exclamés en chœur.

Nous nous sommes précipités vers le magasin pour surveiller nos boîtes à chaussures.

Comme les gars sont muets devant Mme B., Alexia a expliqué la situation aux Blouin. Même si l'entraîneur se fendait le crâne comme un melon et perdait tout son sang dans les égouts, la gardienne ne devait pas abandonner les œufs, ne serait-ce que pour composer le 9-1-1. Dans l'univers de Mme Spiro, c'était la logique même.

Heureusement, Boum Boum était indemne. Il a même aidé à servir la gugusse (collation) après l'entraînement. C'étaient des tamales au tofu. Nous avons tous suivi la règle secrète des Flammes : personne n'avait le droit de dire aux Blouin à quel point leur nourriture santé était infecte.

— Boum Boum, a dit Cédric avec une expression embarrassée. Je sais qu'on ne s'est pas entraînés sérieusement, aujourd'hui. On a perdu notre temps. Je suis désolé.

Boum Boum a eu l'air surpris.

— Ce truc était juste ce qu'il vous fallait pour vous défouler. La prochaine gugusse, essayez donc de vous amuser. Je vous garantis que vous accumulerez les patentes!

— Victoires, a traduit sa femme.

— Et ça, ça veut dire les éliminatoires, hein, Tamia? a demandé Jonathan.

— C'est un peu compliqué, ai-je répondu. On doit remporter nos matchs, et les Aigles doivent en perdre au moins deux. Mais pas celui contre les Tornades. Cela placerait les Tornades devant nous, selon la formule utilisée en cas d'ex aequo. Et beaucoup d'autres choses doivent se produire, ai-je ajouté en fronçant les sourcils.

— C'est tout de même possible, a insisté Benoît.

L'entraîneur a hoché la tête.

— Mais n'ayez pas trop de bidule.

— D'espoir, a traduit sa femme.

Alexia a tendu un dollar à Mme B.

La femme de l'entraîneur était stupéfaite.

— Pourquoi me donnes-tu cet argent?

— Pour avoir gardé mon bébé œuf, a expliqué Alexia. Le tarif est un dollar de l'heure.

Mme Blouin est restée bouche bée en nous voyant tous sortir notre argent.

— Mais non! a-t-elle protesté en riant. Je ne peux pas accepter!

— Il le faut, a dit Cédric. Et on a besoin d'un reçu pour prouver qu'on a payé.

Boum Boum était abasourdi.

— Mais ce ne sont pas des bébés! Ce sont juste des cossins!

— *Vous*, vous le savez, ai-je rétorqué en soupirant. Et *nous*, nous le savons. Mais essayez donc de l'expliquer à Mme Spiro!

Chapitre 5

La partie de samedi était la première occasion pour les Flammes de démontrer que leur mauvaise passe était terminée. Les joueurs étaient détendus et confiants. Mais nos adversaires étaient les Étincelles de Ford Fortier. Sans être du niveau des Pingouins, cette équipe occupait le cinquième rang et était déjà assurée d'une place aux éliminatoires. Il s'agissait donc de concurrents solides qui seraient difficiles à battre.

L'entraîneur Blouin a fait un discours d'encouragement prudent. Puis il a claqué des mains en s'écriant :

— Allez, tout le monde sur la gugusse!

Nous l'avons regardé sans bouger.

Finalement, Cédric a pris la parole :

— Où est votre femme?

— Elle ne se sent pas bien aujourd'hui, a répondu Boum Boum. Elle a un trucmuche.

Ne me citez pas, mais je crois qu'il parlait d'un mal de

tête.

— Mais ça veut dire qu'on n'a pas de gardienne! s'est exclamé Jonathan.

Boum Boum a regardé les boîtes à chaussures que nous tenions dans nos mains. À l'exception de Marc-Antoine, qui est en septième année, tout le monde en avait une, moi y compris.

— Personne ne va les voler, a dit l'entraîneur. Laissez-les ici, dans le machin.

— Pas sans gardien, a répliqué Alexia. Je sais que ça semble bizarre, mais ce sont les règlements.

Quand Boum Boum réfléchit, ses yeux de mante religieuse tournent dans leurs orbites. Après quelques tours, ils se sont fixés sur moi.

— Donnez-les à Tamia, a proposé l'entraîneur.

— Oh, non! ai-je dit d'un ton sérieux. Je ne pourrai pas écrire mon article si je dois tenir 11 boîtes.

Nous avons donc trouvé un grand sac que nous avons tapissé de serviettes et dans lequel nous avons déposé délicatement les bébés œufs.

Jean-Philippe avait l'air inquiet.

— Êtes-vous certain que Tamia est assez responsable pour les garder? N'oubliez pas que son premier bébé œuf a été écrasé par un autobus!

— Ce n'était pas ma faute, ai-je marmonné. C'était un tragique accident.

Alexia m'a tendu le sac.

— Ce sac doit rester dans tes bras, a-t-elle dit. Ne le

dépose pas par terre, sinon les œufs pourraient se faire écraser.

— Mais j'ai besoin de mes mains pour mon magnétophone! ai-je protesté. Je dois travailler! Je suis un journaliste!

Sa voix est devenue un murmure :

— Tu seras un homme mort si je suis obligée de vider un autre œuf.

Elle m'a passé les poignées du sac par-dessus la tête, de façon à le suspendre à mon cou.

En suivant l'équipe hors du vestiaire, j'ai aperçu mon reflet dans le miroir. Ma mère a une vieille photo de moi vêtu d'un costume marin. C'est la seule autre fois où j'ai eu l'air aussi ridicule.

Les gradins étaient presque pleins. Je me suis hâté de me rendre à mon siège habituel, derrière le banc de l'équipe. Outre les familles des joueurs, beaucoup de Marsois venaient généralement encourager les Flammes. Après avoir été tenue à l'écart de la ligue aussi longtemps, notre petite ville accordait beaucoup d'importance à son équipe.

Je me suis assis à côté de M. Gauvreau, qui est en quelque sorte un vieil ami. Il est le propriétaire du Paradis des bonbons, le meilleur magasin de bonbons de Mars. J'ai connu certains des plus beaux moments de ma vie dans son magasin, à décider quelle boule magique allait passer les deux prochaines heures dans ma bouche. C'était avant mon rendez-vous chez le dentiste, bien sûr.

— Bonjour, monsieur Gauvreau. Comment vont les affaires?

— Pas mal, a-t-il répondu en haussant les épaules. Même si j'ai perdu mon meilleur client.

M. Gauvreau a le plus gros ventre que j'aie jamais vu. Personnellement, je le soupçonne d'être lui-même son meilleur client.

— Allez, les gars! a-t-il crié d'une voix qui venait directement du ventre.

À la ligne bleue, Alexia lui a jeté un regard foudroyant à travers sa visière.

— Et la fille! s'est-il empressé d'ajouter.

Les Flammes mettaient Jonathan à l'épreuve avec des échappées d'entraînement, lorsque Carlos a soudainement freiné dans un nuage de neige.

— Qu'est-ce qu'il y a? a demandé Jonathan.

— Regarde! s'est exclamé Carlos en désignant la glace à ses pieds.

Juste à l'extérieur de la zone de but se trouvait un cent brillant. Carlos s'est penché pour le ramasser. Mais il était emprisonné sous la surface glacée.

Benoît s'est approché.

— Penses-tu que c'est une de tes pièces?

— Ça lui ressemble, a admis Carlos.

Alexia était dégoûtée.

— Quelle coïncidence! a-t-elle dit d'un ton sarcastique. C'est rond et il est écrit « 1 cent » dessus!

Jonathan s'est penché pour l'examiner.

— Les arbitres n'ont pas dû la remarquer la semaine dernière. Quand la surfaceuse est passée dessus, elle l'a recouverte de glace.

— Ce serait drôle si c'était ta pièce chanceuse, hein? a ajouté Kevin.

Carlos lui a jeté un regard plein d'espoir.

— Crois-tu que c'est possible? Je n'ai reconnu aucune des autres.

Alexia a poussé un grognement.

— Je croyais qu'on avait fait le tour de la question!

Benoît a gratté la glace avec la lame de son patin.

— Au moins, tu n'auras pas besoin de penser à l'apporter, a-t-il dit à Carlos. Elle est ici pour y rester.

Dès la mise au jeu, j'ai pu voir que les Étincelles n'allaient pas se laisser vaincre facilement. Leur équipe ne comprenait pas de vedette comme Cédric, mais elle comptait des patineurs solides à chaque position. L'un des joueurs, un défenseur nommé Renaud Clavel, était le meilleur passeur que j'aie jamais vu.

Quand il sortait de sa zone avec la rondelle, il était évident qu'il savait où se trouvait chacun de ses coéquipiers. Puis, exactement au moment voulu, il envoyait à l'un des avants une passe si délicate et parfaite que la rondelle s'envolait comme un pigeon voyageur jusqu'au bâton du joueur. Ses jeux brillants créaient des situations de deux contre un et maximisaient les chances de marquer un but. Jonathan devait être sur ses gardes pour empêcher les Flammes de prendre du retard dès les premières minutes.

Puis Renaud a exécuté une superbe passe en direction de son ailier gauche. Pour éviter l'échappée, Benoît n'a pas eu d'autre choix que de faire trébucher le joueur au centre de la patinoire. Le bras de l'arbitre s'est levé; les Étincelles avaient un avantage numérique.

Cédric et Alexia sont d'excellents joueurs en infériorité numérique. Toutefois, lorsque Renaud Clavel s'est placé à la ligne bleue pour son jeu de puissance, il ressemblait à un arrière de basket menant une attaque à partir du centre.

Alexia est sortie de sa formation pour le défier. Cette manœuvre audacieuse était une erreur. Renaud a envoyé une passe tout en finesse entre ses patins. La rondelle s'est dirigée tout droit vers le joueur de centre, qui a exécuté un puissant tir frappé en direction du but : 1 à 0 pour les Étincelles.

— *Noooon*! a crié M. Gauvreau.

Je ne savais pas qu'il était un partisan aussi ardent des Flammes.

— C'est le moment ou jamais pour les Flammes, ai-je murmuré dans mon appareil. Sortiront-ils de leur mauvaise passe? Pourront-ils riposter après ce but de l'adversaire?

À côté de moi, M. Gauvreau a hurlé :

— *Allez-y!*

L'aiguille de mon sonomètre a fait un bond.

Levant les yeux, j'ai aperçu Cédric en possession de la rondelle. Il voulait probablement montrer qu'il ne se laisserait surpasser par personne dans cette ligue. Il maniait son bâton si vite que la palette était floue. Sa feinte a si bien déjoué Renaud que ce dernier s'est affalé dans deux directions en même temps. Cédric s'est élancé vers le but, a feinté un tir du poignet, puis, vif comme l'éclair, a ramené la rondelle en arrière pour un coup droit qui est entré dans un coin du filet. C'était un « spécial Rougeau ».

— La mauvaise passe est finie! me suis-je écrié dans mon microphone avant de me lever pour pousser des acclamations avec les autres.

Ma voix n'était sûrement pas assez forte pour enterrer les cris enthousiastes de M. Gauvreau.

— Faites la vague! Faites la vague! a crié Jean-Philippe à la foule.

Personne ne l'écoutait.

L'entraîneur Blouin a laissé ses joueurs en place, mais les Étincelles ont changé de ligne d'attaque. Martin Mercier, le centre du deuxième trio, est arrivé sur la glace.

Cédric s'est mis en position pour la mise au jeu en face de lui. Mais le grand de septième année s'intéressait davantage à Alexia.

— Hé, mam'zelle! Il paraît que tu penses être capable de plaquer?

— Si tu la touches, arrange-toi pour que ce soit légal! a grommelé Cédric.

Je pouvais prévoir la suite. Alexia n'est pas impressionnée par des brutes comme Mercier. Ce qu'elle ne peut pas supporter, c'est quelqu'un qui se bat à sa place.

— Mêle-toi de tes affaires, Rougeau! a-t-elle grogné.

— Mais Alex...

— Je peux me défendre moi-même!

Son réglage de volume était descendu pratiquement à zéro.

Je sentais que ça allait barder. Mercier était un grand gars de septième année avec une attitude agressive. Après la mise au jeu, la rondelle est restée en zone neutre. Alexia l'a finalement saisie près de la ligne rouge. De ma place dans les gradins, j'ai vu Mercier se ruer sur elle.

— Attention! a crié Cédric.

Mais il était trop tard. Mercier, en deux puissantes enjambées, a rejoint Alexia et l'a plaquée contre la baie vitrée. Alexia s'est écroulée sur la glace, le souffle coupé.

Chapitre 6

Boum Boum a sauté par-dessus la bande avant même que l'arbitre donne un coup de sifflet.

— Joueur blessé!

— Je ne suis pas blessée! a sifflé Alexia en tentant de se remettre debout.

— Ne te lève pas! a ordonné Cédric.

Bien sûr, ces mots auraient fait lever Alexia même si quelqu'un avait stationné une voiture sur elle. Pour la force de caractère, nul n'égale l'unique fille de la ligue Droit au but de Bellerive.

Boum Boum l'a regardée d'un air inquiet.

— As-tu besoin d'aide pour te rendre au machin?

— Je ne vais pas au machin. J'ai quelque chose à régler sur la patinoire, a rétorqué Alexia en désignant Mercier d'un coup de menton.

Mais l'entraîneur n'était pas dupe. Il a retiré le trio d'Alexia et envoyé la deuxième ligne d'attaque affronter

Mercier et compagnie.

Il est facile de prendre Boum Boum pour une cruche, à cause de son apparence et de son étrange façon de parler. Mais il est malin. Pour le reste de la période, il a alterné les changements de ligne de manière à ce qu'Alexia et Mercier ne soient jamais ensemble sur la glace.

— Qu'est-ce qui se passe, mam'zelle? criait Mercier chaque fois qu'il passait devant le banc des Flammes. Tu as peur?

Alexia bouillait comme une marmite sur le feu.

Après la première pause, les Étincelles sont revenues en force. Renaud a récolté une première, puis une deuxième mention d'aide, permettant à son équipe de prendre l'avance, 3 à 1.

J'ai cru que les cris de M. Gauvreau allaient faire s'écrouler l'aréna. Les seuls moments où j'avais droit à un peu de silence, c'était quand sa bouche était occupée à engloutir un super contenant de maïs soufflé. Il m'en a offert, mais je ne voulais pas risquer d'échapper du beurre fondu sur les bébés œufs. Qui sait quelle sorte de crime cela aurait été aux yeux de Mme Spiro?

L'offensive des Flammes s'est ramollie. Pendant quelques minutes, j'ai craint que les joueurs ne retombent dans leur apathie. Surtout quand Mercier a reçu une pénalité et que le jeu de puissance des Flammes n'a produit aucun tir au but.

Puis, juste avant la fin de la période, Marc-Antoine a exécuté l'un de ses célèbres « lancers-pelletées », qui a traversé l'amas de défenseurs pour aboutir dans le filet des Étincelles. C'était maintenant 3 à 2 pour Ford Fortier.

Au cours du deuxième entracte, l'entraîneur était surexcité.

— Ça y est! s'est-il exclamé, sa longue queue de cheval hirsute tressautant derrière son crâne dégarni. On les a talonnés toute la partie. Maintenant, c'est le temps de la gugusse!

— De la vague? a demandé Jean-Philippe, plein d'espoir.

— Non, de la *victoire*! a dit Boum Boum. On y est presque! On va les battre!

— Monsieur Blouin, vous devez m'envoyer sur la glace en même temps que Martin Mercier! a insisté Alexia qui ne tenait plus en place.

L'entraîneur a fait mine de ne pas l'entendre.

— Vous êtes la meilleure patente, aujourd'hui, a-t-il dit aux joueurs. Le seul problème, c'est ce Renaud machin-chouette. Il faut qu'on trouve une façon de saboter ses passes.

C'était plus facile à dire qu'à faire. Pendant la troisième période, Renaud a continué d'enfiler l'aiguille pour ses coéquipiers.

— Il est imbattable! a dit Carlos, hors d'haleine. Quand on l'attaque, il envoie une passe directement entre nos jambes!

— Et si on attend, dit Kevin, son rétroviseur embué par son souffle, on lui laisse tout le temps de trouver quelqu'un qui a la voie libre pour marquer.

Le tableau de tirs au but affichait 24 à 9 en faveur des Étincelles.

Puis, de façon totalement accidentelle, Benoît a résolu le mystère que représentait Renaud Clavel. Benoît est le plus rapide patineur des Flammes, mais uniquement lorsqu'il patine vers l'avant. Kevin patine à reculons, alors que Benoît en est incapable. Ils forment un duo défensif parfait, sauf quand ils essaient de changer de rôle.

En voyant Renaud foncer sur lui, Benoît a tenté de faire marche arrière.

— *Noooon*! ont hurlé les joueurs sur le banc des Flammes.

Benoît a perdu l'équilibre au moment où Renaud amorçait sa passe. En tombant sur la glace, Benoît a perdu le contrôle de son bâton, qui a balayé la glace à ses côtés.

Toc!

La rondelle a frappé le bâton, puis a roulé doucement au-delà de la ligne bleue. C'était la première fois de la journée qu'une passe de Renaud ratait sa cible.

J'ai cru que Boum Boum allait défoncer le plafond. Il a bondi sur le banc en criant :

— C'est ça!

— C'est *quoi*? s'est écrié M. Gauvreau en échappant une pluie de maïs soufflé sur mes bébés œufs.

Mais Cédric avait compris. Quand Renaud s'est apprêté à faire une autre passe, Cédric s'est laissé tomber sur un genou devant lui, en plaçant le manche de son bâton à plat sur la glace. La rondelle a percuté l'embout du manche, et Cédric s'en est emparé en une fraction de seconde. Renaud s'est lancé à sa poursuite, mais il s'agissait de Cédric Rougeau. Il était déjà loin.

Encouragé par les acclamations de ses partisans, Cédric a franchi la ligne rouge, filé vers la ligne bleue, puis exécuté un élégant lancer soulevé du poignet qui est passé juste au-dessus du bloqueur du gardien : 3 à 3.

À partir de ce moment, les deux équipes ont mis les bouchées doubles. J'ai enregistré une autre idée de titre : *Le tout pour le tout*! En effet, l'action ne dérougissait pas. Le rythme ne ralentissait même pas.

À mon avis, les Flammes avaient un léger avantage. Une défaite ou même un match nul anéantiraient nos chances d'atteindre les éliminatoires. Mais nous avions aussi un désavantage : Boum Boum gardait toujours Alexia à l'écart de Martin Mercier. Cela signifiait donc qu'il ne pouvait utiliser sa meilleure ailière deux fois de suite.

— Dernière minute de jeu, a annoncé le haut-parleur.

C'était le moment ou jamais. L'entraîneur Blouin a fait ce qu'il avait évité tout au long de la partie. Il a envoyé Alexia par-dessus la bande alors que Mercier était sur la glace.

— Ne fais pas de bidules! lui a-t-il ordonné d'un ton sévère.

Elle lui a souri :

— Promis, monsieur Blouin.

Pendant qu'elle s'éloignait en patinant, je l'ai

distinctement entendue murmurer :

— Je serai trop occupée à faire une patente.

La mise au jeu avait lieu dans la zone des Étincelles, à gauche du gardien. L'arbitre a tenu la rondelle au-dessus des bâtons des deux centres, Cédric et Mercier. Soudain, Cédric a bougé prématurément, frappant le point de mise au jeu.

— Holà! a dit l'arbitre. Pas si vite!

J'étais surpris. Cédric était le plus rapide de la ligue pour les mises au jeu. Il n'avait pas besoin de deviner quand la rondelle tomberait. Il était assez rapide pour attendre le bon moment.

Mais il a encore devancé le mouvement, frappant la palette de Mercier. L'arbitre a donné un coup de sifflet et l'a fait sortir du cercle.

C'est alors que j'ai compris. Cédric ne s'était pas disqualifié par erreur. Il l'avait fait exprès. Il voulait donner la chance à Alexia d'affronter Mercier.

Le menton d'Alexia était tellement pointé vers l'avant qu'il est arrivé au point de mise au jeu avant elle.

— Tu en veux encore? a dit le grand dadais en souriant.

Mise au jeu! L'arbitre a laissé tomber la rondelle et s'est écarté d'un bond.

Mercier s'est concentré sur la rondelle, mais Alexia s'est jetée sur lui.

Crac! Elle lui a donné un coup d'épaule dans la poitrine. Mais Mercier était si grand qu'il n'est pas tombé. Au lieu de cela, il s'est mis à glisser vers l'arrière, la rondelle coincée au creux de son bâton. Alexia a planté ses lames dans la glace pour le pousser de toutes ses forces. Mercier a pris de la vitesse. Il a tenté de se libérer, mais Alexia était sur sa lancée. Souriant devant son expression étonnée, elle l'a repoussé hors du cercle de mise au jeu, au-delà du filet, et...

Bam!

Mercier a frappé la bande et s'est écroulé sur la glace, tout étourdi. Il avait à peine réussi à se remettre sur pied que les deux équipes se sont précipitées sur la rondelle libre.

Crac!

Il s'est fait de nouveau plaquer sur la rampe.

— *Double plaquage*! ai-je crié dans mon micro.

Alexia s'est emparée de la rondelle et l'a envoyée à Jean-Philippe. Ce dernier a exécuté un lancer du poignet en direction du filet, mais la rondelle a rebondi sur la jambière du gardien.

— Rebond! a beuglé M. Gauvreau, la figure rouge tomate.

À ce moment-là, les autres partisans de Mars criaient aussi fort que lui. Enfin, nous retrouvions l'équipe que nous connaissions et admirions. Une attaque massive et des mises en échec magistrales! Les Flammes n'avaient pas si bien joué depuis un mois! J'ai jeté un coup d'œil au cadran. Plus que 20 secondes!

Le gardien des Étincelles a plongé sur le rebond, mais Cédric a dégagé la rondelle avec son bâton. Renaud s'en est emparé le premier et a fait une passe de dégagement. Mais Kevin est soudain apparu à reculons et a bloqué la passe avec son corps avant qu'elle puisse traverser la ligne bleue.

— *Laaaance*! ont hurlé Boum Boum, M. Gauvreau et une centaine de personnes, moi y compris.

À cinq secondes de la fin du jeu, Kevin a fait un lancer frappé cinglant à partir de la pointe.

— Raté! ai-je dit, horrifié.

Le tir allait manquer le but d'au moins 30 cm.

Soudain, Alexia s'est libérée de son couvreur et a avancé son bâton dans la trajectoire de la rondelle, qui a dévié sur la lame, pour ensuite passer à côté du gardien et poursuivre sa course jusqu'au fond du filet. Résultat final : 4 à 3 pour les Flammes.

Le centre communautaire a tremblé quand les partisans des Flammes se sont levés en hurlant.

— *Une déviation parfaite*! ai-je crié dans mon micro au beau milieu des acclamations.

Le banc des Flammes s'est vidé. M. Gauvreau a lancé le reste de son maïs soufflé dans les airs. Puis il a tourné son énorme ventre vers moi et m'a serré contre lui.

Cra-a-a-ac!

Zut! Les œufs.

Quel froussard! Je n'ai pas eu le courage d'inspecter le contenu du sac. J'ai attendu que toute l'équipe soit rassemblée autour de moi dans le vestiaire avant de l'ouvrir.

— Quels sont les dommages? ai-je demandé en regardant ailleurs.

Le chœur de grognements qui m'est parvenu m'a donné la réponse. J'ai risqué un regard prudent. Les œufs étaient réduits en poudre.

— Hé, a dit Boum Boum. Qui a brisé vos cossins?

— Le journaliste sportif, a répondu Alexia, furieuse.

— Ce n'est pas ma faute, ai-je protesté. C'est M. Gauvreau!

— Attends une minute, a dit Cédric en plongeant la main dans le sac.

Il a fouillé parmi les miettes de coquilles et a sorti un bébé œuf intact. Il était vert vif, avec des lunettes, une barbiche et un grand sourire.

— *Wendell*! s'est écrié joyeusement Jean-Philippe en caressant le bébé œuf avec son gant de hockey. Je pensais que tu étais en miettes!

— Merci, Tamia! a dit Kevin d'un ton sarcastique.

— Ouais, bravo, Einstein! a ajouté Jonathan.

— Oublie le gardiennage et continue dans le journalisme! s'est exclamé Benoît.

— Allons, les gars, ai-je supplié. Le mien aussi a été écrasé.

— Mais le tien meurt tout le temps, m'a rappelé Carlos. Pour nous, c'est une nouvelle expérience.

— Assez de cette patente négative, est intervenu Boum Boum. Je vais vous attendre au gugusse.

Il s'est dirigé vers le camion de livraison, qui sert d'autobus à l'équipe, les jours de match.

Cédric vit à Bellerive, près du centre communautaire. Il est donc le seul à rentrer à pied. Il a jeté son sac de sport sur son épaule.

— Belle partie, tout le monde! À lundi! a-t-il lancé.

Il avait presque franchi la porte quand Alexia l'a arrêté :

— Pas si vite, la vedette.

J'ai tout de suite compris le problème. En la laissant faire la mise au jeu contre Mercier, Cédric avait accordé une *faveur* à Alexia. Notre capitaine est bizarre pour ce genre de truc.

Cédric a laissé tomber son sac avec un grognement.

— D'accord, je l'avoue. J'ai fait exprès de me faire sortir du cercle de mise au jeu. Je voulais que tu aies la chance de rendre la pareille à Mercier. Excuse-moi. Je ne le ferai plus.

Alexia a levé les yeux au ciel.

— Arrête ça, Rougeau. Je voulais juste te remercier.

Puis elle a ramassé son propre sac et est sortie du vestiaire.

Stupéfait, Cédric s'est tourné vers Jonathan :

— Est-ce que je me trompe, ou ai-je enfin la bonne approche avec ta sœur?

Jonathan a haussé les épaules.

— Je vis avec Alex depuis 12 ans. Crois-moi, il n'y a pas de bonne approche.

Chapitre 7

Mme Spiro n'était pas contente en apprenant ce qui était arrivé à nos bébés œufs. Toute l'équipe, à l'exception de Jean-Philippe, a dû rester après l'école... dans le local d'arts plastiques, vous l'aurez deviné. Pendant que nous soufflions le contenu de nos coquilles sur des essuie-tout, Mme Spiro nous a fait un sermon sur « la nécessité de prendre ce projet plus au sérieux ».

Personnellement, je ne crois pas que les véritables bébés sont aussi fragiles que des coquilles d'œufs. S'ils l'étaient, très peu de gens survivraient. Mme Spiro n'a probablement jamais pensé à ça.

Les résultats des parties de hockey de la fin de semaine étaient sur toutes les lèvres. La grande nouvelle, c'était que les Matadors avaient encore gagné. Ils avaient vaincu les Panthères 6 à 0 la veille, un résultat renversant. Le nouveau, Stéphane Soutière, avait marqué quatre buts et obtenu deux mentions d'aide.

Alexia a mis la dernière touche au casque spatial de son nouveau bébé œuf, appelé Julie en l'honneur de l'astronaute Julie Payette. Elle a regardé Cédric avec un sourire radieux.

— Serait-il possible qu'il y ait une nouvelle vedette en ville?

Alexia adore taquiner Cédric.

Son capitaine-adjoint n'a pas mordu à l'hameçon.

— C'est grâce à des gars comme Soutière que les gens s'intéressent au hockey junior, a-t-il répondu sérieusement. S'il a autant de talent qu'on le dit, sa présence aura une influence positive sur la ligue.

— Ce ne sera pas positif pour les gardiens, a dit Jonathan en plaçant Dominic II dans sa boîte à chaussures. Et si c'était moi qui lui permettais de marquer 50 buts en une saison?

— C'est ce qu'on va voir, a répliqué sa sœur. On joue le dernier match de la saison contre eux.

Ce n'était pas assez tôt pour moi. Le journaliste sportif de la *Gazette* n'allait sûrement pas attendre la fin de la saison pour observer le plus important sujet d'article de la ligue!

Voilà pourquoi je me hâtais de vider mon œuf. Les Matadors étaient en train de s'entraîner au centre communautaire. C'était l'occasion idéale d'aller voir jouer Soutière, et même de l'interviewer.

— Ne souffle pas trop fort, Clarence, m'a averti Mme Spiro. Tu vas la blesser!

— La blesser? ai-je répété.

— Peut-être que tu feras plus attention si ton bébé est une fille, a-t-elle expliqué.

— Bonne idée, madame Spiro. (Horrible idée, madame Spiro.)

J'ai tendu la main vers la peinture rose, question de faire plus féminin. J'ai légèrement barbouillé le visage de mon œuf, mais tant pis. C'était ça, ou bien ma « fille » aurait deux nez. C'est que j'étais pressé, moi!

— Bien, Clarence, a dit Mme Spiro en soupirant. Comment s'appelle-t-elle?

Eh bien, comment aurais-je pu regarder un objet rond et rose sans rêver aux ultrarachides, les bonbons les plus délicieux jamais inventés? Ils goûtent vraiment le sandwich au beurre d'arachides et à la confiture!

— Elle s'appelle Arachide, ai-je répondu.

— Arachide? a-t-elle répété. Quel drôle de nom pour une fille!

Mais je courais déjà dans le couloir, ma boîte à chaussures coincée sous le bras comme un ballon de football.

Je suis arrivé au centre communautaire juste à temps pour assister aux 10 dernières minutes de l'entraînement des Matadors.

— Entraînement de Stéphane Soutière, 7 mars, ai-je dicté dans mon appareil. Stéphane est le numéro...

Il m'a fallu un millionième de seconde pour le trouver : le numéro 12. Il n'était pas plus costaud que les autres joueurs. En fait, il était plutôt maigre. Mais il avait un *je-ne-sais-quoi*. Appelons ça une posture parfaite. Les genoux fléchis, le buste incliné, exactement comme les vedettes de la LNH. Toute son équipe tentait de le mettre en échec, mais nul n'arrivait à le séparer de la rondelle.

— Il se déplace comme si ses patins étaient une extension de ses jambes, ai-je enregistré.

Je l'ai regardé déjouer cinq joueurs et marquer un but. Son lancer était un véritable projectile d'arme à feu : précis et meurtrier. Il était plus percutant et rapide que les tirs de Cédric. Bien que je déteste l'admettre, Stéphane Soutière était meilleur que Cédric sur tous les plans.

Tu parles d'une nouvelle! C'était encore plus gros que la fois où Cédric avait été chassé des Pingouins et envoyé chez les Flammes.

J'ai rôdé près de la porte du vestiaire après l'entraînement, en répétant les questions que j'allais poser à Soutière. Des détails techniques sur son style, les joueurs de la LNH qu'il admirait, ce genre de chose.

La porte s'est ouverte et Nico Guèvremont, le capitaine des Matadors, est sorti. En apercevant ma boîte à chaussures, il a éclaté de rire.

— Arachide? Hé, Tamia, est-ce que c'est ton bébé ou ta collation?

Nico est un bon gars. Il adore faire le clown. Comme il est en septième année, l'étape des bébés œufs est derrière lui, le chanceux!

— Est-ce que Stéphane Soutière va bientôt sortir? lui ai-je demandé.

— Pourquoi veux-tu le savoir? a-t-il rétorqué d'un air soupçonneux.

— Je veux faire une entrevue avec lui, ai-je dit en haussant les épaules.

— Ne dérange pas Stéphane, a-t-il dit d'un ton désinvolte. Je peux te dire tout ce que tu veux savoir.

— D'accord, je suppose que je peux commencer avec toi, ai-je accepté à contrecœur en mettant mon magnétophone en marche. Depuis combien de temps joue-t-il au hockey?

— Depuis toujours, a répondu Nico. Très longtemps. Heu, pas *si* longtemps que ça, s'est-il repris. Juste… un bout de temps.

Vous connaissez le sixième sens de Spiderman, son « sens d'araignée »? Eh bien, j'ai le même don. Pas un sens d'araignée, bien entendu, mais un sixième sens de journaliste. Dès qu'une grande nouvelle se dissimule quelque part, mes antennes de journaliste frétillent. Et à ce moment-là, je les sentais vibrer comme mes dents sous une fraise de dentiste.

Les autres joueurs des Matadors sont sortis. Chacun avait un détail à ajouter pour mon entrevue. J'ai bientôt été entouré de sept ou huit gars qui prétendaient savoir qui était le joueur préféré de Stéphane.

— Mark Messier.

— Jaromir Jagr.

— Wayne Gretzky.

— Joe Sakic.

Quatre Matadors m'ont donné quatre noms différents.

J'ai froncé les sourcils.

— Dites donc, c'est lequel?

Ils ont recommencé. Cette fois, ils m'ont donné quatre *autres* noms.

— Et si je demandais à Stéphane? ai-je proposé. Il devrait sortir bientôt.

Ils ont tous protesté qu'il ne fallait pas le déranger. Et pourquoi donc? Était-il en train de faire une opération à cœur ouvert?

J'ai éteint mon appareil.

— Je vais l'attendre.

Ils m'ont finalement laissé tranquille. Mais ils se sont rassemblés à côté du casse-croûte. Je voyais bien qu'ils me surveillaient.

Parfois, être un journaliste demande beaucoup de patience. Il a fallu 20 minutes à Stéphane pour sortir.

Il avait des cheveux blonds et la peau claire. Ses yeux étaient brun clair et son regard, perçant. Je n'avais pas encore ouvert la bouche que j'avais l'impression de lui faire perdre son temps précieux.

J'ai appuyé sur le bouton de l'appareil.

— Bonjour, Stéphane. Pourrais-tu répondre à quelques questions pour la *Gazette*?

Il a plissé les yeux.

— Pour la quoi?

Il parlait vite, pour un enfant de fermier. Il me rappelait

ces officiers de police qu'on voit à la télé.

— La *Gazette* de l'école élémentaire de Bellerive, ai-je expliqué. Je suis le journaliste sportif de l'école, Tamia Aubin.

— Tamia, quel nom bizarre!

Je lui ai montré mon visage de tamia, en gonflant ma joue avec ma langue.

— J'ai déjà eu un problème de bonbon dur.

— Ah oui? Eh bien, moi, j'ai un problème d'entrevue, m'a-t-il dit. Je suis très timide, tu sais. Ne le prends pas mal!

Puis il m'a tourné le dos et s'est éloigné. Certains athlètes ont des relations houleuses avec la presse.

Je l'ai regardé aborder ses coéquipiers près du casse-croûte. Il riait en leur frappant dans la main. Timide, hein? Il avait l'air aussi timide qu'un requin tigre.

— Il cache quelque chose, ai-je chuchoté dans mon micro.

Je me suis rapproché furtivement. Les Matadors se disputaient pour savoir qui offrirait un chocolat chaud à Stéphane. J'ai regardé les sacs de sport à leurs pieds. Celui de Soutière était rouge.

Écoutez, je ne suis pas un fouineur. Mais quand on est journaliste, on doit remarquer toutes sortes de trucs. Des détails qui intéresserait un détective, des indices, comme un *sac de sport rouge entrouvert*...

Ma boîte à chaussures sous le bras, je me suis faufilé dans le groupe pour me rapprocher de Soutière. Quand il a tourné la tête, je me suis baissé et ai déposé Arachide par terre, derrière moi. En faisant semblant de rattacher mon soulier d'une main, j'ai fouillé dans son sac de l'autre main.

— Encore toi?

Des mains m'ont saisi brutalement par le collet et m'ont remis sur mes pieds. Je me suis retrouvé face à face avec le visage furibond de Stéphane Soutière. Pour un gars de taille moyenne, il était fort comme un bœuf.

— Le jeune, a-t-il grondé, quand je dis que je ne veux pas d'entrevue, c'est que je n'en veux pas!

— Mais... ai-je balbutié.

— Sors d'ici! a-t-il dit en me poussant.

Propulsé vers l'arrière, j'ai trébuché sur ma boîte à chaussures. Mon pied a défoncé le couvercle.

Crac!

Oh, non!

J'ai jeté un coup d'œil à l'intérieur. Le fait d'être une fille n'avait pas aidé Arachide. Elle était réduite à une vingtaine de morceaux roses.

Mais j'avais le cœur léger. Un autre œuf brisé était un faible prix à payer pour résoudre le mystère de l'énigmatique Stéphane Soutière.

Chapitre 8

Le mardi, comme la température avait chuté de 30 degrés, les Flammes ont pu s'entraîner sur la patinoire extérieure de Mars, après l'école. Et devinez ce qui m'est arrivé? Je suis resté en retenue pour vider un autre bébé œuf, que j'ai baptisé Goyave (d'après les brise-bouche à la goyave). Et ça, le jour même où j'avais la nouvelle du siècle à annoncer!

Cela m'a pris un temps fou. J'ai manqué l'autobus scolaire et j'ai dû attendre l'autobus de la ville pour rentrer à Mars. En descendant à mon arrêt, j'ai couru jusqu'à la patinoire. Quand j'y suis arrivé, j'étais si essoufflé que les joueurs ont cru que j'étais victime d'une crise cardiaque.

Cédric m'a tapé dans le dos.

— Calme-toi, Tamia. Peux-tu respirer?

J'ai hoché la tête, puis j'ai tenté de raconter mon histoire, mais tout ce qui sortait de ma bouche était une série de sifflements douloureux.

— Veux-tu aller à l'hôpital? a demandé Carlos.

J'ai secoué la tête en aspirant l'air à grandes goulées, et j'ai réussi à dire :

— *Stéphane Soutière est trop vieux pour la Ligue Droit au but de Bellerive!*

Les joueurs étaient muets de stupéfaction. Finalement, Cédric a pris la parole :

— L'entraîneur Wong est avec les Matadors depuis avant notre naissance! Il n'est pas du genre à tricher!

— Peut-être que l'entraîneur Wong n'est pas au courant! ai-je répliqué, toujours hors d'haleine.

— C'est impossible, a dit Jean-Philippe.

— Stéphane est un joueur de remplacement, ai-je insisté. Lorsque Louis Buissonneau s'est blessé, ils ont probablement appelé le prochain joueur sur la liste d'attente. Peut-être que personne n'a vérifié son âge.

Jonathan a levé un sourcil :

— Personne ne connaît vraiment Stéphane Soutière parce qu'il va à l'école secondaire du comté. Il est peut-être en huitième année.

— Il y a des classes de neuvième année dans cette école, ai-je ajouté. Certains élèves ont 15 ou 16 ans.

— Vous n'oubliez pas quelque chose? est intervenue la voix calme de la capitaine des Flammes. Tamia, comment sais-tu que Stéphane Soutière est trop vieux?

— Les journalistes ont des moyens d'obtenir de l'information, ai-je répondu d'un air mystérieux.

Comme ils n'avaient pas l'air impressionnés, j'ai lâché

le morceau :

— J'ai fouillé dans son sac de sport. Savez-vous ce qu'il y avait, là-dedans? De la crème à raser!

— Aaah, Tamia! a grogné Cédric. Ça ne veut rien dire!

— Mais bien sûr que oui! me suis-je écrié. Qui d'entre vous se rase?

— Personne, a admis Jonathan. Mais certains gars de septième année, oui.

— Marc-Antoine se rase une fois par semaine, a confirmé Jean-Philippe. Et Xavier Giroux, des Vaillants, se rase presque chaque jour. Il y a aussi le gardien des Vipères! C'est le gars le plus poilu que je connaisse!

— Et si Stéphane Soutière n'utilisait pas cette crème pour se raser? a suggéré Carlos. Peut-être qu'il voulait faire une blague à quelqu'un, en mettant de la crème à raser dans son casier, ses souliers ou son short de gym! Ça, ce serait drôle!

Carlos est le seul gars du monde à se bidonner à cause d'une situation hypothétique.

— Vous ne connaissez rien au journalisme! ai-je protesté, déçu. C'est une grosse nouvelle! Le meilleur joueur de la ligue n'est pas admissible!

— Si ce que tu dis est vrai, a répliqué Jonathan.

— Mais c'est vrai! Il n'y a aucun doute! Sinon, comment pourrait-il être meilleur que tout le monde?

— Parce qu'il a du talent? a proposé Cédric.

— Wayne Gretzky n'était pas si bon que ça à notre âge, ai-je insisté. Faites-moi confiance. C'est une nouvelle sensationelle.

— Ce n'en sera une que lorsque tu auras des preuves, m'a rappelé Alexia. Tu as seulement un contenant de crème à raser. Tu n'as pas vu de rasoir, n'est-ce pas?

— Ça ne veut pas dire qu'il n'y en avait pas, ai-je souligné. Je n'ai eu accès à son sac que quelques secondes.

— C'est délicat, Tamia, a dit Cédric en secouant la tête. Beaucoup de gens croient que Mars ne devrait pas avoir d'équipe dans la Ligue Droit au but. Si on accuse Stéphane Soutière et qu'on se trompe, ils vont nous traiter de fauteurs de troubles. Ils pourraient même saisir ce prétexte pour nous exclure de la ligue l'année prochaine.

— Je sais quoi faire, ai-je annoncé. Dans mon prochain article de la *Gazette*, je vais simplement insinuer que Stéphane Soutière est trop vieux. Quand M. Fréchette le lira, il pourra faire une enquête.

— La *Gazette* est publiée une fois par mois, a dit Alexia. Le prochain numéro ne sortira pas avant les éliminatoires. La saison régulière sera terminée.

J'ai compté les semaines dans ma tête. Elle avait raison. Avec cette nouvelle, Soutière se ferait mettre dehors. Mais à ce moment-là, il serait déjà dehors. Tout le monde le serait, à l'exception des équipes des éliminatoires.

J'ai rejeté la tête en arrière en poussant un cri de frustration.

— C'est révoltant! Si je travaillais pour RDS, je pourrais annoncer cette nouvelle en primeur au monde entier!

Tous les joueurs se sont moqués de moi. Évidemment,

ils pensaient que j'imaginais tout ça. Qu'est-ce qui est pire qu'une nouvelle impossible à utiliser? C'est quand personne ne vous croit!

Cédric a mis son bras sur mes épaules.

— Si tu travaillais pour RDS, nous serions dans la LNH, pas en train de nous geler les fesses sur une patinoire extérieure!

— Et nos partisans feraient la vague! a renchéri Jean-Philippe.

— Il fait froid, ici, a dit Jonathan en grelottant, avant de faire signe à Boum Boum avec son bâton. Monsieur Blouin? Est-ce que je peux aller dans la cabane?

— Bonne idée, a dit Boum Boum. Ça te donnera la chance de te réchauffer pendant quelques gugusses.

La cabane est le seul espace intérieur de la patinoire de Mars. Ce n'est qu'une petite hutte à côté de la glace. Mais elle est pourvue d'un poêle ventru qui est une bénédiction, les jours de grand froid. Mme Blouin y était justement, en train de surveiller la pile de boîtes à chaussures.

J'ai tendu Goyave à Jonathan.

— Puisque tu vas à la garderie, pourrais-tu y apporter mon œuf?

— D'accord, Tamia. Qu'est-ce que c'est? Une cabane d'oiseau? a-t-il demandé en apercevant le nid de Goyave, qui était en contreplaqué.

— C'est un protecteur à bébé œuf, ai-je expliqué fièrement. Je l'ai fabriqué à l'atelier de menuiserie aujourd'hui. Les boîtes à chaussures sont plutôt fragiles.

C'est trop facile de les écraser avec un pied ou un autobus.

Jonathan s'est dirigé vers la cabane, et j'ai reporté mon attention sur l'entraînement. J'ai enregistré quelques notes sur différentes manœuvres, mais je ne pouvais pas m'empêcher de penser à Stéphane Soutière. Quelle déception! Certains reporters passent leur vie à attendre une nouvelle comme celle-là. La gaspiller serait un crime contre le journalisme.

J'ai frissonné; il faisait vraiment froid. Les joueurs peuvent toujours se réchauffer en patinant, en se plaquant et en se bousculant. Les journalistes, eux, gèlent carrément. Quand Jonathan est sorti de la cabane, j'ai pris sa place auprès de la femme de l'entraîneur.

C'était chaud et confortable, là-dedans. J'ai senti que je commençais à transpirer, et cela n'avait rien à voir avec Mme Blouin. Pour dire la vérité, elle n'était pas aussi ravissante que d'habitude. Ses yeux magnifiques étaient cernés. De plus, elle était vêtue d'un survêtement ample au lieu de ses tenues haute couture habituelles.

J'espérais qu'elle n'était pas malade. J'avais posé la question à Boum Boum la veille, au magasin d'aliments naturels. Il avait eu un sourire bizarre et m'avait chuchoté à l'oreille :

— Elle est machin-chouette.

Cela pouvait signifier n'importe quoi : fatiguée, malade, qui sait?

— Assieds-toi, Tamia, m'a-t-elle proposé. Je viens d'ajouter une bûche dans le feu.

— Super, madame Blouin, ai-je dit en observant la pile de boîtes à chaussures près du tas de bois. Où est Goyave? Mon bébé œuf, ai-je ajouté devant son expression déconcertée. Jonathan vient de vous l'apporter.

— Non, a-t-elle répliqué. Il a seulement apporté du bois pour le feu. Il n'avait pas de boîte à chaussures.

— Mais non! ai-je gloussé. C'était mon nouveau bébé œuf. Je le garde dans une boîte de bois. Où l'avez-vous mise?

Mme Blouin a eu une expression atterrée. Elle a désigné le poêle.

— Là-dedans.

— Quoi?

Je me suis presque brûlé la main en ouvrant la lourde porte de métal. Une vision horrible m'est apparue. Mon protecteur à bébé œuf était en flammes.

— Est-ce que les coquilles d'œuf sont ignifuges? ai-je demandé avec espoir.

Pan! Un bruit d'éclatement et une volute de fumée grise m'ont donné la réponse.

...vous comprendrez donc que ce n'était pas ma faute si Goyave a explosé.

Fin du journal de bord de mon bébé œuf no 4.

(Madame Spiro, comme le dernier journal n'a rempli qu'une demi-page, dois-je en acheter un autre pour le prochain? Mon allocation a été interrompue parce que j'ai perdu tous ces bébés œufs.)

Journal de bord de mon bébé œuf no 5

Naissance : pendant la retenue à cause du bébé œuf no 4 (voir plus haut).

Nom : Vanille (d'après les tourbillons à la vanille).

— Clarence! a crié ma mère de la cuisine. As-tu vu ma petite casserole?

Oh! oh! La casserole en question se trouvait sur mon bureau. C'était mon protecteur à bébé œuf, nouveau et amélioré. Je l'appelais « le bouclier blindé ». L'acier inoxydable est encore plus résistant que le bois, et ignifuge par-dessus le marché. Vanille y était en sécurité, bien enveloppée dans une petite serviette dont ma mère n'avait pas encore remarqué la disparition. Le couvercle était maintenu par un élastique.

— Qu'est-ce que tu dis? ai-je lancé pour gagner du temps.

J'ai mis la casserole dans mon sac à dos, avant de dévaler l'escalier au pas de course.

— Je dois y aller! Bye, maman!

Je suis passé près d'elle en coup de vent et suis sorti de la maison. Une fois au magasin d'aliments naturels, je suis monté à l'arrière du camion de livraison avec les Flammes. Une balade dans l'autobus de l'équipe était toujours une aventure. Ai-je dit balade? Je devrais plutôt dire ballottement. Comme j'étais le seul à ne pas porter de jambières de hockey, j'en sortais toujours couvert de contusions.

— Attendez une minute, ai-je dit en regardant autour de moi. Où sont vos bébés œufs?

— Mon père garde le mien, a répondu Benoît.

— Moi, c'est ma mère, a ajouté Jonathan.

— Mes grands-parents, a dit Carlos.

— Ma sœur.

— Ma tante.

L'un après l'autre, les joueurs ont nommé leur gardien.

— Vous êtes chanceux, ai-je dit d'un ton boudeur. Ma mère pense que Mme Spiro est une enseignante géniale. Elle ne veut pas garder mon œuf, car d'après elle, ce serait manquer à mes responsabilités.

— Elle a raison, m'a dit Jean-Philippe. Je refuse de confier Wendell à qui que ce soit.

— Tu veux dire que tu l'as laissé seul à la maison? a demandé Jonathan. Que vas-tu écrire dans ton journal de bord?

— Je ne l'ai laissé nulle part, a rétorqué Jean-Philippe. Wendell reste avec moi. Bien en sécurité, sous les attaches de mes épaulières, a-t-il ajouté en se tapotant la poitrine.

— Tu vas *jouer* avec lui? ai-je demandé, incrédule. Sur la glace?

— Il ne me quitte jamais, a-t-il répondu d'un ton suffisant.

— Jean-Philippe, on joue au hockey, pas au scrabble, l'a informé Alexia. Si tu reçois un coup, ton bébé œuf va être pulvérisé.

— C'est là que tu te trompes, a gloussé Jean-Philippe

d'un air triomphant. Je l'ai enveloppé dans du papier hygiénique. Deux épaisseurs.

Carlos a trouvé ça hilarant. Il a commencé à se rouler par terre dans le camion, projetant ses bras et ses jambes de tous côtés en riant à gorge déployée. J'ai dû me réfugier derrière un sac de germe de blé pour éviter de recevoir des coups.

— Hé, je suis le seul qui n'a jamais perdu d'œuf! s'est exclamé Jean-Philippe d'un air insulté. Je ne veux prendre aucun risque avec mon dossier sans tache!

Cédric nous attend généralement à l'extérieur du centre communautaire, mais ce jour-là, il était à côté de la patinoire. On aurait dit que le monde entier s'y trouvait. Les matchs de milieu de semaine ne sont habituellement pas aussi courus que ceux de la fin de semaine, mais pour une fois, l'endroit était bondé. Avec un pointage de 5 à 5, les Matadors et les Pingouins s'en allaient en prolongation.

— En prolongation! me suis-je écrié en m'empressant de sortir mon magnétophone. C'est impossible!

— Stéphane Soutière a marqué tous les buts des Matadors, a confirmé Cédric.

C'était une nouvelle renversante! Je savais que Soutière était remarquable, mais je n'aurais pas cru qu'il pouvait élever les modestes Matadors au niveau des champions en titre. Les Pingouins comptaient Rémi Fréchette et Olivier Vaillancourt dans leurs rangs, les deuxième et troisième marqueurs de la ligue. Ils avaient en outre le meilleur entraîneur, un gardien solide, ainsi que d'excellents patineurs à chaque position. Ils n'avaient perdu qu'une seule partie durant l'année!

La fluidité de mouvement de Stéphane Soutière était de la pure poésie. Il filait sur la glace avec la grâce d'une gazelle, mais il était assez puissant pour renverser ses adversaires au passage. Il a déjoué Rémi d'une feinte habile, puis a bousculé Olivier. Quand il a pris son élan pour un lancer frappé, l'aréna est devenu aussi silencieux qu'une bibliothèque.

Chapitre 9

Toc!

Le coup était si percutant qu'on avait peine à voir la rondelle, qui est allée frapper le fond du filet derrière le gardien des Pingouins. Pointage final : 6 à 5 pour les Matadors. Du jamais vu!

Les partisans des Matadors étaient survoltés. Une victoire contre les Pingouins était presque impensable! Sans compter que Stéphane avait brisé le record du nombre de buts dans une partie, soit cinq, détenu par...

Oh! oh!

Je ne voulais pas contrarier Cédric, mais un journaliste ne peut pas ignorer une nouvelle de cette importance.

— Il a marqué six buts, tu sais, lui ai-je dit à voix basse. Ton record était de cinq.

Notre capitaine-adjoint a haussé les épaules d'un air résigné.

— Ce gars est bien meilleur que moi, Tamia. Il mérite ce

record.

Pourtant, Cédric n'avait pas l'air content.

Alexia a fait en sorte de se trouver près de la porte quand Rémi et Olivier sont sortis d'un pas lourd.

Elle leur a adressé son sourire le plus radieux :

— Dites donc, quelle malchance, les gars!

Le regard que lui a envoyé Olivier était aussi corrosif qu'un déchet toxique.

— Ce n'est pas juste! s'est-il écrié. Les Matadors étaient les plus pourris des pourris avant d'avoir ce... Soutière! a-t-il conclu en crachant le dernier mot.

Cédric a ricané. Il y avait encore beaucoup de rancune entre les Pingouins et lui. Le fait de les voir perdre compensait presque la perte de son record de cinq buts.

— Efface ce sourire de ta face, Rougeau! a grondé Rémi. C'est toi qui te fais écarter du livre des records!

— Depuis quand te soucies-tu de mes records? a rétorqué Cédric en levant un sourcil.

— Au moins, tu n'es pas sorti de nulle part, toi! a dit Olivier d'un ton boudeur. Tu n'es peut-être plus un Pingouin, mais tu fais partie des nôtres. Nous jouons dans cette ligue depuis trois ans! Savais-tu que c'était notre centième partie?

— Vraiment? a dit Cédric. Je n'ai jamais compté.

— Mon oncle a gardé tous les anciens programmes, a confirmé Rémi. Cent parties! Stéphane Soutière ne joue que depuis trois misérables semaines, et nous devrions le couronner? Peuh!

Ils se sont éloignés dans un entrechoquement de bâtons.

— Allez, tout le monde! a crié Boum Boum. Machinchouette d'équipe!

J'ai senti mes antennes de reporter vibrer en avançant dans le couloir. Je pouvais discerner un nouveau rebondissement dans l'histoire des Flammes de Mars.

— Hé, Cédric, ai-je lancé. As-tu marqué au moins un but à chaque partie que tu as jouée?

— Oui, pourquoi?

— Te rends-tu compte? me suis-je écrié. Tu as réussi une série de 99 parties consécutives avec but!

— Et alors?

— Alors, si tu marques un but aujourd'hui, cela fera 100!

— Holà, Tamia! a-t-il protesté. Ne fais pas une montagne avec rien.

— Ce n'est pas rien! ai-je insisté. Stéphane Soutière va bientôt briser tous les records que tu détiens. Mais une série de 100 parties consécutives avec but, ce serait comme les pyramides! Personne ne pourrait y toucher! Pas plus Soutière que les autres!

— Si on perd aujourd'hui, c'est fichu pour les éliminatoires, a dit Cédric d'un air sombre. Il ne faut pas se laisser distraire.

J'ai gardé le silence. Mais aussitôt que nous sommes entrés dans le vestiaire, j'ai annoncé :

— Hé, tout le monde! Cédric est sur le point de jouer sa

centième partie avec but!

Les joueurs étaient estomaqués.

— Comment est-ce possible? a demandé Benoît.

Nous avons fait le calcul. Trente matchs par saison, plus les éliminatoires et les tournois d'étoiles. Le compte y était.

— Ils devraient donner un trophée pour cet exploit! a murmuré Kevin.

— Une médaille! a renchéri Marc-Antoine.

— Je parie que nos partisans feront la vague quand ils apprendront ça! a ajouté Jean-Philippe.

— Hé! Ho! a lancé Cédric. Ce n'est pas si important que ça.

— Bien sûr, a dit Alexia d'un ton sarcastique. C'est pour ça que tu as chargé ce grand bavard de le dire à tout le monde.

— Je lui ai demandé d'être discret, a rétorqué Cédric en me jetant un regard furieux.

— J'ai été discret, me suis-je défendu. Ce n'est rien à côté de l'article que je me prépare à écrire. Que pensez-vous de ce titre : *Rougeau marque 100 buts de suite.* Ou bien : *Un record imbattable.* Ou encore : *Stéphane Soutière, attache tes patins!*

— Cent patentes de suite avec cossin? s'est exclamé M. Blouin en donnant une tape sur les épaulières de Cédric. Ça me rappelle des souvenirs! J'ai eu un truc comme ça dans ma carrière.

— Vraiment? a dit Jonathan. Vous avez eu une série de

buts?

— Bien sûr que non, a répondu l'entraîneur en secouant la tête. Mais en 1971, j'ai reçu la rondelle en pleine figure 47 matchs de suite. C'est comme ça que j'ai perdu ces bidules, a-t-il ajouté en souriant pour révéler ses trois dents manquantes.

Bon, personne n'a jamais prétendu que notre Boum Boum était une superstar. Mais j'aimerais bien voir Wayne Gretzky se faire bombarder de la sorte et continuer à sourire.

Cédric nous a ramenés à la question du jour.

— On ne peut pas laisser ce détail changer notre stratégie, a-t-il insisté. Il faut absolument gagner si on veut accéder aux éliminatoires. C'est tout ce qui compte.

La sonnerie a appelé les équipes au jeu.

Avant d'aller m'asseoir, je me suis approché de la table du marqueur, près du banc des punitions. Quelle chance! Ce jour-là, l'annonceur était David, un super bon gars qui avait toujours été gentil avec les Flammes. Je lui ai parlé de la série de buts de Cédric.

— Donc, quand Cédric marquera son premier but, tu liras ceci, d'accord? ai-je dit en lui tendant un bout de papier.

— Compte sur moi, Tamia, a promis David.

Il a pris le papier et l'a placé sous son micro pour qu'il ne s'envole pas.

Les Flammes affrontaient les Éclairs du Pavillon du Hot-Dog, une équipe qui n'avait aucune chance de se rendre aux éliminatoires. Ce n'était pas qu'ils étaient mauvais. Seulement, leur capitaine avait attrapé la grippe en novembre et l'avait refilée à la moitié des joueurs, qui avaient ensuite infecté l'autre moitié. Ils avaient dû déclarer forfait pour plusieurs parties.

Les Éclairs étaient des joueurs solides, mais plutôt lents. Je pouvais voir que les Flammes allaient les devancer sans problème, surtout les rapides comme Benoît, Kevin et Cédric. La centième de Cédric était pratiquement dans le sac!

Comme prévu, Cédric a fait une échappée très tôt dans la partie. Il a mis les gaz, laissant les avants des Éclairs derrière lui. Il a franchi la ligne bleue avant que les défenseurs puissent prendre leur position. Levant son bâton pour un lancer frappé, il a aperçu Jean-Philippe qui se hâtait à l'aile gauche.

Le lancer frappé n'a jamais eu lieu. Au lieu de cela, Cédric a fait une passe parfaite à Jean-Philippe, qui a fait dévier la rondelle dans le coin du filet. C'était 1 à 0 pour les Flammes.

À la table du pointeur officiel, David a sorti mon papier et ouvert son micro.

— Mesdames et messieurs, vous venez d'assister à un moment historique...

— Pas maintenant, David! ai-je crié. Cédric n'a pas marqué! C'était Jean-Philippe!

Le micro s'est éteint.

Pendant que les Flammes se réjouissaient, Jean-

Philippe a plongé la tête dans l'encolure de son chandail pour vérifier l'état de son bébé œuf. Il a levé le pouce. Wendell allait bien.

Les Éclairs ont marqué à leur tour, créant ainsi l'égalité.

Puis, juste avant la fin de la période, Marc-Antoine a envoyé la rondelle à Carlos dans l'enclave. Notre grand ailier s'est débarrassé d'un défenseur, puis a exécuté un tir frappé qui a projeté la rondelle entre les jambes du gardien de but : 2 à 1 pour les Flammes.

— Mesdames et messieurs, vous venez d'assister à un moment historique...

— Non ! C'était Carlos! ai-je crié. Cédric n'est même pas sur la glace!

Clic!

Des gloussements se sont élevés dans la foule.

À la pause, le vestiaire était rempli de joueurs débordants de confiance. Même si nous ne menions que par un but, les Flammes avaient donné une performance solide sur toute la ligne.

Carlos était convaincu que l'équipe avait un atout supplémentaire.

— Vous savez, a-t-il dit d'une voix lente, je commence à croire que le cent sous la glace est vraiment ma pièce chanceuse.

Alexia a poussé un grognement en donnant une tape sur son propre casque.

— Les arbitres ont ramassé 2000 pièces et en ont oublié une, a-t-elle dit à Carlos. Un point, c'est tout.

Carlos n'était pas convaincu :

— Je sais que ça semble ridicule, mais quand j'ai marqué mon but, la rondelle se trouvait exactement sur cette pièce. Si ce n'est pas de la chance, qu'est-ce que c'est?

— C'est de la chance, c'est de la chance! s'est empressé de dire Boum Boum. Maintenant, écoutez bien. Voici les bidules de la deuxième période.

— Ajustements, ai-je chuchoté dans mon magnétophone.

L'entraîneur avait quelques suggestions, mais la stratégie demeurait la même.

— Nous allons battre ces zigotos, a-t-il conclu. Alors, allez-y et n'hésitez pas à faire des patentes!

C'était dans des moments pareils que Mme Blouin nous manquait. Elle savait traduire les instructions les plus bizarres de son mari. J'espérais qu'elle reviendrait bientôt.

Mais les patentes – peu importe ce que ça voulait dire – devaient être exactement ce que faisaient les Flammes durant la deuxième période. C'était le même jeu solide, mais avec plus d'intensité. Lorsque les Éclairs ont tenté de miser sur leur grande taille pour ralentir le jeu, les Flammes leur ont tenu tête. Alexia et Carlos ont effectué plusieurs mises en échec, et Kevin a amorcé quelques attaques à reculons pour déstabiliser l'adversaire. Chaque fois que les Éclairs parvenaient à créer une occasion de marquer, Jonathan était prêt à faire l'arrêt.

J'ai dicté une nouvelle idée de titre dans mon micro : *La mauvaise passe est chose du passé.*

C'était le meilleur match de la carrière des Flammes!

Il n'y avait qu'un problème. Benoît a marqué sur une passe de Jean-Philippe. Carlos a réussi son deuxième but de la partie en avantage numérique. Alexia a poussé l'avance à 5-1 avec un but prodigieux sans aide, après avoir dominé un trio de l'école secondaire. Vous voyez ce que je veux dire? Tout le monde marquait des buts, à l'exception de Cédric! Et chaque fois, David ouvrait son micro et commençait à lire mon texte :

— Mesdames et messieurs, vous venez d'assister à un moment historique...

Et je devais me lever en criant :

— Pas maintenant, David!

C'était quoi, son problème? Les Flammes portaient leur nom sur le dos de leur chandail, bon sang! Quelle sorte de pointeur officiel n'aurait pas su qui avait marqué?

Boum Boum m'a regardé d'un air perplexe.

— Quelle est donc cette bébelle entre David et toi? Pourquoi parle-t-il de moment historique?

— J'ai rédigé un petit discours au cas où Cédric établirait son record, ai-je expliqué. Mais David n'arrête pas de se tromper.

Cédric m'a foudroyé du regard :

— Tamia, je t'ai dit que je ne voulais pas faire toute une histoire avec ça. Maintenant, si je ne marque pas de but, j'aurai l'air d'un parfait idiot!

— Mais bien sûr que tu vas marquer un but! ai-je protesté. Tu le fais toujours!

Cédric a haussé les épaules.

— On gagne, on dispute un bon match... Qui se soucie de savoir qui a marqué?

— Le journaliste, voilà qui! ai-je riposté. C'est ça qui fait un bon article. Qui s'intéresserait à un explorateur qui a navigué sur seulement six des sept mers? Ou qui a exploré trois des quatre coins de la terre? Eh bien, personne ne veut lire un article au sujet d'un gars qui a marqué au moins un but dans 99 matchs consécutifs sur 100! Si tu veux faire la une de *Sports Mag*, il va te falloir les bons chiffres!

Avant qu'il puisse répliquer, Marc-Antoine, notre joueur le plus lent, a marqué un but en échappée! En échappée! Marc-Antoine, un patineur si lent que la défense pourrait aller se préparer un lait frappé et revenir à temps pour l'arrêter! Marc-Antoine, l'escargot humain!

— Allez! ai-je sifflé dans la nuque de Cédric. Si Marc-Antoine peut le faire, toi aussi!

— Mesdames et messieurs, vous venez d'assister à un moment historique...

Cédric, Boum Boum et moi nous sommes écriés en chœur :

— Tais-toi!

Des éclats de rire ont résonné dans les gradins.

Je me suis tenu la tête à deux mains. Tout ce que je voulais, c'était un beau petit but, suivi d'une belle petite annonce. Était-ce trop demander?

Chapitre 10

Durant la troisième période, j'ai abandonné mon siège de journaliste derrière le banc des Flammes pour aller m'asseoir avec David. Il fallait que je le fasse taire jusqu'au bon moment. Nous en étions au point où toutes ses annonces, même les plus sérieuses, provoquaient l'hilarité des spectateurs. Quand il a annoncé un changement de gardien pour les Éclairs, les explosions de rire étaient si assourdissantes que le gardien a refusé de sortir du vestiaire.

Croyez-moi, ma position était inconfortable à plus d'un point de vue. D'abord, David était de mauvaise humeur parce que les gens riaient de lui. Ensuite, comme il n'y avait pas de siège vacant, je devais m'accroupir sur mon sac à dos. Je ne pouvais pas m'appuyer de tout mon poids, parce que Vanille était à l'intérieur, protégée par la casserole de ma mère. J'étais donc juché dessus, sans être vraiment assis. J'avais l'impression que mes genoux allaient me lâcher. C'était atroce.

Enfin et surtout, j'étais de plus en plus nerveux. Avec une grosse avance de cinq buts, les Flammes avaient adopté une attitude défensive et cessé de marquer. Comment Cédric allait-il avoir son but s'il n'y avait plus de jeu offensif?

Quelle frustration! Nous étions à l'aube d'un moment historique, et j'étais le seul à m'en soucier! Parfois, je pense que le sport se porterait mieux si on enlevait tous les athlètes pour ne garder que les journalistes. Ce serait beaucoup plus spectaculaire. Et personne n'interromprait une série de matchs avec but juste avant le centième. C'est certain!

J'ai presque craché mes poumons :

— Allez, Cédric! Tu es capable! Je suis avec toi! Bon sang, Cédric, tu vas tout gâcher!

Les minutes s'écoulaient, et je restais là, accroupi et misérable, les jambes tenaillées par des crampes. Bien sûr, je savais que notre équipe était en train de remporter un match important. Je savais qu'elle conservait ses chances d'aller en éliminatoires. Mais je ne pouvais pas me décider à écrire là-dessus. Il avait fallu trois ans pour se rendre à 99 parties! Si Cédric ne marquait pas durant ce match, il devrait recommencer à zéro! Quel gaspillage!

— Dernière minute de jeu, a annoncé David.

Même à ce moment, après toute une période sans but, il a provoqué des éclats de rire.

Je l'admets : j'ai abandonné tout espoir. Je suis resté

assis, la poignée de la casserole plantée dans la cuisse, avec la conviction que le meilleur article de ma carrière s'envolait en fumée.

— Il ne va pas marquer de but, ai-je dit à haute voix.

Je ne m'adressais à personne en particulier. J'avais juste besoin de l'entendre.

À 30 secondes de la fin du match, les Flammes se contentaient de patiner pour tuer le temps. Soudain, le capitaine des Éclairs a enlevé la rondelle à Jean-Philippe et effectué un lancer du poignet. Peut-être à cause de notre avance de cinq buts, Jonathan était très sûr de lui. Au lieu de bloquer la rondelle avec son corps, il l'a frappée avec son bâton comme si c'était une balle de baseball.

Poc!

La rondelle s'est envolée au-dessus de la tête des joueurs et a atterri dans la zone neutre derrière les défenseurs des Éclairs. Après un rebond, elle a roulé jusqu'à Cédric et Alexia, qui venaient d'arriver sur la glace pour un changement de trio.

Mes yeux étaient exorbités. C'était l'un de ces rares grands moments de hockey : une double échappée, deux contre le gardien!

Alexia s'est emparée de la rondelle et a filé du côté droit, à la vitesse de l'éclair.

— Nooon! ai-je crié. Donne-la à Cédric! *À Cédric!*

C'est ce qu'elle a fait, avec une passe en retrait juste à l'intérieur de la ligne bleue, avant de s'écarter sur la gauche pour lui laisser le champ libre.

Cédric a dû penser qu'elle avait un meilleur angle, car il la lui a aussitôt renvoyée.

Elle la lui a retournée en disant :

— Marque, champion!

À ce moment, Alexia se trouvait au coin du filet. Aucun joueur de hockey ne tenterait de marquer lorsqu'un coéquipier est aussi bien placé pour faire dévier la rondelle dans le but.

Cédric a donc renvoyé la rondelle à Alexia.

Le pauvre gardien était en train de devenir fou à les regarder jouer à la patate chaude.

Dix secondes... neuf... huit...

— Que *quelqu'un* marque! a crié Boum Boum.

Je pouvais lire l'expression d'Alexia à travers sa visière. Elle avait tout fait pour favoriser un but de Cédric. C'en était assez. Il allait marquer, qu'il le veuille ou non!

Elle a contourné le filet, puis visé soigneusement en direction de... Cédric!

Pow!

La rondelle a frappé le bâton de Cédric avant de filer entre les jambières du gardien. Compte final : 7 à 1 pour les Flammes.

J'étais survolté. C'était le jeu d'Alexia, mais la rondelle avait frappé la lame du bâton de Cédric avant d'entrer dans le filet. Le but était donc à lui. Cédric Rougeau avait complété une série de 100 matchs consécutifs avec but!

J'ai tapé David dans le dos.

— Qu'est-ce que tu attends? Vas-y, lis mon texte!

— D'accord! a répondu David en saisissant un papier et en allumant le micro. Le propriétaire d'une Volvo bleue est prié de se rendre au stationnement. Ses phares sont allumés.

— Non! ai-je hurlé. C'est le mauvais papier!

Tout énervé, David a saisi une autre feuille.

— Le casse-croûte va fermer dans cinq minutes...

— Ah, donne-moi ça! ai-je dit en lui enlevant le micro des mains pour faire l'annonce moi-même. Mesdames et messieurs, vous venez d'assister à un moment historique. Avec ce but brillamment exécuté, Cédric Rougeau vient de compléter une série de 100 parties consécutives avec but. Vous avez eu la privelège d'être témoin de ce nouveau record qui restera longtemps inégalé!

Je me suis interrompu pour donner à la foule l'occasion d'applaudir. Au lieu de cela, les spectateurs se sont levés et se sont dirigés vers la sortie.

— Quel est leur problème? ai-je demandé.

David m'a tendu le fil du micro. La fiche pendait à l'extrémité.

— Tu as débranché le fil.

J'étais horrifié.

— Tu veux dire...

— Personne ne t'a entendu.

— Vite, l'ai-je supplié. Rebranche-le! C'est important.

À ce moment, l'aréna était pratiquement désert.

— Revenez! ai-je supplié dans le micro. Vous manquez un grand moment de hockey! Ah, zut!

Dans le vestiaire, Cédric acceptait modestement les félicitations de ses coéquipiers et de l'entraîneur.

En tant que journaliste de l'équipe, j'avais droit à la première entrevue, surtout que cette histoire de record était mon idée.

— Qu'est-ce que ça te fait d'être le premier joueur de l'histoire à compléter 100 matchs de suite avec but? ai-je demandé en approchant le micro de sa figure.

— Ça m'embête, si tu veux le savoir, a-t-il dit d'un air dégoûté. Et tu m'embêtes d'avoir fait toute une histoire avec ça.

C'est agréable de se sentir apprécié.

Alexia s'est approchée.

— Félicitations, le champion, a-t-elle dit. Tu n'aurais jamais réussi sans moi.

— C'est vrai, je l'admets, a répondu Cédric en riant. Je suis content d'avoir établi ce record, mais surtout, je suis content qu'on ait gagné. Il ne nous reste plus qu'un match avant les éliminatoires.

Jonathan a déposé son bloqueur et son gant sur ses jambières.

— Je ne comprends pas, a-t-il dit en fronçant les sourcils. L'équipe des Panthères a encore perdu aujourd'hui. Elle est donc éliminée. Et les Rois sont trop loin derrière pour avoir une chance. Alors, qui d'autre que nous peut prétendre à la huitième place?

— Est-ce qu'on l'aurait déjà obtenue? a demandé

Carlos.

— Non, a répondu Cédric. Il nous faut définitivement une autre victoire.

— Ou alors, il faut que ces autres zouaves perdent, est intervenu l'entraîneur. Tout le monde est prêt? Où est Jean-Philippe?

Nous l'avons finalement trouvé au centre de la glace, assis sur le point de mise au jeu, entouré de ses vêtements et de son équipement. Il était plié comme un bretzel, en train de fouiller dans son épaulière.

— Jean-Philippe! s'est exclamé Boum Boum, stupéfait. Qu'est-ce que tu fais là? Remets tes bidules immédiatement!

— Je ne trouve pas Wendell! a lancé Jean-Philippe d'un air inquiet.

— Qui est Wendell? a demandé l'entraîneur.

Soudain, le visage de Jean-Philippe s'est éclairé d'un sourire soulagé.

— Le voici!

Il a sorti son bébé œuf de son épaulière, tout enrubanné dans un cocon de papier hygiénique.

— Hé, mon petit coco! Tu m'as fait peur!

Je suis certain que même Mme Spiro aurait été satisfaite. Nous avions là un enfant normal, assis à moitié nu dans un aréna, en train de faire faire un rot à une coquille d'œuf vide.

Puis je me suis rappelé que je devais vérifier l'état de Vanille. J'ai aussitôt ouvert mon sac à dos, défait l'élastique et jeté un œil dans la casserole préférée de ma mère.

— Hourra!

Vanille n'était même pas fêlée. Je commençais probablement à m'habituer à mon nouveau rôle de père.

En remontant la fermeture éclair de mon sac, j'ai aperçu le tableau du classement. J'ai retenu mon souffle. Je venais de voir quelle équipe aurait la chance d'éliminer les Flammes avant les séries. Les Matadors avaient si bien joué lors des derniers matchs qu'ils étaient tout à coup à un demi-match des Flammes. Et contre quelle équipe allions-nous jouer samedi pour terminer la saison?

Les Matadors eux-mêmes. Ce serait eux ou nous.

Je ne cessais de repasser tout ça dans ma tête. Mais chaque fois, ma conclusion était la même : le chemin vers les éliminatoires passait par le grand Stéphane Soutière.

Chapitre 11

Le jeudi, notre école était fermée en raison d'un congé pédagogique. La ligue avait donc prévu plusieurs entraînements au centre communautaire.

Comme d'habitude, M. Fréchette avait octroyé la pire heure aux Flammes : 6 h du matin. Il ne ratait jamais une occasion de narguer les Marsois.

Après l'entraînement, nous sommes retournés au magasin d'aliments naturels pour déjeuner. Le repas était dégueu, bien sûr : des crêpes au tofu, avec du yogourt nature au lieu de sirop. Mais maintenant, nous maîtrisions tous l'art d'ignorer nos papilles gustatives et de tout engloutir sans protester.

Le seul problème était Mme Blouin. Elle n'avait vraiment pas l'air dans son assiette. Elle était là pour nous accueillir et nous redonner nos bébés œufs, qu'elle avait gardés pour nous, mais elle est aussitôt repartie faire une sieste.

De toute évidence, Boum Boum était inquiet. Il lui ouvrait la porte, tirait sa chaise, l'empêchait de préparer la nourriture et de débarrasser la table.

Lorsque nous nous sommes retrouvés seuls dans le restaurant, Jonathan a dit :

— J'espère que Mme Blouin n'est pas malade.

— Ouais, a renchéri Kevin. Je n'aurais jamais cru dire ça un jour, mais elle a presque l'air... laide.

Alexia a poussé un grognement de dégoût.

— Vous n'avez pas honte? Elle ne se sent pas bien et a l'air d'une personne normale au lieu d'une couverture de magazine. Et vous, tout ce qui vous importe, c'est que le spectacle est moins beau que d'habitude? Donnez-lui une chance! Je suis certaine qu'elle sera de nouveau superbe pour les éliminatoires.

— Les éliminatoires! a grommelé Marc-Antoine. On ferait mieux d'oublier ça! Stéphane Soutière va nous écraser samedi.

— Tout n'est pas perdu, a dit Cédric d'un air plus ou moins convaincu.

— Pourquoi ne voulez-vous pas m'écouter? me suis-je écrié en me levant d'un bond. Ce gars-là est trop vieux pour la ligue!

— Tamia, on a déjà fait le tour de la question, a dit Alexia en réglant son volume au plus bas. On ne peut rien faire sans preuve.

— Si on téléphonait à M. Fréchette? ai-je suggéré.

— Pour lui dire quoi? a demandé notre capitaine. Que

tu penses avoir vu de la crème à raser?

— J'en ai vraiment vu, ai-je rectifié.

— Ce n'est pas suffisant, est intervenu Cédric. On n'a pas le choix. On devra juste faire de notre mieux contre les Matadors.

Faire de notre mieux! Tu parles d'une mauvaise attitude!

Mais je n'avais pas perdu espoir. Après le déjeuner, je me suis rendu à l'arrêt d'autobus, déterminé à revenir à Bellerive. Les joueurs des Flammes étaient peut-être résignés à abandonner leur dernière chance, mais ce n'était pas le cas de leur journaliste! Tout mon reportage sur l'équipe Cendrillon était en jeu. C'est vrai : Cendrillon va au bal, elle ne se fait pas voler son billet par Stéphane Soutière!

Mon plan était simple. Les Flammes ne pouvaient pas parler à M. Fréchette sans preuve, mais son neveu le pouvait. J'étais certain que Rémi sauterait sur cette occasion de se débarrasser de Soutière. L'équipe des Matadors était la seule qui pouvait empêcher les Pingouins de remporter le championnat. Et sans Soutière, les Matadors n'étaient rien du tout.

Je suis arrivé au centre communautaire un peu avant 11 h. Bien sûr, ces chouchous de Pingouins avaient obtenu l'heure d'entraînement idéale. Ils avaient pu dormir en ce matin de congé, alors que les Marsois avaient dû se lever avec les poules.

L'entraîneur Morin était exigeant avec ses joueurs. Je

dois admettre qu'ils étaient beaux à voir, avec leurs passes précises et leur patinage de puissance. Ils n'avaient personne du calibre de Soutière, bien entendu. Mais ils avaient un marqueur potentiel à chaque position, à l'exception du gardien. Plus de la moitié des joueurs étaient choisis année après année pour faire partie de l'équipe des étoiles.

Ils m'ont accueilli comme je m'y attendais.

— Hé, regardez, c'est le journaliste martien!

Olivier a tenté de faire rebondir un lancer levé sur mon nez. Je l'ai instinctivement bloqué avec la casserole de ma mère.

Bing!

Rémi a foncé sur moi à toute vitesse. À la dernière seconde, il a freiné en enfonçant la lame de ses patins dans la glace. Un nuage de neige s'est élevé, recouvrant mes vêtements et le bouclier blindé de mon bébé œuf d'une fine poudre glacée.

— Hé, le plouc de l'espace! Que viens-tu faire sur Terre?

J'ai hésité. Si mes propres amis ne me croyaient pas au sujet de Soutière, Rémi ne me croirait pas non plus. Mais il y avait peut-être moyen de semer un doute dans son esprit.

— Alors, que penses-tu de Stéphane Soutière? ai-je dit d'un air désinvolte.

— C'était un coup de malchance la semaine passée, a-t-il dit en fronçant les sourcils. On peut battre les Matadors n'importe quand!

— Il est vraiment *fort,* ai-je insisté. Tu ne trouves pas que c'est bizarre? Il y a beaucoup de gars aussi grands que lui, mais ils sont loin d'être aussi forts. Et son style de jeu a beaucoup de *maturité*...

— Où veux-tu en venir, Tamia? a demandé Rémi d'un ton impatient.

Combien d'indices allais-je devoir semer? Il était bête comme ses pieds, ce type!

— C'est curieux que personne ne le connaisse, non? ai-je poursuivi. D'accord, il va à l'école secondaire du comté, mais les élèves de cette école s'inscrivent à des clubs en ville, participent à des activités... tu sais, avec des gars *de leur âge*...

— Attends une minute! m'a-t-il interrompu, une lueur de compréhension dans ses yeux de reptile. Tu penses qu'il est trop vieux, hein? Et tu veux que j'avertisse mon oncle. Pourquoi ne lui dis-tu pas toi-même? a-t-il ajouté en plissant les yeux.

— Heu, eh bien...

— Tu n'en es pas certain? Tu le voudrais bien, mais tu as seulement des soupçons, c'est ça?

— Je... Je... ai-je balbutié. J'ai juste pensé que tu voudrais demander à ton oncle de... de vérifier...

Rémi m'a jeté un regard méprisant qui m'a donné l'impression d'une douche froide.

— Pourquoi ferais-je ça? On a déjà affronté les Matadors. Maintenant, c'est à votre tour. Bonne chance! a-t-il ajouté avec un rire mauvais.

— Vous allez jouer contre eux tôt ou tard, ai-je rétorqué. Ils vous ont déjà battus, ils pourraient encore le faire. Et durant les séries, vous seriez éliminés.

— Eh bien, c'est à ce moment-là que je demanderai à mon oncle de faire une enquête. Mais en attendant, j'aurai le plaisir de voir les nonos de la nébuleuse se faire éliminer samedi!

Il s'est éloigné en lançant :

— Merci pour l'avertissement, le zouf!

J'étais furieux. Mon plan s'était retourné contre moi! Non seulement nous n'étions pas débarrassés de Soutière, mais je venais juste d'aider les pires ennemis des Flammes.

Cependant, tout n'était pas perdu. Qu'est-ce qui empêchait les Flammes d'agir? Alexia ne cessait de répéter que je n'avais aucune preuve. Si je pouvais en obtenir, la ligue serait dans l'obligation de renvoyer Soutière.

J'ai senti un élan d'excitation. C'était du véritable journalisme d'enquête. Comment pouvait-on prouver l'âge d'une personne? L'hôtel de ville conservait les dossiers de naissance. Mais s'il était né ailleurs? Son médecin avait sûrement un dossier, mais je n'avais pas le temps de téléphoner à tous les docteurs de Bellerive. Il fallait démasquer ce tricheur avant samedi.

Tout à coup, j'ai su où m'adresser : à son école. Son dossier contiendrait tous les renseignements nécessaires.

Je suis reparti vers l'arrêt d'autobus avec ma casserole. C'était la seule possibilité que j'avais d'aller à l'école secondaire du comté, car le lendemain, je serais à ma propre école.

Il m'a fallu trois autobus pour m'y rendre. À un moment donné, j'ai même oublié Vanille et j'ai dû courir en hurlant pendant un demi-kilomètre avant d'attirer l'attention du chauffeur. Cela m'a fait rater le prochain autobus, et j'ai dû attendre 40 minutes. C'était un vrai cauchemar!

L'école secondaire du comté est un grand édifice carré au beau milieu d'un champ. Le stationnement était rempli de voitures et d'autobus scolaires. Mais autrement, il n'y avait aucun signe de vie humaine partout où portait mon regard. Je sais que Mars n'est pas Times Square, mais cet endroit aurait pu se trouver au coin de la rue de Nulle Part et de l'avenue du Bout du Monde.

J'étais un peu nerveux quand je suis entré par la porte principale, en tenant Vanille à bout de bras comme si je me rendais à un souper communautaire. C'était très différent de l'école élémentaire de Bellerive. Je suis plutôt petit pour un enfant de sixième année, et les corridors grouillaient d'élèves de septième, huitième et neuvième années. Certains d'entre eux étaient plus grands que mon père.

Heureusement, nul ne me prêtait attention. Je me suis presque fait écraser à quelques reprises, mais au moins, personne ne m'a jeté à la porte.

Une cloche a sonné. En deux secondes, les corridors se sont vidés. J'ai trouvé le bureau et je suis entré.

Une secrétaire m'a jeté un regard soupçonneux.

— Tu ne devrais pas être en classe, toi? Pourquoi traînes-tu ça? a-t-elle ajouté en désignant ma casserole.

Pris de court, j'ai bredouillé :

— Je... Je...

Chapitre 12

Mon instant de panique a été interrompu par un vacarme dans le couloir. Des étudiants se bousculaient devant les casiers.

Bientôt, des cris se sont fait entendre :

— Une bataille! Une bataille!

La secrétaire s'est empressée de sortir en s'exclamant :

— Arrêtez ça tout de suite, vous deux...

Je me suis retrouvé seul devant un classeur portant la mention DOSSIERS DES ÉLÈVES. Je n'ai eu qu'à ouvrir le tiroir des S. C'était facile. Si jamais je m'ennuie un jour à *Sports Mag,* je pourrai toujours me faire embaucher pour animer l'émission J.E.

Savard... Sénécal... Soutière. Bingo!

La première page a confirmé mes soupçons : Soutière, Stéphane. Neuvième année.

Je le savais! Quel tricheur! Imposteur! Ça prenait vraiment un salaud pour se mesurer à des plus jeunes afin d'être une vedette! Eh bien, c'était terminé. Stéphane Soutière avait joué sa dernière partie dans la ligue Droit au but de Bellerive!

J'ai arraché le papier du dossier et l'ai glissé dans le photocopieur. J'étais aux anges. Je n'étais là que depuis deux minutes et ma mission était accomplie.

Tout à coup, une voix a lancé :

— Hé! Qu'est-ce que tu fais là?

Un homme de grande taille, vêtu d'un complet sombre, venait d'ouvrir la porte indiquant DIRECTEUR.

J'ai vite arraché le couvercle de ma casserole. L'élastique s'est cassé et s'est envolé, allant frapper le directeur au beau milieu du front.

— Aïe!

Après avoir mis la photocopie dans la casserole avec Vanille, j'ai détalé comme un lapin effarouché. Je suis passé près des deux bagarreurs dans le couloir, puis j'ai couru vers la sortie la plus proche.

Oh, non! La porte était verrouillée!

— Reviens ici! a crié la voix du directeur derrière moi.

J'ai emprunté un corridor au triple galop, en jetant des regards furtifs par-dessus mon épaule.

Soudain, des mains m'ont arraché ma casserole. Une enseignante portant un tablier m'a regardé d'un air désapprobateur.

— Bon, tu es là! Tu es en retard. Toute la classe attend, Hugo. Tu es bien Hugo, n'est-ce pas?

J'ai aperçu le directeur au bout du couloir.

Certainement que j'étais Hugo! J'ai suivi l'enseignante dans la classe, en prenant bien soin de refermer la porte.

— Oui, je suis Hugo.

— Va boire un verre d'eau, m'a-t-elle dit gentiment. On dirait que tu as couru un marathon.

J'ai trouvé un évier (il y en avait six dans la classe!) et je me suis versé un verre d'eau. L'enseignante a poursuivi son cours. Bon, je ne prétends pas comprendre la matière du niveau secondaire, mais pourquoi parlait-elle de soupe aux pois?

— Maintenant, nous portons le bouillon à ébullition, disait-elle. Attention de ne pas soulever le couvercle pour ne pas perdre de pression. Cela modifierait le temps de cuisson...

Elle a été interrompue par des coups à la porte. J'ai été saisi de panique. Je craignais que ce soit le directeur. Mais c'était juste un autre élève. Un élève qui transportait, lui aussi, une casserole.

— Je peux t'aider? a demandé l'enseignante.

— Est-ce que c'est le cours d'économie familiale? a demandé le nouveau venu. M. Louvain m'a envoyé avec le bouillon pour la soupe. Je suis Hugo.

Tous les yeux se sont tournés vers moi. De mon côté, j'avais le regard rivé sur la casserole de ma mère. Elle était devant l'enseignante, sur un brûleur à gaz allumé.

L'enseignante était déroutée.

— Qu'est-ce qu'il y a dans cette casserole, alors?

— *Vanille*! ai-je crié en me précipitant pour secourir

mon bébé œuf.

J'ai saisi la poignée du couvercle.

— Ayoye!

C'était brûlant. J'ai échappé le couvercle, qui est tombé par terre avec fracas. Une épaisse fumée noire s'est élevée de la casserole. Je ne voulais pas regarder à l'intérieur, mais il le fallait.

La chaleur avait fait exploser Vanille en mille morceaux. La serviette était fumante. Et un coin de ma photocopie avait pris feu. J'ai essayé de souffler pour éteindre la flamme, mais cela n'a fait que l'attiser.

Pschiiiit!

Un petit malin a voulu jouer au héros et a vidé l'extincteur dans la casserole. Toute la pièce s'est remplie de fumée. J'ai plongé les deux mains dans la casserole pour rescaper ma photocopie, mais le papier s'est désintégré entre mes doigts.

Au même moment, le système de gicleurs s'est déclenché. De l'eau a commencé à couler du plafond. Profitant de la confusion, j'ai accompli mon action la plus intelligente de la journée : je suis sorti par la fenêtre. Si la classe avait été au troisième étage au lieu du premier, cela ne m'aurait pas fait reculer.

Je ne me suis arrêté de courir qu'en atteignant les limites de la ville de Bellerive. C'est seulement là que je me suis aperçu que j'avais oublié la casserole préférée de ma mère. J'ai alors pris la décision unilatérale de ne pas retourner la chercher. Il valait mieux qu'elle pense que sa casserole avait disparu, plutôt que de découvrir ce qui s'était passé.

J'avais l'esprit si confus que je n'ai pas entendu la voiture qui arrivait derrière moi. Le coup de klaxon m'a presque envoyé dans le fossé.

Debout dans les hautes herbes, je l'ai regardée passer. Elle était surmontée d'une pancarte verte portant les mots : ÉLÈVE AU VOLANT.

Les yeux me sont sortis de la tête. Le gars qui conduisait a sursauté en me voyant. Il m'avait reconnu, c'était évident. Et je l'avais reconnu, moi aussi.

C'était nul autre que Stéphane Soutière.

Chapitre 13

— Il n'y a plus aucun doute! ai-je annoncé aux autres dans l'autobus, le lendemain matin. Stéphane Soutière n'est pas seulement trop vieux. Il est *beaucoup* trop vieux : il a 16 ans!

— Comment le sais-tu? a demandé Benoît.

— Il suit des cours de conduite, ai-je répliqué. Je l'ai vu hier quand je suis allé à son collège photocopier son dossier. Il est en neuvième année!

Tout le monde m'a applaudi.

— Bravo, Tamia! a lancé Jonathan. Désolé d'avoir douté de toi.

— Les séries, nous voici! a ajouté Carlos.

— Maintenant, nos partisans vont faire la vague! s'est exclamé Jean-Philippe.

— As-tu montré la photocopie à M. Fréchette? a demandé Benoît.

— Pas exactement, ai-je répondu.

— Pourquoi pas?

— Je l'ai, heu... perdue dans le feu, ai-je grommelé, les dents serrées.

— Ah, Tamia! a gémi Jonathan, qui n'avait pas hâte de recevoir un lancer frappé de Soutière. Tu avais une preuve et tu l'as perdue?

— C'est à cause de la prof d'économie familiale, ai-je protesté. Elle l'a fait cuire.

— *Cuire*? s'est exclamé Jonathan, les yeux écarquillés.

— Elle pensait que c'était de la soupe, ai-je expliqué d'un air peiné. Mais c'est un gars appelé Hugo qui avait la vraie soupe...

Avez-vous déjà essayé de raconter une histoire véridique, qui avait de plus en plus l'air d'un mensonge au fur et à mesure que vous la racontiez? Quand j'en suis arrivé à la partie des gicleurs, j'ai cru qu'ils allaient me jeter hors de l'autobus!

— Donc, si je comprends bien, tu n'as rien, a conclu Alexia.

— Mais j'ai *vu* la preuve! ai-je gémi. Et je peux témoigner du fait qu'il suit des cours de conduite!

— Témoigner où? a-t-elle demandé d'un ton sarcastique. À la Cour suprême des tricheurs de hockey?

— Mais c'est sûr à cent pour cent! me suis-je écrié. Ce gars-là a 16 ans! Je ne peux pas m'être trompé. Quand on le dira à M. Fréchette...

— M. Fréchette nous déteste, est intervenu Benoît. Il était parmi ceux qui ont voté contre notre admission dans la ligue. Il ne voudra pas nous écouter sans preuve.

— Mais il sera obligé d'écouter M. Blouin, ai-je ajouté. Il est notre entraîneur et notre commanditaire.

— Je peux déjà l'entendre, s'est esclaffée Alexia. Ce zigoto est trop machin pour jouer dans cette patente! Cela convaincra vraiment M. Fréchette!

— Mme Blouin parle français, elle! lui ai-je fait remarquer.

Jonathan a secoué tristement la tête.

— Demain, ce sera la dernière partie de la saison. Sans preuve, M. Fréchette devra mener lui-même une enquête, ce qu'il ne pourra pas faire avant la semaine prochaine. Peu importe comment on aborde le problème, on va devoir jouer contre Stéphane Soutière demain. Peut-être qu'on va le battre...

Les cris de ses coéquipiers manquaient d'enthousiasme. Au fond de mon cœur de journaliste, je savais que les chances des Flammes d'accéder aux séries étaient nulles.

Toutefois, les mines dépitées dans l'autobus n'étaient rien à côté de l'accueil que m'a fait Mme Spiro en apprenant ce qui était arrivé à Vanille. Elle a piqué une crise. Elle m'a traité comme si j'étais un tueur en série, pas un pauvre élève qui avait accidentellement brisé quelques coquilles d'œuf.

— Durant toutes les années où j'ai mené ce projet de bébés œufs, je n'ai jamais vu un parent aussi irresponsable! Imagine si Vanille avait été un véritable enfant!

— Mais elle ne l'était pas! ai-je riposté.

Mauvaise réponse. Je vous dis qu'elle était furieuse de la perte d'un malheureux petit œuf! Bon, d'accord, cinq œufs.

Elle a sorti un autre œuf d'un tiroir et a déposé une épingle à côté, sur le bureau.

— C'est ta dernière chance, Clarence, a-t-elle dit, les dents serrées. Si quoi que ce soit arrive à ce bébé œuf, tu n'en auras pas d'autre. Tu recevras un F pour ce projet. De plus, tu perdras le privilège de faire toutes tes rédactions sur l'équipe de hockey et tu seras exclu de la *Gazette*.

Si je ne suis pas tombé raide mort à ce moment-là, je vivrai probablement éternellement.

Ça ne me dérange pas de me faire engueuler. Et j'ai passé plus de temps en retenue qu'en classe. Mais cette fois, c'était sérieux. Il n'y a que deux choses qui font de Tamia Aubin la personne qu'il est : la première, c'est sa consommation de boules magiques, qui est maintenant une chose du passé grâce à maman et au dentiste. La seconde, et la seule qui me restait, c'était le reportage sportif. Sans cela, aussi bien disparaître.

J'ai évidé mon œuf avec autant de soin qu'un diamantaire. Après avoir terminé, j'ai voulu le montrer à Mme Spiro. Elle a refusé de le regarder.

— Voulez-vous que je le colore? ai-je demandé timidement.

Pas de réponse.

— Est-ce que je dois lui donner un nom?

Silence. Elle pensait probablement que cet œuf ne survivrait pas assez longtemps pour franchir la porte de la classe. À quoi bon baptiser cette pauvre créature?

— Bon, me suis-je dit à moi-même. Je ferai tout ça à la maison.

J'ai sorti une boîte à chaussures du placard. Mais je savais que cela ne procurerait pas le millionième de la protection nécessaire pour ce bébé œuf. Toute ma carrière de journaliste dépendait de la façon dont je me comporterais à partir de ce moment.

Dès que je suis arrivé chez moi, je me suis mis à l'ouvrage.

Ciment miracle à séchage rapide, disait l'étiquette sur le tube. *S'applique sous forme liquide et durcit en moins de cinq minutes.*

Comme les trous d'aiguille étaient petits, il m'a fallu plus d'une heure pour remplir toute la coquille. Après avoir terminé, j'avais un bébé œuf plus lourd qu'une balle de baseball. Une chose était certaine : rien ne pourrait écraser ce coco.

Mais en l'examinant, je n'étais toujours pas rassuré. D'accord, l'intérieur était aussi solide que du granit. Mais est-ce que la coquille risquait de se fêler et de se détacher? Avec mon métier de reporter en jeu, je ne voulais pas prendre ce risque.

Je suis allé dans le garage et j'ai regardé sur les tablettes. Il fallait que je trouve quelque chose pour renforcer la coquille.

Qu'est-ce que c'était que ce produit? *Scellant pour asphalte*. C'était le truc noir que nous avions étalé dans l'entrée, l'été précédent. Maman disait que cela remplissait les fissures et renforçait la surface. C'était exactement ce qu'il me fallait. Et il en restait tout un pot.

J'ai retiré le couvercle et trempé mon bébé œuf dans l'enduit bitumeux. Il est ressorti couvert d'une couche noire. Après l'avoir posé sur le couvercle pour le laisser sécher, je suis allé me laver les mains. Parfait! Ce truc ne s'enlevait pas. Ce n'était pas parfait pour les mains, mais pour les œufs, c'était idéal. Qu'est-ce qui pourrait être plus résistant qu'une entrée? Après tout, on y gare des véhicules!

J'ai trempé de nouveau mon œuf. Pendant qu'il séchait, j'ai regardé sur les tablettes pour voir s'il n'y avait pas autre chose. Une sorte d'assurance supplémentaire. Vous savez, comme porter un pantalon avec une ceinture et des bretelles pour être sûr qu'il ne tombera pas.

Tout à coup, j'ai trouvé. Du polyuréthane. Un revêtement de plastique transparent qui avait servi à refaire nos planchers deux mois auparavant. Ce n'était pas aussi dur que du ciment rapide, bien entendu. Mais la bonne nouvelle, c'est qu'on pouvait en appliquer autant de couches qu'on voulait. Plus il y en avait, mieux c'était. J'en ai appliqué six avant que maman vienne me chercher pour souper.

— Que fais-tu, Clarence? Qu'est-ce qu'il y a sur tes

vêtements?

L'état de mes vêtements est sa bête noire numéro deux (la première étant l'état de mes dents, bien sûr). Alors, pendant que mon chandail trempait dans du diluant à peinture et que mon pantalon subissait un cycle de lavage intensif dans la machine, elle m'a fait un discours sur « ce que ça coûte d'habiller un garçon de 12 ans par les temps qui courent ». Je ne savais pas qu'elle était si bonne en maths. Elle pouvait même calculer les taxes de vente.

Je n'avais plus qu'un seul recours : lui dire la vérité.

— Si je tue un autre bébé œuf, Mme Spiro a dit que je ne pourrais plus être journaliste.

Chère maman. Elle a eu pitié de moi.

— Bon, Clarence. Montre-moi donc mon petit-fils.

Nous sommes retournés dans le garage, où mon bébé œuf séchait sur une tablette.

Maman était stupéfaite.

— C'est un œuf, ça? On dirait une grenade! s'est-elle exclamée en le saisissant avec précaution. Pourquoi est-il si lourd?

— J'ai rempli l'intérieur de ciment, ai-je expliqué. Une fois sec, c'est plus dur que du béton, tu sais.

Ses lèvres ont frémi.

— Et comment s'appelle-t-il, celui-là?

J'ai réfléchi. Mes bonbons durs préférés sont les boules à la réglisse. Mais ce n'est pas une bonne idée de mentionner les boules magiques en présence de ma mère.

De plus, il n'y avait qu'un nom possible pour ce

Superman mutant noir.

— Maman, je te présente Cocozilla, le roi des bébés œufs.

Chapitre 14

Le matin de la plus importante partie de la courte carrière des Flammes, le ciel était sombre et couvert.

Toute la saison avait mené à ce point culminant. Une seule place restait inoccupée au classement des séries d'après-saison. Après ce match, une équipe se rendrait en éliminatoires, alors que l'autre se concentrerait sur la saison suivante.

J'aurais dû être ravi. C'était une occasion digne de *Sports Mag*! Deux équipes qui s'affrontaient au cours du dernier match de la saison! Elles jouaient le tout pour le tout! Je n'aurais pas pu souhaiter mieux.

Mais cette rencontre avait un goût amer d'injustice. Ce tricheur de Stéphane Soutière était trop vieux de deux ans pour cette ligue, et avait quatre ans de plus que la plupart des Flammes. Même les Pingouins avaient été incapables de l'arrêter. Et comment l'auraient-ils pu? Ils avaient 12, 13 et 14 ans, comme nous. Un gars de 16 ans est pratiquement un adulte. C'est comme si un enfant jouait contre Eric Lindros ou Paul Kariya.

Si j'avais mis cette photocopie dans ma poche au lieu de la casserole, rien de tout cela n'importerait, parce que Soutière serait déjà parti. Je ne pouvais pas m'empêcher de penser que c'était ma faute si les Flammes n'avaient aucune chance ce jour-là.

Toutefois, la première chose à faire était de préparer un autre protecteur à bébé œuf. Cocozilla devait venir assister au match avec moi, et je ne voulais pas le mettre en danger. Les boîtes à chaussures sont trop fragiles; le bois brûle; nous connaissons tous le danger que présentent les casseroles; et les gilets pare-balles ne sont pas offerts en taille œuf.

J'ai trouvé l'objet idéal. Nous avions à la maison l'un de ces dictionnaires géants de deux mille pages. Il mesurait près de 30 cm et pesait une dizaine de kilos. À l'aide d'un couteau à bifteck, j'ai découpé un petit compartiment au centre des pages. J'y ai déposé Cocozilla. Parfait. Quand le dictionnaire était fermé, on ne pouvait pas deviner qu'il contenait autre chose que des mots.

J'ai trouvé une vieille ceinture de cuir que j'ai attachée solidement autour du dictionnaire. Maintenant, Cocozilla avait tout ce qu'il fallait : protection, sécurité et camouflage. C'était plus qu'un protecteur. C'était une forteresse à bébé œuf!

Seulement, c'était un peu lourd. C'est pourquoi je suis arrivé en retard au magasin d'aliments naturels.

— Où étais-tu, Tamia? a demandé Jonathan. La partie commence dans une demi-heure! Vite, dépêche-toi!

Les autres joueurs étaient aussi nerveux que lui. Kevin n'arrêtait pas de polir son rétroviseur. Jean-Philippe avait le visage plongé dans son chandail et discutait à voix basse avec Wendell. Benoît avait grugé la mentonnière de son casque. Marc-Antoine tremblait. Même Alexia, qui gardait généralement la tête froide, avait une mine pâle et sévère.

Si l'équipe était tendue, l'entraîneur, lui, vibrait comme une corde de violon. Il courait du magasin au camion, sa queue de cheval claquant au vent comme un drapeau. Ses yeux étaient encore plus protubérants que d'habitude pendant qu'il aboyait ses instructions aux joueurs :

— N'oubliez pas vos patentes! Avez-vous tous vos cossins? Le machin! Qui a le machin?

— Calme-toi, Boum Boum, a dit Mme Blouin. Tout est là. Allons-y.

Chère Mme Blouin! Même si elle n'avait pas retrouvé la forme, elle nous accompagnait pour nous soutenir durant ce match important. Bien sûr, il y avait une autre possibilité qu'un journaliste ne pouvait pas ignorer : peut-être était-elle là parce qu'elle savait que nous nous ferions écraser, et que ce serait notre dernière partie de l'année. Je n'ai rien dit aux autres joueurs. Ils étaient assez inquiets comme ça.

Cédric nous attendait au centre communautaire. L'équipe s'est dirigée vers le vestiaire.

À la porte, Boum Boum a mis la main sur mon épaule.

— Tamia, c'est un gros bidule, m'a-t-il dit. Pourquoi ne

nous laisses-tu pas seuls quelques gugusses avant que la patente commence?

— D'accord, monsieur Blouin.

L'équipe avait bien droit à un peu d'intimité avant un événement comme celui-là. Un journaliste doit respecter ça.

J'ai ouvert mon magnétophone et je me suis baladé dans la foule pour capter l'atmosphère de l'événement. Les gradins étaient déjà remplis. J'ai remarqué un grand nombre de boîtes à chaussures dispersées parmi les partisans de Mars. Même si les parents des Flammes devaient garder les bébés œufs, ils ne voulaient pas manquer ce match.

Les Matadors avaient aussi beaucoup de partisans. Ils attiraient des foules importantes depuis l'arrivée de vous-savez-qui. Ils s'attendaient à décrocher une place aux éliminatoires, et ils avaient probablement raison.

J'ai croisé Nico Guèvremont et d'autres joueurs des Matadors dans le hall. Ils n'étaient pas encore en uniforme. Ils devaient se dire que leur seule présence était suffisante pour remporter ce match.

Comme d'habitude, Nico faisait des blagues :

— Hé, Tamia! C'est pour quoi faire, ce dictionnaire? Chercher des mots entre les mises au jeu?

— Rappelle-moi de t'expliquer un jour ce que c'est! ai-je répliqué en riant. Tu ne me croiras pas!

Tout à coup, j'ai figé sur place. Debout devant moi se trouvait Stéphane Soutière lui-même. Il n'avait pas l'air content de me voir. Il savait que je savais.

Il a dit, d'un ton précipité :

— Venez, les gars. Allons dans le vestiaire!

Le hall était si bondé qu'il a été retardé quelques instants. J'ai aperçu son t-shirt sous son manteau entrouvert. Il y était écrit :

École élémentaire du comté
Remise des diplômes
20 juin 2004

La signature de chaque élève était reproduite dessous. J'ai pu lire distinctement : Stéphane Soutière.

Mon cœur battait à tout rompre. Je n'avais pas besoin de son dossier pour prouver qu'il était trop vieux. Ce crétin était assez idiot pour avoir lui-même apporté une preuve et l'avoir affichée sur sa poitrine! S'il avait terminé sa sixième année trois ans plus tôt, il était donc bel et bien en neuvième année!

Il fallait que je trouve M. Fréchette. Il n'était pas dans le bureau, mais je l'ai aperçu qui se dirigeait vers les gradins avec d'autres officiels de la ligue.

— Monsieur Fréchette! Monsieur Fréchette! Venez vite!

Le président de la ligue s'est tourné vers moi. Il a froncé les sourcils. Quand cet homme me regarde, il ne voit pas un journaliste avec des nouvelles importantes. Il voit un Martien.

— Le match est sur le point de commencer, m'a-t-il dit d'un ton sec.

— C'est au sujet du match, justement! ai-je insisté. Ce n'est pas juste! Les Matadors...

— Écris-moi une lettre, m'a-t-il interrompu. Tout doit être mis par écrit. C'est la politique de la ligue.

Puis il m'a tourné le dos et s'est dirigé vers son siège.

— Stéphane Soutière a 16 ans! ai-je crié.

Mais mes paroles se sont noyées dans le brouhaha.

Il n'y a pas de sentiment plus terrible que de ne pas obtenir justice quand on est convaincu d'avoir raison.

J'ai couru à la table du pointeur officiel.

— David! Je suis content que tu sois là! Tu dois faire une annonce pour moi.

— Fiche le camp, Tamia! m'a-t-il dit en me foudroyant du regard. Tu m'as causé assez d'ennuis la semaine dernière.

— Mais c'est urgent! l'ai-je supplié. Tiens, donne-moi le micro. Je vais le faire moi-même.

— Pas question! a-t-il protesté, furieux. Je vais me faire renvoyer si je te laisse approcher du système de sonorisation.

— Ah, zut!

En me servant de mon dictionnaire comme bouclier, j'ai plongé parmi les spectateurs pour me frayer un chemin jusqu'au vestiaire des Flammes. Je sais, l'entraîneur m'avait demandé de les laisser seuls, mais l'enjeu était trop considérable.

Je suis entré en trombe et me suis écrié :

— J'ai une autre preuve que Soutière est trop vieux!

Jonathan s'est levé d'un bond.

— Une preuve? a-t-il répété. Où ça?

— Sur lui! ai-je répondu en décrivant son t-shirt. Tout ce qu'on a à faire, c'est de le montrer à l'arbitre.

Boum Boum a secoué la tête :

— Ça ne marchera pas. Le seul truc que je peux contester pour un avant de l'équipe adverse, c'est son bidule.

— Son bâton, a traduit Cédric. C'est dans le règlement. On ne peut pas demander à l'arbitre de regarder sous son chandail.

J'ai réfléchi.

— Je sais. L'un d'entre vous pourrait lui enlever son chandail pour que l'arbitre puisse voir son t-shirt!

— Pas question! a protesté l'entraîneur, horrifié. Ça aurait l'air d'une bébelle!

— D'une bataille, a expliqué Cédric. Lorsqu'un joueur se fait prendre en train de se battre, il est non seulement renvoyé du match, mais de la ligue. Et pour toujours!

Alexia a pris la parole :

— Je sais que tu veux nous aider, Tamia, mais ça ne marchera pas.

Boum Boum m'a ébouriffé les cheveux.

— Merci quand même, le jeune.

J'étais anéanti. Terrassé. Aussi bien admettre que la justice n'existe pas et que le crime paie!

— Alors, *moi*, je vais le faire, ai-je soudain déclaré.

— Toi? se sont exclamés la moitié des joueurs.

— Pourquoi pas? Je vais enfiler l'uniforme de rechange, louer des patins, emprunter de l'équipement, et voilà!

— Mais tu sais à peine patiner! a protesté Carlos.

— Je ne vais pas jouer durant tout le match, ai-je répliqué. Je vais aller sur la glace, ils vont laisser tomber la rondelle, puis je vais lui enlever son chandail! Peu importe s'ils me renvoient de la ligue! Je n'en ai jamais fait partie!

— C'est justement ça, le problème, a dit Jonathan. Tu ne fais pas partie des Flammes. Cela te rend aussi illégal que Soutière.

— C'est faux, a dit Boum Boum d'un air songeur. Quand j'ai rempli les formulaires pour commanditer la patente, j'avais peur que la ligue dise qu'on n'avait pas assez de gugusses. Alors, j'ai inscrit tous les garçons de Mars qui avaient l'âge requis.

Il a cherché parmi les feuilles de sa planchette à pince et a sorti la liste des joueurs qu'il avait choisis, avant la saison, pour faire partie de son équipe. Nos deux capitaines, Alexia et Cédric, n'y figuraient même pas à ce moment-là. Mais mon nom y était, tout en haut de la page : Aubin, Clarence.

Je me suis tourné vers Boum Boum :

— Laissez-moi essayer! C'est notre seule chance!

Ses yeux de mante religieuse ont tourné dans leurs orbites pendant qu'il réfléchissait. Puis il m'a dit :

— Prépare-toi!

Chapitre 15

Si j'avais peur? J'étais convaincu que j'allais mourir!

D'abord, si j'avais voulu être un joueur de hockey, je ne serais jamais devenu journaliste. Ensuite, Stéphane Soutière avait quatre ans de plus que moi. Quand je tenterais de lui enlever son chandail, il voudrait sûrement m'arracher la tête.

Cédric pensait la même chose.

— N'essaie pas d'être un héros, Tamia, m'a-t-il conseillé pendant la période d'échauffement. Fais ce que tu as à faire, puis couche-toi sur la glace. On s'occupera d'appeler l'arbitre.

— Bonne idée, ai-je dit. Écoute, Cédric. J'ai laissé Cocozilla sous le banc. Je devrais sortir après quelques secondes de jeu. Mais juste au cas où Mme Spiro en entendrait parler, c'est toi qui as gardé mon œuf, d'accord?

— Pas de problème, a-t-il dit en souriant. Avec ce que tu es prêt à faire pour nous, toute l'équipe serait ravie de signer pour toi.

Un murmure s'est élevé parmi les partisans de Mars. Ils devaient se demander qui était ce nouveau joueur. Tous les autres portaient leur nom sur leur chandail, alors que moi, le numéro 13, j'étais un inconnu.

L'arbitre a sifflé pour appeler les équipes au centre. C'était le moment!

Je me suis arrangé pour être près de Stéphane Soutière. J'ai presque avalé mon protège-dents quand il a pris position de l'autre côté du point de mise au jeu. Il n'était pas grand, mais moi, je suis pas mal petit. Et certaines parties de son corps me paraissaient énormes! Mes deux pieds auraient pu entrer dans l'un de ses patins. Sa tête était deux fois plus grosse que la mienne! Une idée ridicule m'a traversé l'esprit : j'avais abandonné les bonbons durs pour rien. Parce que si ce gars me cassait les dents, les caries n'auraient plus aucune importance.

Puis la rondelle est tombée.

J'ai lâché mon bâton et j'ai tendu la main vers le chandail de Soutière. Mais il n'y avait pas de chandail. Il n'y avait pas de Soutière. Il avait déjà traversé la ligne bleue.

— Bloquez-le! a crié Boum Boum du banc.

Benoît est arrivé d'un côté, et Kevin a reculé de l'autre.

Bang!

Soutière a freiné et nos joueurs se sont plaqués l'un et l'autre.

Boum!

Alexia a enfoncé son épaule dans les côtes de Soutière. Il s'est débarrassé d'elle et a continué de patiner. Cédric a tenté sa chance de l'autre côté, mais n'a pas réussi à l'arrêter. Soutière a foncé sur Jonathan et effectué un lancer du poignet qui a projeté la rondelle par-dessus l'épaule du gardien. Déjà 1 à 0 pour les Matadors.

Quand tous les joueurs sont revenus au cercle de mise au jeu, je n'avais toujours pas réussi à ramasser mon bâton sur la glace. C'est presque impossible avec ces gros gants, vous savez.

— Ce ne sera pas aussi facile que je pensais, ai-je chuchoté à Alexia.

Elle m'a répondu d'une voix si basse que je n'ai rien compris.

Mise au jeu!

Cette fois, je n'ai pas lâché mon bâton. J'ai simplement saisi une poignée de tissu et serré de toutes mes forces. Puis j'ai réussi à agripper un autre coin du chandail de l'autre main. J'étais sur le point de le lui enlever quand j'ai remarqué que je prenais de la vitesse.

Je ne blague pas – il m'a traîné du centre de la glace jusqu'à la pièce chanceuse de Carlos, où je suis finalement tombé. J'étais donc aux premières loges (le nez dans l'enclave du gardien) pour voir le deuxième but de la journée. D'abord une superbe feinte, puis un lancer levé qui a déjoué Jonathan du côté du bâton.

Quand je me suis relevé, l'arbitre m'a pointé du doigt.

— Numéro 13, deux minutes pour avoir retenu

l'adversaire.

— Je ne l'ai pas retenu! ai-je protesté. Je m'accrochais pour ne pas tomber. Si j'avais lâché prise, je me serais retrouvé dans le stationnement, enroulé autour d'un lampadaire!

Il m'a donné deux minutes de plus pour conduite non sportive. Un journaliste est censé remettre les choses en question, alors qu'un joueur de hockey doit garder le silence.

Boum Boum s'est approché du banc des punitions.

— As-tu changé d'idée, Tamia? m'a-t-il demandé d'un air inquiet.

J'ai regardé ce tricheur de Soutière, qui acceptait les félicitations de ses coéquipiers. Je me suis redressé.

— Bien sûr que non! ai-je déclaré. Je vais réussir, c'est promis!

Entre-temps, les Flammes avaient une double punition à écouler. Cédric a remporté la mise au jeu et envoyé la rondelle à Benoît. Ce dernier a fait une passe à Kevin, qui a renvoyé la rondelle à Alexia.

Tout à coup, j'ai compris. L'entraîneur devait avoir jugé qu'il n'y avait pas moyen d'arrêter Soutière. La seule tactique possible était de l'empêcher de s'approcher de la rondelle.

Finalement, le trio de Soutière est retourné sur le banc, et la deuxième ligne d'attaque est arrivée sur la glace. On a aussitôt vu la différence. Sans Soutière, les Matadors étaient faibles. Cédric, Alexia et les autres ont pu prendre un repos bien mérité. Notre deuxième trio est arrivé pour écouler ce qui restait de mes quatre minutes.

Soutière est revenu sur la glace juste avant que ma pénalité prenne fin. Boum Boum a aussitôt renvoyé Alexia sur la glace. La rondelle était dans notre zone. Alexia et Carlos se sont attaqués à Soutière dans le coin. Ces deux-là n'ont pas peur d'aller dans les coins de la patinoire, mais Soutière était si fort qu'il a fallu l'aide de Jean-Philippe, et finalement de Cédric, pour sortir la rondelle de notre zone.

Le chronométreur m'a tapé sur l'épaule :

— Ta pénalité est terminée.

Je suis revenu sur la glace juste au moment où la rondelle rebondissait par-dessus la ligne bleue. Elle a atterri en plein sur la lame de mon bâton.

D'accord, je n'étais là que pour déshabiller Stéphane Soutière. Mais je ne pouvais pas laisser passer l'occasion de faire une échappée.

Je suis parti à une vitesse record, le cœur battant et le coup de patin énergique. Mais je me suis aperçu que ma vitesse record n'était pas si rapide que ça. En fait, j'étais totalement épuisé en arrivant à la ligne bleue adverse. Mais j'ai continué, hors d'haleine et les jambes molles. Je ne sais pas comment je m'étais débrouillé, mais j'avais toujours la rondelle avec moi.

Puis j'ai entendu Boum Boum crier :

— *Attention!*

C'est alors que Soutière est arrivé derrière moi. Incroyable! Ce gars-là avait traversé toute la patinoire en moins de temps qu'il m'avait fallu pour franchir sept mètres.

Il a harponné la rondelle comme si je n'étais pas là. Elle a roulé jusqu'au gardien des Matadors, qui s'est aussitôt préparé à la dégager.

Tout à coup, je me suis rendu compte que j'étais à côté de Soutière. Je me suis tourné vers lui et j'ai commencé à tirer sur son chandail.

Le gardien a raté sa passe de dégagement. Cédric a bloqué la rondelle avec son corps juste à l'intérieur de la ligne bleue, puis a effectué un lancer frappé percutant.

— *Aïe!* me suis-je écrié.

Son tir foudroyant a heurté le fond de ma culotte de hockey, avant de continuer sa course jusque dans le filet des Matadors.

Chapitre 16

Les partisans de Mars étaient fous de joie, tout comme les Flammes. Ils m'assenaient des claques dans le dos et me félicitaient. C'est alors que j'ai compris : comme la rondelle avait rebondi sur moi, j'avais marqué un but!

— Bravo, Tamia! a lancé Carlos. C'est ce que j'appelle se servir de sa tête!

— Je n'ai pas marqué avec ma tête, ai-je tenté d'expliquer, mais plutôt avec...

— On a vu ça, m'a interrompu Boum Boum. Avec ton bidule!

C'est ça. Et mon bidule était encore douloureux.

Vous vous attendez probablement à ce que je vous dise que nous avons trouvé un moyen d'arrêter Stéphane Soutière. Oubliez ça. Personne de notre âge ne peut arrêter Stéphane Soutière. Pas même avec un champ de force comme celui du vaisseau de *Star Trek*.

Au cours de la première période, les Matadors ont

effectué 20 tirs au but, dont 18 venaient de Soutière. Jonathan a réussi quelques arrêts impressionnants, mais Soutière a exécuté un lancer frappé si puissant que Jonathan ne l'a même pas vu. C'était peut-être mieux ainsi. Si notre gardien avait tenté de la bloquer, la rondelle lui aurait traversé le corps! Les Matadors menaient 3 à 1 à la première pause.

Ma tâche – soulever le t-shirt de Soutière et révéler son âge à l'arbitre – était pratiquement impossible. La plupart du temps, j'avais l'impression d'être en train de pédaler sur un tricycle pour rattraper une Corvette.

À la deuxième période, Boum Boum a dit qu'il m'accorderait une dernière chance.

— Désolé, Tamia, m'a-t-il dit. On ne peut pas gaspiller toute la patente à essayer un truc qui ne fonctionne pas.

— Ça va, monsieur Blouin, je comprends, ai-je répondu.

Je comprenais. Mais j'étais accablé.

J'ai pourchassé Soutière sur toute la patinoire avant de réussir à m'entortiller dans son chandail, juste à l'extérieur de la zone de but des Matadors. Alexia s'est libérée d'un adversaire pour effectuer un solide lancer du poignet.

Poc!

— Ouf!

La rondelle a frappé le poteau, ricoché sur mon ventre et roulé entre les jambes du gardien.

C'est comme ça que j'ai obtenu mon deuxième but. Ainsi qu'un bleu assorti à celui de mon bidule.

Boum Boum riait quand je suis revenu sur le banc.

— Je ne peux pas te retirer! Tu es notre meilleur marqueur!

— Sais-tu pourquoi? m'a demandé Carlos. C'est à cause de ma pièce chanceuse. Tu étais en plein dessus quand tu as marqué.

Cédric était enthousiaste :

— Je ne sais pas ce qui se passe, mais on s'en sort plutôt bien! Si on continue à les talonner, peut-être qu'on aura notre chance.

— Je sais ce qui pourrait nous donner l'avantage! s'est exclamé Jean-Philippe en montant sur le banc pour faire face à la foule. La vague! Faites la vague! répétait-il en faisant une démonstration.

Pour toute réponse, il a obtenu des regards curieux, mais pas de vague.

— On n'aura pas besoin de la vague, l'ai-je assuré. Je vais démasquer cet imposteur devant tout le monde!

Mais c'était une promesse en l'air. Je ne réussissais pas à m'approcher de Stéphane Soutière, pas plus que les autres joueurs des Flammes. Ce type pouvait exécuter toutes les figures possibles à l'exception du huit. Pour le seul but qu'il n'a pas marqué lui-même, il avait si bien préparé le terrain que Nico n'aurait pas pu le manquer à moins d'être endormi. En moins de temps qu'il ne faut pour le dire, le pointage était de 5 à 2.

Puis, miracle suprême, les Flammes ont eu l'avantage numérique. Pour écouler la pénalité, Soutière a dû s'intégrer à une formation en carré. Je savais que je ne retrouverais pas une meilleure occasion. J'ai saisi deux poignées de chandail et levé de toutes mes forces. Je ne sais trop comment, mais ma tête a abouti sous son chandail.

— C'est quoi ton problème, le jeune? Es-tu fou? a grommelé sa voix, étouffée par le tissu.

Ce que je ne voyais pas, c'était que Kevin s'était lancé dans une attaque à reculons à partir de la pointe.

Boum!

Il nous a foncé dessus. Soutière a à peine bougé, mais je suis tombé comme une roche. Lorsque je me suis écrasé le nez sur la glace, la partie inférieure de mon masque a heurté le bord de la rondelle. Elle a rebondi dans les airs et s'est envolée en tournoyant vers le filet.

Le compte : 5 à 3 pour les Matadors.

Durant la deuxième pause, j'ai demandé à Kevin dans le vestiaire :

— Tu ne regardes jamais dans ton rétroviseur? J'avais presque enlevé son chandail quand tu nous as heurtés! Tu as tout gâché!

— Mais tu as marqué un but! a dit Kevin d'un ton surpris. Tu as réussi un tour du chapeau!

— On va réussir encore plus de buts quand ce tricheur sera parti! ai-je répliqué, furieux.

Je l'admets. Je m'étais pris au jeu. Mais j'avais encore assez de curiosité journalistique pour prêter l'oreille au discours qu'a fait l'entraîneur Wong à ses joueurs, au début de la troisième période. Il a parlé de coopération, de travail d'équipe et de l'importance de jouer tous ensemble.

Mais une fois que les joueurs sont arrivés sur la glace, Nico a tapé sur l'épaulière de Soutière.

— Toute l'équipe se voit déjà aux éliminatoires! Vas-y et gagne-nous ça!

Soutière s'est éloigné en souriant.

Je ne vais pas tenter de minimiser ce qui s'est passé : il nous a terrassés. Imaginez-le en train de filer sur la glace, deux ou trois plaqueurs accrochés à son équipement. Nous n'étions ni assez forts ni assez habiles. Et nous n'étions certainement pas assez vieux.

Vers la moitié de la période, il a marqué deux autres buts, portant le pointage à 7 à 3. Le dernier but était le lancer frappé le plus foudroyant que j'aie jamais vu. Jonathan l'a attrapé avec son gant, mais l'impulsion de la rondelle était telle qu'elle a entraîné sa main vers l'arrière, au-delà de la ligne de but. Soutière avait déjà égalé son propre record de buts dans un match, et il était sur le point de le dépasser.

— Faites la vague! a hurlé Jean-Philippe aux spectateurs. Vous ne voyez pas qu'on en a besoin?

Mais moi, j'avais un autre plan. Je ne réussirais jamais à passer le chandail de Soutière par-dessus sa tête. Alors, j'avais décidé de le déchirer, tout simplement. Et comme Soutière était toujours au cœur de l'action, c'est là que je suis allé.

C'est probablement pourquoi le tir de Benoît à partir de la pointe a ricoché sur mon coude avant d'aboutir dans le filet. J'en ai gardé une vilaine égratignure. Et c'est aussi pourquoi le tir raté de Carlos, qui venait de contourner le filet, m'a atteint au genou avant de dévier dans le but. Résultat : une grosse bosse douloureuse.

Il ne restait qu'une minute de jeu quand j'ai essayé de déchirer le chandail de Soutière. C'est alors qu'un lancer frappé cinglant m'a heurté les chevilles. Le compte est passé à 7 à 6, et j'étais complètement couvert de bleus.

Les spectateurs étaient survoltés. La moitié applaudissait pendant que l'autre moitié riait à gorge déployée. Imaginez : j'avais six buts à mon actif, sans que la rondelle ait été en contact avec mon bâton! Mes nombreuses blessures pouvaient en témoigner!

Les Matadors ont demandé un temps d'arrêt et se sont rassemblés près de leur banc. J'ai tendu mon oreille de reporter.

— C'est le p'tit gars, monsieur Wong! s'est plaint Soutière. Le numéro 13! Il faut trouver une façon de l'arrêter!

— Tu veux rire? s'est exclamé l'entraîneur. C'est le pire joueur que j'aie jamais vu! Il tient à peine sur ses patins!

— Il fait semblant! a protesté Soutière. C'est un fraudeur! Personne ne peut être aussi mauvais!

Alexia avait entendu. Elle m'a chuchoté en souriant :

— Ne sois pas insulté, Tamia. Nous, on le sait que tu es vraiment mauvais.

Boum Boum a encore roulé ses yeux de mante religieuse. Mais il ne savait pas quel conseil nous donner dans une situation pareille. Après tout, que voulez-vous dire à une équipe qui a marqué six buts, et tous par erreur?

— Tamia, a-t-il fini par dire, continue à faire les mêmes cossins.

— Mais je n'ai pas fait de cossins! ai-je riposté.

— Exactement, a-t-il déclaré d'un air satisfait.

Au même moment, l'arbitre nous a rappelés sur la glace.

— Qu'est-ce qu'il voulait dire? ai-je demandé à mes coéquipiers en me mettant en place pour la mise au jeu.

Personne ne m'a répondu. En fait, l'aréna tout entier était silencieux. Il restait 58 secondes de jeu. Il ne nous fallait plus qu'un but pour rejoindre les Matadors. La huitième place n'était toujours pas acquise. C'était le moment ou jamais. L'instant critique. La plupart des journalistes ne peuvent que rapporter un pareil événement. Alors que moi, j'étais au beau milieu de l'action.

Je n'oublierai jamais cette sensation!

Chapitre 17

Cédric était la concentration incarnée quand il a pris position face à Stéphane Soutière. Mais les yeux du grand de 16 ans étaient posés sur moi.

—Tu es bon, le p'tit, a-t-il dit de sa grosse voix de policier. Mais je suis meilleur que toi.

Cédric et Alexia lui ont ri au nez.

— Qu'est-ce qu'il y a de si drôle? a lancé Soutière, furieux.

— Tamia va t'avoir! s'est moquée Alexia.

— Tu n'as aucune chance contre lui! a renchéri Cédric.

— Êtes-vous fous? ai-je sifflé. Qu'est-ce que vous faites?

— Tamia? a répété Soutière en regardant fixement mon masque. Je te reconnais! Tu es ce jeune journaliste qui me suit partout. Qu'est-ce que tu me veux?

— Eh bien, pour commencer, tu devrais jouer contre des gars de ton âge... ai-je commencé d'un ton fâché.

— Hé! nous a interrompus l'arbitre. Arrêtez ça, vous deux!

Il était évident que Soutière était énervé, parce qu'il a raté la mise au jeu. Cédric, plus rapide, s'est emparé de la rondelle. Il a dévalé le couloir central et expédié la rondelle dans la zone adverse. Les deux équipes se sont lancées à sa poursuite. Quant à moi, je me suis lancé à la poursuite de Soutière.

— Plus que 50 secondes! a crié Boum Boum du banc.

Un défenseur des Matadors a saisi la rondelle dans le coin, mais Alexia l'a plaqué avec l'épaule. Elle a fait une passe à Kevin, qui a fait un lancer à partir de la pointe.

Le gardien a réagi par un arrêt rapide avec son bâton. Benoît s'est jeté sur le rebond et effectué un lancer frappé court. Un autre arrêt!

Une foule de bâtons se sont entrechoqués autour de la rondelle. Pourquoi Soutière ne tentait-il pas de s'emparer de ces rebonds? Au fait, où était-il passé?

J'ai aperçu un éclair bleu par-dessus mon épaule. C'était le chandail de Soutière. Il me talonnait! Il pensait que j'étais bon!

— Je suis pourri! ai-je crié en me tournant pour agripper son chandail.

J'ai perdu l'équilibre et je suis tombé en pleine figure. Étourdi, je me suis relevé tant bien que mal.

— Tu vois? ai-je dit.

Nico était en possession de la rondelle, mais Cédric l'a adroitement harponnée. Il a levé son bâton pour frapper.

La voix tonitruante de Boum Boum nous est parvenue du banc :

— Envoie la gugusse à Tamia!

— *Quoi?*

Ce cri ne venait pas seulement de moi, mais de toute notre équipe et de la moitié des Matadors.

— Envoie-la à Tamia! a-t-il répété.

Alors, Cédric Rougeau – mon coéquipier, mon ami – a pivoté et fait un lancer frappé fulgurant dans ma direction.

Je me suis penché pour l'esquiver.

Bing!

La rondelle a percuté mon masque. Je suis encore étonné que la vibration n'ait pas délogé toutes mes dents. Mais la rondelle n'a pas rebondi. Elle est restée coincée entre les mailles de mon grillage!

Elle me bloquait entièrement la vue. J'étais soudainement aveugle.

— Plaquons-le! a hurlé Stéphane Soutière.

Pour me plaquer, il m'a plaqué. Imaginez : Stéphane Soutière, 16 ans, fonçant sur Tamia Aubin, à peine 12 ans et loin d'être un vrai joueur. C'était la reine des mises en échec.

Boum!

J'ai eu l'impression de me faire frapper par un train express. Tous les petits bobos causés par mes six buts se sont fusionnés dans une unique douleur atroce. Le coup était si rude que ma tête a été rejetée en arrière. La collision a dégagé la rondelle de mon masque… et celle-ci a bondi entre la jambe tendue du gardien et son gant pour atterrir dans le filet.

— Ouille!

Ce poteau était vraiment dur! J'ai titubé jusque dans les bras de Cédric. J'étais furieux.

— Tu l'as fait exprès! lui ai-je lancé.

— Génial, Tamia! Tu as égalisé la marque! a-t-il crié, fou de joie.

Les partisans de Mars criaient si fort que j'ai cru que le plafond allait nous tomber dessus. Kevin a fait un saut vers l'arrière et nous a renversés comme des quilles. Benoît s'est ajouté au tas de joueurs empilés.

La voix de David a résonné dans les haut-parleurs :

— Mesdames et messieurs, vous venez d'assister à un moment historique. Tamia Aubin a marqué sept buts en un seul match... et le casse-croûte va fermer dans cinq minutes.

On a entendu plus de rires que d'acclamations, mais c'était tout de même un grand moment. Le plus important, c'était que nous avions toujours une chance d'aller en séries. Les Flammes et les Matadors étaient à 29 secondes d'une prolongation!

L'entraîneur Blouin m'a rappelé au banc et a envoyé Marc-Antoine écouler le temps qui restait. Carlos, qui tripotait sa bretelle déchirée, m'a tapé dans le dos en s'exclamant :

— Super, Tamia!

— Hé, ça fait mal! ai-je protesté. J'ai reçu une rondelle à

cet endroit, tu sais!

— Tu as reçu une rondelle partout! s'est esclaffé Carlos, avant de se tourner vers Boum Boum. Savez-vous comment je pourrais réparer cette bretelle?

L'entraîneur était trop pris par le match pour s'occuper de problèmes d'équipement.

— On a la patente! a-t-il soudain déclaré.

Les joueurs l'ont regardé d'un air perplexe.

— La stratégie? a demandé Cédric.

— La vague? a suggéré Jean-Philippe.

Boum Boum a secoué la tête.

— Non, le machin-truc! Vous savez, l'affaire!

— L'esprit d'équipe? a proposé Alexia.

— L'avantage? ai-je tenté à mon tour.

— C'est ça! a dit l'entraîneur en claquant des doigts. Rappelez-vous, on les devançait d'un demi-match dans le classement. En prolongation, qu'on obtienne une victoire ou un match nul, on aura notre place aux éliminatoires! Ces zigotos devront nous battre pour accéder aux séries!

Nous nous sommes redressés. Sur la glace, les lames des patins de nos joueurs semblaient un peu plus étincelantes. On pouvait sentir l'espoir qui renaissait. Était-ce enfin la lumière au bout de ce long tunnel?

Puis tout s'est assombri.

Cédric a perdu la mise au jeu. Alexia a échappé son bâton. Le patin de Marc-Antoine s'est délacé. Et, pour une raison obscure, Benoît est parti à reculons pendant que Kevin s'élançait vers l'avant. Tous deux sont tombés.

Les Flammes et leurs partisans ont regardé, angoissés, Soutière qui se ruait vers notre filet. Le pauvre Jonathan tremblait tellement que je pouvais entendre son bâton jouer des castagnettes contre la glace.

Et voilà. C'était la fin de la plus belle histoire d'équipe Cendrillon de tous les temps. Je n'ai pas pu m'en empêcher. J'ai exprimé ma frustration en hurlant :

— *Noooon!*

Juste à l'extérieur de la zone de but, Soutière a amorcé sa feinte. Soudain, ses patins se sont dérobés sous lui. Le grand Stéphane Soutière, le meilleur patineur de la ligue, s'est affalé de tout son long sur le dos. La rondelle a glissé derrière le filet.

J'ai cru que Boum Boum allait défoncer le plafond.

— Il a trébuché! s'est-il écrié d'un air surpris.

— Il a trébuché sur rien du tout! ai-je ajouté, le souffle coupé.

Carlos a laissé tomber la ceinture qu'il utilisait pour réparer sa bretelle. Il a regardé l'endroit où Soutière était tombé.

— Ce n'était pas rien, a-t-il rectifié d'un air bouleversé. Il a trébuché sur ma *pièce chanceuse*!

Jean-Philippe a grimpé sur le banc.

— Il est temps de faire la vague! La vague!

Lorsqu'il s'est penché pour faire une démonstration à la foule, un petit objet vert est tombé de l'encolure de son chandail et a roulé le long des gradins.

Il a écarquillé les yeux, horrifié.

— Wendell! a-t-il lancé d'une voix rauque, en agitant les bras dans les airs.

Ce geste a attiré l'attention de M. Gauvreau, assis plus haut.

— Hé! s'est-il exclamé en désignant Jean-Philippe. Il veut qu'on fasse la vague!

Quelques parents ont compris le message. Ils se sont mis debout en levant les bras.

— On fait la vague!

— Non! a hurlé Jean-Philippe. Ne faites pas la vague! Pas maintenant! Vous allez écraser Wendell!

Mais le mouvement se répandait dans la foule. D'abord les partisans des Flammes, puis ceux des Matadors, se sont levés en cadence. Leurs bras montaient et baissaient au rythme de la vague, tout autour de l'aréna.

— Arrêtez! les a suppliés Jean-Philippe. Regardez où vous mettez les pieds! Aaaah!

Il a bondi du banc jusqu'aux gradins. Il s'est mis à ramper à la recherche de son bébé œuf égaré, ignorant les coups de pied et de coude de la foule qui continuait de faire la vague.

— Jean-Philippe! a aboyé l'entraîneur. Reviens sur le cossin!

Mais il n'avait pas le temps de rattraper son ailier vagabond. Il restait 18 secondes de jeu.

Alexia s'est précipitée vers la rondelle dans le coin. Nico la suivait de près. Alexia a pris son élan pour frapper la rondelle, mais le bâton de Nico a gêné son mouvement.

La passe de dégagement est montée en flèche vers les lumières de l'aréna.

Il y a eu une ruée vers la zone neutre. Dix joueurs se sont bousculés pour prendre position, essayant de deviner où la rondelle retomberait.

Au milieu de tout ça, j'ai soudain eu une terrible révélation : la ceinture que Carlos utilisait pour réparer sa bretelle... *était celle qui était censé entourer le dictionnaire de Cocozilla!*

Chapitre 18

J'ai aussitôt regardé sous le banc où j'avais laissé ma forteresse à bébé œuf. Le cœur serré, j'ai constaté qu'elle n'était plus là.

Puis j'ai entendu la voix de Boum Boum :

— Quelle sorte de zèbre apporte un trucmuche à un match de hockey?

Je l'ai fixé des yeux, horrifié. Il avait mon dictionnaire dans les mains.

— Non! me suis-je écrié.

Mais il était trop tard. Le livre s'est ouvert et Cocozilla est tombé par-dessus la bande.

Les yeux de l'entraîneur se sont écarquillés.

— Qu'est-ce que c'est que ce truc?

— Mon bébé œuf!

Au même moment, la passe de dégagement d'Alexia a atterri sur la glace. *Deux* objets ronds et noirs se détachaient maintenant sur la blancheur de la glace, dans la zone neutre.

Il y a eu une fraction de seconde de silence stupéfait. Puis... la ruée!

Après de multiples coups de bâton, de patin et d'épaule, Cédric a remporté la lutte pour l'une des rondelles, pendant que Soutière s'emparait de l'autre. Les deux joueurs ont filé vers le filet de l'adversaire.

— Ne frappez pas! ai-je hurlé. L'un de vous a Cocozilla!

Mais je savais qu'ils n'avaient pas le choix. Il restait trois secondes de jeu.

Comme deux images inversées, Cédric et Soutière ont levé leur bâton.

Toc! Toc!

Le lancer frappé de Cédric est passé en sifflant entre les jambes du gardien des Matadors. Mais celui de Soutière était un véritable missile. Il a carrément déchiré le filet derrière Jonathan, avant de fracasser le plexiglas de la bande.

Les deux lumières rouges se sont allumées. Je n'en croyais pas mes yeux! Même *Sports Mag* n'avait jamais eu un reportage aussi extraordinaire! Deux buts en même temps!

La question était de savoir qui avait marqué avec la *vraie* rondelle.

J'étais déchiré. D'un côté, je priais pour que le but de Cédric soit le bon. Cela nous donnerait une victoire de 8 à 7, ainsi qu'une place aux éliminatoires. Mais cela signifierait aussi que le pauvre Cocozilla avait traversé un panneau de plexiglas de 2 cm. Aucun bébé œuf, pas même Cocozilla, ne pouvait survivre à une collision pareille.

Pendant que les deux équipes célébraient chacune leur victoire, je me suis précipité vers le filet des Flammes. Jonathan avait relevé son masque, révélant son expression déroutée.

— Qu'est-ce qui s'est passé, Tamia?

— Il y avait deux rondelles! me suis-je écrié. Heu, en fait, seulement *une* vraie...

C'était trop difficile à expliquer.

J'ai contourné le filet déchiré. Le panneau de plexiglas s'était volatilisé.

— Ça aurait pu être ma tête! s'est exclamé Jonathan, bouleversé.

J'ai jeté un regard par-dessus la bande... et mes yeux se sont agrandis. Là, dans l'ombre de la surfaceuse, se trouvait un objet noir, rond...

— Cocozilla! ai-je crié, fou de joie.

Il était sain et sauf! Incroyable! Ce bébé œuf avait cassé du plexiglas incassable! Il avait cabossé la surfaceuse! Et il n'avait pas une seule égratignure!

L'étiquette ne mentait pas en qualifiant le ciment de produit miracle! C'était, en effet, un véritable miracle!

— Jonathan! ai-je hurlé. On a gagné!

L'équipe des Flammes – la risée de la ligue, la bande d'indésirables, l'équipe Cendrillon de Mars – allait jouer dans les séries éliminatoires contre les meilleures équipes de Bellerive!

L'arbitre a retiré la véritable rondelle du filet des Matadors. Il a levé le bras pour signaler un but pour les Flammes.

Je n'ai pas pu contenir ma joie. Laissez-moi vous dire que je criais à pleins poumons!

— On a réussi! C'était le plus incroyable, fantastique, merveilleux, formidable...

J'ai soudain remarqué que nous n'étions pas seuls derrière le filet. Stéphane Soutière était là, en train de nous observer.

— Le jeune, m'a-t-il dit, tu patines mal. Tu ne conserves pas ta position. Tu ne sais pas te servir de ton bâton. Mais tu es toujours au bon endroit pour créer des jeux spectaculaires. Je n'ai jamais vu un instinct pareil pour la rondelle. Je savais ce que tu voulais faire, mais je n'arrivais pas à t'en empêcher.

Il m'a tendu la main. Je l'ai serrée.

— Tu n'es pas mal non plus, ai-je répliqué.

Soudain, je me suis souvenu d'une tradition du hockey olympique : en signe de respect, les joueurs échangent des souvenirs après une chaude lutte.

— Hé, je sais! me suis-je exclamé. Si on échangeait nos chandails?

J'ai enlevé mon chandail des Flammes et le lui ai tendu.

— D'accord! a-t-il répondu.

Mais aussitôt qu'il a passé son chandail par-dessus sa tête, je me suis mis à crier :

— Hé, l'arbitre! Venez ici!

Quand l'officiel s'est approché, j'ai désigné le t-shirt de Soutière.

— Regardez ça! S'il était en sixième année il y a trois ans, ça veut dire qu'il est en neuvième année maintenant! Il est trop vieux pour jouer dans cette ligue!

Soutière m'a fusillé du regard.

— Es-tu fou? s'est-il écrié. Vous avez gagné! La saison est terminée! À quoi ça sert de me faire renvoyer maintenant?

— À dévoiler la vérité, ai-je riposté d'un ton satisfait. Il n'y a rien de plus important pour un journaliste.

L'arbitre s'est adressé à Soutière :

— Alors, mon gars, explique-toi! Est-ce que ce t-shirt veut dire ce que je pense?

Évidemment, Soutière a tenté de s'en sortir en balbutiant de vagues explications. Mais l'arbitre n'était pas dupe. Il a appelé M. Fréchette sur la glace pour prendre la décision officielle. Lorsque le président de la ligue lui a demandé de revenir avec ses parents et son certificat de naissance, Soutière a tout avoué.

— D'accord, j'étais sur la liste d'attente de la ligue, a-t-il admis d'un air penaud. Mais c'était il y a deux ans, quand j'étais en septième année. Je suppose que quelqu'un a oublié de rayer mon nom. Alors, quand vous m'avez appelé, je me suis dit : « Pourquoi pas? » C'était juste pour rigoler! Puis on a commencé à gagner et...

Il s'est interrompu.

— Qui d'autre est au courant? a demandé M. Fréchette.

— L'entraîneur ne sait rien, s'est empressé de dire Stéphane. Je crois que quelques joueurs se doutent de quelque chose, mais ils ne m'ont jamais posé la question. C'était juste une blague.

— Cette blague, comme tu dis, pourrait te faire exclure à jamais de tous les sports de Bellerive, jeune homme! a fulminé le président de la ligue.

Les Flammes m'ont hissé sur leurs épaules pour un tour triomphal de la patinoire. Les spectateurs m'ont fait une ovation, probablement à cause de mes sept buts. Mais ce n'était pas une question de buts. C'était une question de justice. Stéphane Soutière allait enfin subir le sort qu'il méritait.

Seule une boule magique aurait pu rendre ce moment plus parfait. Les Flammes avaient gagné. Soutière était renvoyé. Rien ne manquait. Rien, sauf...

— Attendez donc, a dit Jonathan. Où est Jean-Philippe?

De mon perchoir sur les épaules de mes coéquipiers, j'ai scruté l'aréna. J'ai finalement aperçu notre ailier dans les gradins, parmi les derniers spectateurs. Il était à genoux, blanc comme un drap, les joues couvertes de larmes.

J'ai plissé les yeux. Ses gants de hockey tenaient quelques fragments verts.

Wendell.

Chapitre 19

Le projet des bébés œufs a officiellement pris fin le lundi matin. Avant de quitter la classe de français, nous devions remettre nos journaux de bord et nos bébés œufs à Mme Spiro pour qu'elle les évalue.

Jean-Philippe lui a tendu les restes de Wendell dans un petit sac refermable. Il était si triste que j'avais peur qu'il se mette encore à pleurer.

— Je suis un mauvais parent, a-t-il dit d'une voix rauque. J'essayais juste de prendre soin de Wendell. Et regardez ce qui est arrivé!

Mme Spiro a mis son bras sur les épaules de Jean-Philippe.

— Ne t'en fais pas. C'est exactement le but de ce projet : vous faire prendre conscience de la responsabilité d'être parent. Tu as mieux fait de ce côté que tous les autres élèves de cette école. Je vais te donner un A+!

Eh bien, qui l'aurait cru? Après trois semaines pendant

lesquelles ces coquilles avaient été une question de vie ou de mort, Mme Spiro se calmait enfin! Jean-Philippe est sorti la tête haute, et les autres élèves l'ont suivi rapidement.

Pas moi.

— Attends un peu, Clarence.

Mme Spiro regardait Cocozilla comme si j'avais déposé une tarentule sur son bureau.

Je lui ai donc raconté toute l'histoire. Vous savez, le ciment miracle, le scellant pour asphalte, le polyuréthane. Elle voulait de la responsabilité parentale? Eh bien, j'en avais à revendre! Je m'étais montré tellement responsable en protégeant Cocozilla que même un lancer frappé de Stéphane Soutière à travers un panneau de plexiglas n'avait pas réussi à fêler mon œuf.

Mon enseignante était furieuse.

— Ça dépasse vraiment les bornes, même pour toi, Clarence! Prendre un bébé et le remplir de substances toxiques, puis le sceller de manière à l'empêcher de respirer...

— Les coquilles d'œuf ne respirent pas... ai-je tenté de lui dire.

Elle a continué de parler sans tenir compte de mon intervention.

— Faire une chose pareille, c'est presque... presque criminel! s'est-elle exclamée avec un regard horrifié. Je te donne un D-! Et tu peux remercier le ciel de ne pas avoir un F!

N'est-ce pas typique d'une enseignante? Elle n'avait

rien compris. J'avais pris une coquille fragile et l'avait rendue invincible! Et tout ce qui lui importait, c'est que c'était toxique!

Mais tant pis. Après tout, j'avais obtenu la note de passage. J'allais donc pouvoir continuer d'écrire pour la *Gazette*. Heureusement, car les Flammes de Mars s'apprêtaient à jouer dans les séries. Et Tamia Aubin, le journaliste, serait à leurs côtés pour chacune des étapes!

La dernière réunion de la saison a eu lieu dans la cour des Éthier. Le but de la rencontre n'avait rien à voir avec le hockey. C'était pour assister aux funérailles de Wendell. Jean-Philippe nous avait tous invités, y compris l'entraîneur et sa femme.

— Des funérailles pour une coquille d'œuf, a grogné Alexia quand nous nous sommes rassemblés autour du trou, dans le coin du potager de Mme Éthier. C'est sûrement la chose la plus ridicule à laquelle j'ai participé!

Cédric a désigné un minuscule bout de bois qui surgissait d'un petit monticule de terre, à côté du trou.

— Qu'est-ce que c'est?

— Le poisson rouge de Jean-Philippe, a chuchoté Jonathan. Wendy.

J'ai profité de la proximité des capitaines de l'équipe pour aborder le sujet qui me tracassait depuis le match contre les Matadors.

— Écoutez, je sais que j'ai marqué plein de buts, que j'ai été le joueur le plus utile à l'équipe, et tout ça... Mais je ne peux pas m'enrôler dans l'équipe à plein temps. Je suis trop occupé par mon travail de journaliste. Je suis désolé.

Cédric, Alexia et Jonathan m'ont regardé comme si j'avais un chou-fleur à la place de la tête.

— Ne t'inquiète pas pour ça, Tamia, m'a dit Alexia. Personne ne veut de toi dans l'équipe.

— Mais... ai-je balbutié, surpris qu'ils ne tentent même pas de me convaincre. J'ai marqué sept buts! J'ai établi un record! Je fais partie des annales du hockey!

— Ce genre de truc arrive parfois dans le sport, a gloussé Cédric. C'était un pur hasard, comme gagner à la loterie ou se faire frapper par la foudre. Tu ne pourrais jamais recommencer, même si tu essayais durant un million d'années!

— C'est super que tu le prennes comme ça, Tamia, a ajouté Jonathan. On avait peur que tu veuilles faire partie de l'équipe, et personne ne voulait te faire de peine.

Quel manque de reconnaissance! D'accord, je ne voulais pas jouer au hockey, mais ils auraient pu me supplier un petit peu! D'autant plus que c'était moi qui leur avais permis d'accéder aux éliminatoires.

— Ah bon, merci quand même, ai-je marmonné.

Jean-Philippe s'est levé.

— Bon, on est tous réunis ici pour dire au revoir à Wendell. Je sais qu'il n'était pas une vraie personne. Mais c'était un bon bébé œuf, et il va me manquer. Monsieur Blouin? a-t-il ajouté en se tournant vers Boum Boum.

L'entraîneur devait être dans la lune, car sa femme a dû

lui donner un coup de coude pour qu'il réagisse :

— Hein?

— Aimeriez-vous dire quelques mots? a demandé Jean-Philippe avec espoir. Vous savez, au nom de l'équipe?

— Oh, oui, bien sûr!

Ses yeux de mante religieuse ont tourné dans leurs orbites pendant qu'il cherchait un commentaire adéquat.

— Wendell était un bon cossin, a-t-il commencé. Son courage et sa gugusse étaient une véritable inspiration. Il va s'écouler beaucoup de truc avant qu'on revoie un autre coco comme lui.

— Observons une minute de silence pour réfléchir à ces paroles, a proposé Jean-Philippe.

Personnellement, je pense qu'il aurait fallu une année de silence pour déchiffrer ce que l'entraîneur venait de dire.

J'ai entendu quelques ricanements, mais dans l'ensemble, nous avons réussi à garder notre sérieux une minute. Toutefois, Carlos a dû se mordre la langue pour ne pas pouffer lorsque Alexia a chuchoté :

— Qu'il repose en pièces.

Jean-Philippe a déposé le sac de Wendell dans le trou, et nous avons ajouté une poignée de terre à tour de rôle.

Mme Blouin était la dernière. Soudain, son visage est devenu blême et elle a poussé une exclamation étouffée. Elle n'est pas vraiment tombée, mais elle a dû s'asseoir sur l'herbe, à côté du potager. Elle semblait très faible.

— Madame Blouin!

Inquiets, nous nous sommes rassemblés autour d'elle. Boum Boum était déjà à ses côtés.

Je pense que les joueurs se sentaient aussi coupables que moi. Nous étions là à nous préoccuper de bébés œufs, d'éliminatoires et d'équipe Cendrillon, alors que Mme Blouin était peut-être gravement malade! Nous étions vraiment égoïstes!

L'entraîneur l'a aidée à se relever.

— Est-ce que ça va? a demandé Alexia sans même songer à ajuster le volume.

— Je vais bien, s'est empressée de répondre Mme Blouin. J'étais juste un peu étourdie.

— Étourdie? a répété Carlos. Pour quelle raison? Est-ce que c'est grave?

— Qu'est-ce que vous avez, au juste? a insisté Jonathan.

Elle nous a regardés. Je parie que nous étions plus blêmes qu'elle, les yeux écarquillés d'effroi.

— Vous n'êtes pas au courant? a-t-elle demandé.

Nous l'avons regardée d'un air déconcerté.

Elle s'est tournée vers son mari.

— Boum Boum, tu ne leur as rien dit?

— Mais oui, a dit l'entraîneur en haussant les épaules. Ils savent que tu es machin-chouette.

Mme Blouin a levé les yeux au ciel.

— Tu ne pourrais pas parler français, pour une fois? Je ne suis pas machin-chouette! Je suis enceinte! Nous allons avoir un bébé!

— Un bébé? a répété Benoît.

— Nous allons être parents! s'est écrié Carlos.

— Plutôt des oncles, a rectifié Cédric. Et une tante, a-t-il ajouté en apercevant l'expression d'Alexia.

Nous étions enchantés. Le fait d'avoir accédé aux séries éliminatoires n'était rien à côté de cette grande nouvelle! Nous avons félicité l'entraîneur et serré Mme Blouin dans nos bras. Pas étonnant qu'elle ait raté la plupart de nos matchs! Sa pâleur, sa fatigue et ses vêtements amples s'expliquaient enfin! Tout ça, c'est normal quand on attend un bébé!

— C'est curieux ce que l'existence nous réserve, a dit Jean-Philippe d'une voix étranglée par l'émotion. Nous perdons une vie, et une autre arrive pour prendre sa place.

— Oh, tais-toi, a grogné Alexia. Wendell était une coquille d'œuf, pas un bébé. Et toi, a-t-elle ajouté à mon intention, éteins ce magnétophone. C'est quelque chose de privé. Ça n'a rien à voir avec ton histoire d'équipe Cendrillon.

— De quoi parles-tu? me suis-je écrié. Nous ne sommes plus une équipe Cendrillon. C'est trop enfantin! Avec les éliminatoires et l'arrivée de ce bébé, les Flammes de Mars sont maintenant l'équipe du destin!

Gordon Korman

DROIT AU BUT 4

La folie des finales

À Brandon Pekilis,
un autre passionné de hockey

Chapitre 1

Les éliminatoires.

Aucun mot ne suscite plus d'excitation chez un amateur de hockey. La longue saison éreintante est terminée. La plupart des équipes ne se sont pas montrées à la hauteur, et sont parties en se disant : « Si seulement... » et « À l'an prochain ». Qui reste? Les meilleurs, prêts à lutter pour la récompense ultime : le championnat.

La une de *Sports Mag* a plus souvent porté sur les éliminatoires que sur tout autre sujet. C'est ici que j'entre en scène : Tamia Aubin, journaliste sportif (s'il vous plaît, n'utilisez jamais mon vrai nom, Clarence).

Pour être honnête, je ne travaille pas encore pour *Sports Mag*. Toutefois, dans la *Gazette* de l'école élémentaire de Bellerive, le hockey est mon domaine.

C'est pourquoi je me trouvais à bord de l'autobus des Flammes des Aliments naturels de Mars, ce jour-là. Nous nous rendions à la réunion au sujet des éliminatoires.

Assis sur un sac de son d'avoine de 20 kilos, j'interviewais les joueurs, à l'aube de ce grand moment.

— Quelle impression ça vous fait d'accéder aux éliminatoires après votre toute première année dans la ligue? ai-je demandé en allumant mon magnétophone.

— C'est un miracle que nous soyons même entrés dans la ligue! a gloussé le gardien Jonathan Colin, juché sur un tonneau de tofu. Accéder aux éliminatoires, c'est comme gagner à la loterie!

Je dois vous donner quelques explications concernant le tofu, le son d'avoine, les germes de haricot, le soya et la gomme de caroube empilés autour de nous. Cet « autobus » est en fait le camion de livraison du commanditaire de l'équipe, le magasin d'aliments naturels de Mars. Boum Boum Blouin, le propriétaire, est également l'entraîneur des Flammes.

Boum Boum a joué au sein de la LNH dans les années 1970. Ne vous en faites pas si vous n'avez jamais entendu parler de lui. Personne ne le connaît. Il était un choix de dernier tour au repêchage et a passé la majeure partie de sa carrière à se faire échanger ou à se faire renvoyer dans les ligues mineures. Mais tout de même : il a joué dans la LNH! On ne peut pas en dire autant des autres entraîneurs de la Ligue Droit au but de Bellerive. Alors, vous pouvez être certains que nous sommes fiers de lui!

Nous sommes entrés dans le stationnement du centre communautaire, et l'entraîneur a ouvert les portes arrière du camion. Il nous a souri, révélant ses trois dents manquantes – rappelez-vous que dans les années 1970, les joueurs de hockey ne portaient pas de masque protecteur.

— Bon, sortez tous du cossin, a-t-il lancé.

Nous sommes descendus et nous sommes rassemblés autour de lui.

— Avez-vous hâte de connaître le nom de vos zigotos dans le premier tour des patentes?

Je dois préciser un autre détail au sujet de Boum Boum : son langage est difficile à comprendre. Quand il ne se souvient pas d'un mot, il le remplace par des termes comme cossin, bidule, bébelle, machin, zigoto... Une fois qu'on le connaît, on arrive parfois à déchiffrer ses paroles. Par exemple, le premier tour des patentes, c'est « le premier tour des éliminatoires ». Mais parfois, il nous lance des phrases comme : « Mettez le trucmuche dans l'affaire! » Je n'ai toujours pas réussi à la traduire, celle-là.

Nous avons répondu à l'entraîneur par des cris enthousiastes, puis l'avons suivi dans l'édifice.

Le centre communautaire abrite non seulement la patinoire, mais aussi une grande salle. C'est à cet endroit qu'avaient lieu la rencontre ainsi que le tirage au sort qui allait déterminer l'ordre des affrontements.

La pièce était remplie de joueurs, de parents et d'officiels de la ligue. Un murmure s'est élevé quand Boum Boum nous a précédés à l'intérieur.

Plusieurs raisons expliquent cette réaction. D'abord, notre entraîneur n'est pas l'homme le plus séduisant du coin. Je sais très bien que la beauté est quelque chose de superficiel, mais Boum Boum a l'air d'une mante religieuse de 1,80 mètre, avec ses yeux globuleux et son dos courbé. Il a le front dégarni, mais porte ses cheveux frisottés en une queue de cheval qui se hérisse quand il est énervé.

Toutefois, les murmures de la foule concernaient également Alexia Colin, la sœur jumelle de Jonathan. Alexia est la capitaine des Flammes, et la seule fille à avoir jamais joué dans la Ligue Droit au but. Je ne crois pas que les joueurs des autres équipes sont heureux de jouer contre une fille. Mais ce qui les dérange le plus, c'est l'excellence de son jeu. Alexia est une vraie de vraie : forte, solide, et de loin la meilleure plaqueuse de la ligue. Elle était aussi au neuvième rang des marqueurs en cette fin de saison. Difficile de trouver un joueur plus complet.

En nous voyant arriver, un petit malin s'est écrié :

— Les Martiens sont là!

Nous avons tous poussé un grognement. C'était la principale raison de l'agitation de la foule. Voyez-vous, nous jouons dans la ligue de Bellerive, fréquentons les écoles de Bellerive, utilisons la bibliothèque et le service de police de la ville, et tout le reste. Mais nous ne vivons pas à Bellerive. Notre ville, Mars, est située à trois kilomètres de là, de l'autre côté d'un canal d'à peine neuf mètres à son point le plus large. Ce n'est rien, n'est-ce pas? Nous sommes tous voisins et devrions former une grande famille unie, non?

Oubliez ça. Les gens de Bellerive nous regardent de haut, se moquent de nous, nous traitent de Martiens, de gagas de la galaxie et de nonos de la nébuleuse. Il avait fallu 30 ans pour que la Ligue Droit au but de Bellerive épuise sa provision d'excuses avec lesquelles empêcher les Marsois d'avoir leur équipe de hockey. C'est pour cette raison que nous étions si heureux d'accéder aux séries éliminatoires. Les gens de Bellerive s'étaient attendus à ce que nous nous plantions après le premier mois.

— Hé! Par ici!

Cédric Rougeau avait placé son manteau, ses gants, son foulard, son chandail et un de ses souliers sur le banc de la première rangée pour nous réserver des places. Il est le capitaine adjoint des Flammes, et le seul joueur de l'équipe à habiter Bellerive. Je vous dis que nous sommes chanceux de l'avoir! Il est le meilleur marqueur de la ligue, et un super bon gars par-dessus le marché.

Nous nous sommes frayé un chemin jusqu'au banc et avons tapé dans la main de notre coéquipier de Bellerive.

Cédric m'a donné une tape dans le dos :

— Prêt pour les séries, Tamia?

Voilà pourquoi j'adore les Flammes de Mars. Même si je ne suis pas un joueur, ils me traitent comme si j'étais l'un des leurs. Je suis le journaliste de l'équipe. Aucune autre équipe n'en a un. Pas même les Pingouins, qui sont en première place.

— Prêt? ai-je répété. Je suis gonflé à bloc! Je viens de dépenser 25 dollars en piles de rechange!

— Eh bien, regardez qui est là! s'est exclamée une voix derrière nous. Un troupeau de Martiens!

Je n'ai pas eu besoin de me retourner pour savoir de qui il s'agissait. Rémi Fréchette, des Pingouins. Et comme d'habitude, son ami et compagnon de trio, Olivier Vaillancourt, l'accompagnait.

— Je ne savais pas que les éliminatoires étaient devenues interplanétaires, a ricané Olivier.

Notre banc s'est mis à trembler. Je savais pourquoi. Pendant que nous tentions tous d'ignorer ces deux idiots, notre ailier, Carlos Torelli, riait de leurs blagues pourries. Ce n'était pas la faute de Carlos. Tout le fait rire.

— Oh, cet astronono a le sens de l'humour! a lancé Rémi.

Carlos se tordait tellement que j'ai cru qu'il allait avoir une hernie.

— Tais-toi, crétin, a chuchoté Jean-Philippe Éthier, un autre de nos ailiers.

Olivier a tendu la main pour saisir une poignée des longs cheveux d'Alexia. Mais avant que sa main puisse les atteindre, Alexia a dit d'une voix basse, sans se retourner :

— Je ne ferais pas ça si j'étais toi.

Olivier a retiré sa main comme s'il s'était brûlé.

Ça, c'est Alexia : plus elle parle à voix basse, plus son message se fait bien comprendre. Elle chuchote ce que la plupart d'entre nous crieraient. J'appelle ça son réglage de volume inversé.

Soudain, l'assistance a poussé des oh! et des ah! Sur la scène, les officiels de la ligue hissaient le trophée du championnat, la scintillante Coupe Fréchette. Elle portait le nom du grand-père de Rémi, fondateur de la ligue. Le président, l'oncle de Rémi, était également un Fréchette. Comme Rémi faisait partie des Pingouins, ce serait probablement un Fréchette qui remporterait le championnat cette année.

— Le président brandit le plus important trophée de la Ligue Droit au but, ai-je murmuré dans mon micro.

Rémi m'a pincé le cou.

— Arrête de rêver, Tamia. Je te jure qu'aucun Martien ne mettra sa main d'extraterrestre sur ce trophée.

La voix d'Alexia, réglée au plus bas, a de nouveau flotté par-dessus son épaule :

— Ne fais pas de promesse que tu ne peux pas tenir, le vantard.

Rémi a répliqué d'un air suffisant :

— Oh, mais c'est garanti. Vous allez voir!

Chapitre 2

Mes antennes de reporter se sont mises à frétiller. Qu'est-ce qu'il voulait dire par là?

Mon attention s'est reportée sur la scène. Les officiels ont déposé le nom des huit équipes dans la Coupe Fréchette, puis ont procédé au tirage au sort.

— Les Étincelles de Ford Fortier vont affronter les Pingouins électriques!

Des soupirs de satisfaction se sont fait entendre un peu partout dans la salle. Tout le monde savait qu'un match de première manche contre les Pingouins garantissait un été précoce. Il y a eu quelques grognements aussi, surtout de la part des Étincelles.

Les Flammes allaient affronter les Vaillants de l'Atelier de carrosserie Brunet. Ils nous avaient sévèrement battus plus tôt dans l'année, avec un pointage de 6 à 2. Mais c'était au début de la saison, quand notre équipe n'était pas encore rodée.

J'ai dicté une idée de titre dans mon magnétophone : *L'heure de la revanche a sonné.*

— Les Vaillants sont forts, mais je pense qu'on peut les vaincre, a chuchoté Cédric.

— On verra dans 10 minutes si tu es toujours aussi confiant, a ricané Rémi.

Son ton ne me disait rien qui vaille. Quelque chose se tramait. Je le sentais.

Après le tirage, nous nous sommes rassemblés devant le tableau et nous avons tenté de prédire comment les éliminatoires se dérouleraient :

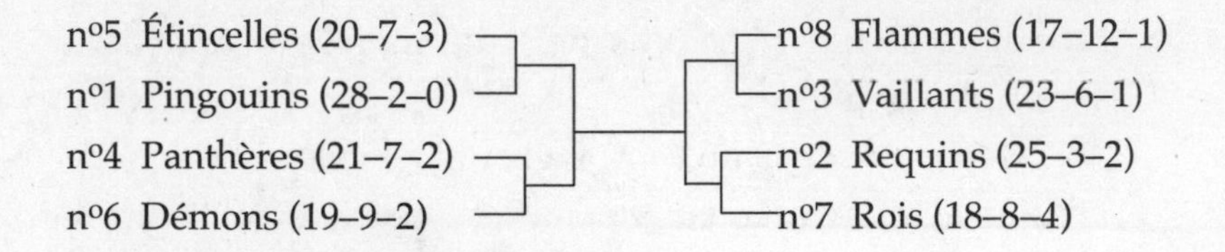

— Si on remporte le match contre les Vaillants, a dit Jonathan d'un ton pensif, on jouera contre les vainqueurs de la rencontre entre les Requins et les Rois.

— Du moment que ce ne sont pas les Pingouins, a soupiré Jean-Philippe.

Tout le monde a hoché la tête. Si nous devions affronter les puissants Pingouins électriques, ce ne serait pas avant la finale, selon la configuration des équipes.

Nous aurions pu demeurer là toute la nuit, à considérer les différentes possibilités pendant que le centre communautaire se vidait.

Boum Boum a manifesté son impatience :

— Bon, mettez vos bidules. Tout le monde dans le cossin!

Mettez vos manteaux. Tout le monde dans l'autobus.

— Un instant, Blouin, a lancé M. Fréchette. J'aimerais vous parler, à vous et votre équipe.

Oh! oh! L'oncle de Rémi faisait partie de ceux qui avaient voté contre l'admission de notre équipe dans la ligue. S'il avait quelque chose à nous dire, c'était sûrement une mauvaise nouvelle.

— Blouin, a commencé le président de la ligue, nous sommes tous très heureux qu'Alexia Colin soit votre capitaine. Et nul n'est plus fier que moi de ce qu'elle a accompli jusqu'ici.

N'en croyez pas un mot. La seule raison pour laquelle la ligue avait accepté qu'Alexia fasse partie des Flammes, c'était parce que la Cour suprême avait décidé que les filles pouvaient participer aux sports de leur choix.

— Mais on m'a fait savoir que sa présence dans la ligue est illégale, a poursuivi M. Fréchette.

J'étais muet de stupeur, tout comme les joueurs. Mais pas Boum Boum :

— Ne dites pas de patentes!

— Bêtises, a calmement traduit Alexia.

— Je suis tout aussi contrarié que vous, a menti M. Fréchette. Mais le règlement, c'est le règlement. C'est une loi municipale de Bellerive. Tenez.

Il a sorti une feuille de sa poche et l'a tendue à Boum

Boum.

Nous nous sommes rassemblés autour de lui pour lire ce qui suit :

Règlement municipal 14A, paragraphe iv : Aucune personne de sexe féminin n'a le droit de tenir ou de manier, de quelque façon que ce soit, un morceau de bois d'une longueur excédant un mètre, à l'exception des vadrouilles, des balais et des barattes à beurre.

Approuvé le 14 avril 1887. Votes affirmatifs : 4. Votes négatifs : 1.

— Qu'est-ce que ce truc a à voir avec Alexia? a demandé Boum Boum.

— Ça ne parle même pas de hockey! a renchéri Cédric.

— Un bâton de hockey est un morceau de bois, a expliqué M. Fréchette d'un ton qu'il voulait raisonnable. Ce règlement stipule qu'elle ne peut pas transporter un bâton à l'intérieur des limites de la ville. Vous ne voudriez certainement pas lui demander de jouer sans bâton! a-t-il ajouté en gloussant.

— C'est complètement ridicule! s'est écrié Jean-Philippe.

— Ce règlement idiot remonte à plus de 100 ans! a renchéri Jonathan.

M. Fréchette a répliqué d'un air snob :

— La loi contre le meurtre est tout aussi ancienne, et elle est toujours valable.

Et voilà comment ces pourris de Bellerive ont renvoyé

Alexia de la ligue. Oh, bien sûr, nous avons crié, réclamé, protesté... Quand Boum Boum atteint un certain niveau d'agitation, son niveau de français diminue. Il s'époumonait, à grand renfort de trucmuche et de machin-chouette.

J'ai remarqué que Rémi se tenait derrière son oncle, nous souriant de toutes ses 32 dents. Maintenant, je comprenais ce qu'il avait voulu dire par : « On verra si tu es toujours aussi confiant dans 10 minutes ». Cette andouille était au courant depuis le début!

M. Fréchette ne cessait de répéter :

— Le règlement, c'est le règlement!

Mais ce n'était pas une question de règlement. C'était encore une arnaque à l'encontre des Marsois! Les Flammes ne pouvaient pas jouer sans Alexia! Elle était notre capitaine, notre deuxième meilleure joueuse! Sa résistance et ses plaquages empêchaient les autres équipes de nous bousculer.

J'ai utilisé mon dernier atout :

— Vous ne pouvez pas nous enlever Alexia. Il ne nous resterait que neuf joueurs et un gardien. Le minimum de la ligue est de 10 joueurs, en plus du gardien. À moins que vous ne vouliez nous faire perdre notre place aux éliminatoires?

— Bien sûr que non, a répondu M. Fréchette. Ce serait injuste.

Comme s'il connaissait quoi que ce soit à la justice!

— Nous allons vous octroyer un joueur de

remplacement, a-t-il poursuivi. Le prochain garçon sur la liste.

Il a consulté son carnet.

— Il s'agit de... Virgile Norbert, y a-t-il lu.

— Fragile! se sont écriés Jean-Philippe et Carlos, catastrophés.

Nous connaissions tous Virgile, qui fréquentait l'école élémentaire de Bellerive. Les enfants l'avaient surnommé Fragile parce qu'il souffrait de saignements de nez au moindre coup de vent. Il était le plus petit, le plus maigre et le plus chétif des élèves de sixième année. Il se faisait tyranniser par des enfants de huit ans. Lorsqu'il fallait déterminer les équipes dans le cours d'éducation physique, tout le monde aurait préféré prendre une des gerbilles du labo plutôt que de choisir Virgile Norbert.

Boum Boum était dans une colère si noire que son langage est devenu incompréhensible. Même après le départ de M. Fréchette, notre entraîneur invectivait toujours l'endroit où s'était tenu le président. Je n'ai jamais vu les joueurs aussi furieux. Les visages étaient rouges, les bras s'agitaient, les poings se serraient. Nous étions tous déchaînés, à l'exception d'Alexia.

Nous savions qu'elle était contrariée parce qu'elle demeurait silencieuse. Mais elle avait un regard aussi terne qu'un ciel d'orage.

— Pourquoi êtes-vous tellement surpris? a-t-elle dit d'une voix si basse que nous avons dû cesser de crier pour l'entendre. Ils essaient toujours de nous mettre des bâtons dans les roues. C'est seulement un autre coup bas.

Jonathan, son jumeau, était pratiquement en larmes :

— Alex, je suis désolé! Je n'en reviens pas qu'ils t'aient fait une chose pareille!

— Comment allons-nous jouer sans toi? a gémi Carlos.

— Comment allons-nous jouer avec Fragile? a ajouté Jean-Philippe.

Le retour à la maison n'a pas réussi à calmer les esprits. Lorsque nous sommes passés en bringuebalant sur le pont menant à Mars, tout le monde criait dans le camion, sauf Alexia, qui ne disait rien.

Chapitre 3

Mars ne dispose pas d'un centre communautaire sophistiqué comme celui de Bellerive. Notre patinoire extérieure est flanquée d'une petite cabane équipée d'un poêle ventru. Nous obtenons parfois du temps pour une pratique au centre communautaire, mais M. Fréchette s'arrange toujours pour que ce soit à 6 h du matin, à minuit ou le matin de Noël. La plupart des entraînements des Flammes ont donc lieu sur notre patinoire, dont la glace est raboteuse par temps froid et à demi fondue quand il fait plus chaud. C'était le cas, ce dimanche matin-là.

Les joueurs s'entraînaient depuis une dizaine de minutes quand je suis arrivé. Je suis presque tombé raide mort en apercevant Alexia. Elle n'était pas en uniforme. Au lieu de s'entraîner avec l'équipe, elle aidait l'entraîneur à diriger les différents exercices. J'étais déprimé rien qu'à la regarder. Et cette vue devait avoir le même effet sur les joueurs, parce que leur manque d'énergie faisait peine à voir. Je me suis creusé la tête pour une idée de titre, mais je n'ai pu trouver mieux que : *Zombis sur patins*.

Boum Boum devait penser la même chose. Il a interrompu l'entraînement et rassemblé les joueurs autour de lui.

— Écoutez-moi, bande de zigotos! a-t-il beuglé. Je ne sais pas comment vous qualifiez ce trucmuche que vous faites depuis tantôt, mais une chose est certaine, ce n'est pas du hockey! Il faut mettre les choses au clair.

J'ai allumé mon magnétophone, mais je savais que je n'obtiendrais rien d'utile. Les joueurs se sont tous mis à protester en même temps.

L'entraîneur a levé les bras pour obtenir le silence.

— Je suis d'accord avec vous. On s'est fait avoir, et ce n'est pas juste. Mais au lieu de vous apitoyer sur votre sort, pensez à ce que vit Alex. Elle a accepté cette patente comme un homme. Je veux dire une femme. Enfin, un bidule.

Tous les yeux se sont tournés vers Alexia. Elle semblait aller bien. Mais j'avais une théorie à ce sujet. C'était peut-être dû à son réglage de volume inversé. Parce que cette fille a toujours l'air vaguement fâchée, même quand tout va bien. Peut-être que lorsqu'elle atteint un certain niveau de colère, son attitude devient de plus en plus agréable. Je n'en étais pas certain, mais si elle se mettait à sourire, j'avais bien l'intention de me réfugier dans la cabane!

Boum Boum a poursuivi :

— Bon, assez parlé de cette affaire. Quelqu'un a-t-il quelque chose à dire qui serait utile à l'équipe?

Après un long silence, Jean-Philippe a levé timidement la main :

— Je pense qu'on devrait avoir une surfaceuse.

Les yeux de l'entraîneur lui sont pratiquement sortis de la tête.

— Une surfaceuse? Pourquoi?

— Tout le monde se plaint toujours que la glace n'est pas belle ici, a répondu Jean-Philippe en haussant les épaules. Avec une surfaceuse, ce serait mieux.

Jean-Philippe a toujours des idées complètement ridicules. Après toute une saison, Boum Boum savait comment s'y prendre avec lui.

— Merci pour ta suggestion, a-t-il dit patiemment. Mais je ne crois pas que Mars ait assez de cossins dans son budget.

— On pourrait amasser de l'argent, a répliqué Jean-Philippe. Il ne serait pas nécessaire d'embaucher un conducteur. Je pourrais la conduire moi-même, a-t-il ajouté d'un air timide.

Alexia lui a éclaté de rire au visage.

— Ah, je comprends! Tu ne veux pas de surfaceuse pour améliorer l'état de la glace. C'est parce que tu veux la conduire!

Jean-Philippe a rougi.

— Quand j'étais petit, je rêvais de devenir pilote de course ou joueur de hockey, a-t-il expliqué. Et qu'obtient-on quand on met les deux ensemble? Un conducteur de surfaceuse.

On aurait pu entendre une mouche voler. C'est pendant ce silence ébahi que nous avons remarqué une voiture qui se garait le long du trottoir.

La portière du passager s'est ouverte et un équipement de hockey en est sorti. Nous avons fixé l'apparition des yeux. La seule façon de savoir qu'il y avait quelqu'un là-dessous était le fait que l'équipement se déplaçait dans notre direction.

— Est-ce que c'est Mars, ici? a fait une voix provenant du casque.

— Non, c'est Jupiter! a lancé notre défenseur Benoît Arsenault d'une voix hargneuse.

Le nouveau venu a mis le pied sur la glace et a patiné vers nous. Ce n'est que lorsqu'il est arrivé à la hauteur des joueurs que j'ai reconnu, au fond du casque, la petite face de Virgile Norbert.

Boum Boum l'a dévisagé :

— Tu dois être machin-chouette, notre nouveau trucmuche?

Virgile était si nerveux qu'il n'a pas semblé remarquer le mode d'expression particulier de notre entraîneur.

— Bonjour, a-t-il dit. M. Fréchette m'a dit de venir ici. Vous me détestez, n'est-ce pas? a-t-il ajouté en baissant les yeux vers ses patins.

Nous étions tous si surpris que personne n'a su quoi répondre.

Puis Boum Boum a grondé :

— Qu'est-ce que tu racontes? Pourquoi on te

détesterait?

— Parce que je remplace votre capitaine, a dit Virgile d'un ton tragique. Si j'étais vous, je me détesterais.

Nous étions tous mal à l'aise. Oh, bien sûr, nous n'avions rien de personnel à reprocher à Virgile. Nous le connaissions depuis la maternelle. Il n'était pas si mal, pour un pauvre type. Mais nous détestions ce que la ligue nous faisait subir. Et Virgile en était le symbole. Alors, oui, on peut dire que nous le détestions.

Alexia a brisé le silence en déclarant d'un ton sévère :

— Holà! Rien de tout cela n'est de ta faute. Bienvenue chez les Flammes, a-t-elle ajouté en mettant son bras sur les épaules de Virgile.

Puis elle s'est tournée vers nous en souriant :

— N'est-ce pas, les gars?

Oh! oh! Ça devenait dangereux. Ce large sourire cachait sûrement quelque chose.

L'entraîneur a relancé la série d'exercices, et Jonathan a glissé jusqu'à moi, près de la bande.

— Que dis-tu de ça? a-t-il chuchoté avec un respect mêlé de crainte. Ça alors, je ne l'ai jamais vue si fâchée!

Cédric s'est approché à son tour.

— J'admire vraiment ta sœur, a-t-il murmuré à Jonathan. C'est incroyable la façon dont elle accepte la situation. J'aurais cru qu'elle rongerait son frein.

Jonathan et moi avons échangé un regard entendu. Cédric est un excellent joueur de hockey, mais il ne connaît vraiment pas Alexia Colin.

Tout a explosé durant l'exercice de mise en échec. Comme d'habitude, c'est Alexia qui dirigeait les manœuvres. Même sans équipement, elle était la meilleure plaqueuse de l'équipe. Elle arborait toujours son grand sourire quand, en deux enjambées, elle s'est approchée de Cédric et l'a étendu sur le dos d'un coup bien appliqué.

— Bonne patente! a approuvé Boum Boum. Prochain!

C'était au tour de Marc-Antoine Montpellier, le centre de notre deuxième trio. Elle l'a frappé avec tant de force qu'il en a perdu son casque, qui a rebondi jusqu'au filet opposé.

Elle a ensuite plaqué Jean-Philippe avec la hanche, avant d'enfoncer son épaule dans la poitrine de Carlos d'un mouvement qui l'a soulevé au-dessus de sa tête – et il fait deux fois sa taille!

L'entraîneur aime bien qu'on s'entraîne à fond, mais même lui n'applaudissait plus avec autant d'enthousiasme.

— Pas si fort, Alex! a-t-il crié. On ne pourra pas gagner si la moitié de nos joueurs se retrouve à l'affaire!

Il voulait probablement dire à l'hôpital. Mais je commençais à me demander si ce n'était pas plutôt à la morgue.

Tout le monde a retenu son souffle. Le prochain joueur était Virgile. Nous étions certains que nous allions assister à un massacre.

Boum Boum a fait un pas en avant. Je pense qu'il se préparait à arrêter Alexia.

Virgile a démarré avec la rondelle. Il était si petit que le sommet de son bâton lui arrivait au milieu de la figure. La rondelle lui a échappé, et il l'a suivie, ce qui l'a fait dévier de sa trajectoire. La palette de son bâton trop long a heurté la bande. L'impact s'est propagé jusqu'à l'embout, qui a percuté son masque.

Bing! La visière s'est enfoncée sur son nez.

Il y a moins de sang que ça dans les films d'horreur. Nous sommes tous habitués aux célèbres saignements de nez de Virgile. Mais en apercevant le sang qui ruisselait partout, Boum Boum s'est affolé. Il a patiné jusqu'à Virgile et l'a pris dans ses bras comme une jeune mariée.

— Vite! s'est-il écrié. Composez le 9-1-1!

— Je vais bien, a gargouillé Virgile. J'ai juste besoin d'un mouchoir.

L'entraîneur était si surpris que le blessé ne soit pas inconscient qu'il l'a échappé par terre.

Cédric s'est approché, a relevé le masque de Virgile et a placé une serviette sous son nez.

— Ne vous inquiétez pas, ai-je dit à Boum Boum. Ça lui arrive tout le temps.

— Je suis habitué, a ajouté Virgile. Vous voyez? Mon nez a déjà arrêté de saigner.

Soulagé, l'entraîneur a examiné la glace. Elle était parsemée de taches rouges.

— C'est parce qu'il ne te reste plus de sang, a-t-il dit à Virgile, avant de se tourner vers nous. Allez chercher des pelles. On va essayer d'enlever un peu de ce cossin en grattant la glace.

Jean-Philippe n'a pas laissé passer cette occasion :

— Vous savez, ce serait nettoyé en une demi-seconde si on avait une surfaceuse.

Virgile s'est remis debout. Il a contemplé les dégâts d'un air mélancolique.

— Je suis désolé d'avoir saigné sur votre patinoire, a-t-il marmonné dans sa serviette. Maintenant, vous devez me haïr encore plus qu'avant.

— Personne ne te hait, a rétorqué Cédric.

Mais même lui n'avait pas l'air entièrement convaincu.

Chapitre 4

Après l'entraînement, nous sommes tous allés au magasin d'aliments naturels pour le dîner. Tous, sauf Virgile, que sa mère attendait pour le ramener à Bellerive.

— Invite-la, a proposé Boum Boum.

Virgile a secoué la tête.

— Tout le monde me déteste. Ça gâcherait votre repas.

— Personne ne te déteste, a grondé Boum Boum en approchant son visage de celui de Virgile.

Mais Mme Norbert klaxonnait, et Virgile est parti la rejoindre.

Pour être honnête, Virgile avait de la chance. La nourriture des Blouin est vraiment horrible. Le repas de ce dimanche était composé d'une soupe au brocoli, de burritos au tofu et de jus de concombre frais.

Vous vous demandez sûrement pourquoi nous mangions ces choses infectes. Je crois qu'il faut faire partie des Flammes pour comprendre. L'entraîneur et sa femme sont très gentils. Sans eux, Mars n'aurait jamais eu son équipe de hockey. Ils sont aux petits soins pour nous. Nous avons donc une entente tacite selon laquelle nous mangeons leur nourriture santé et faisons semblant de l'apprécier.

Nous étions donc là, en train de pousser les aliments dans notre assiette pour donner l'impression qu'il en restait moins, quand Mme Blouin est entrée dans la pièce.

Au premier coup d'œil, son apparition donne toujours un choc. Autant Boum Boum a une apparence comique, autant sa femme est d'une beauté impossible à décrire. La plupart des membres de l'équipe perdent l'usage de la parole en sa présence. Même depuis qu'elle était enceinte et – sans vouloir l'insulter – rondelette, elle avait toujours ses longs cheveux noirs, ses yeux étonnants, son irrésistible sourire... enfin, vous voyez le tableau. Elle était magnifique.

Nous nous sommes précipités pour lui offrir une chaise et nous assurer qu'elle était à l'aise. Puis nous avons noté que Mme B., cette adepte de la bouffe santé, était en train de manger un hamburger au fromage, au bacon et au chili, tout garni! De plus, elle l'engloutissait avec voracité.

Carlos s'est pincé le nez et a avalé une bouchée de tofu.

— Madame Blouin! s'est-il exclamé, stupéfait. Qu'est-ce que vous mangez? Ce n'est pas un burrito au tofu!

— Vous nous avez dit que les hamburgers étaient du poison, a ajouté Kevin Imbeault, qui forme un duo de défenseurs avec Benoît.

— Je ne sais pas ce qui me prend, tout à coup! a-t-elle dit, embarrassée, sans toutefois arrêter de mâcher. Depuis que je suis enceinte, je n'aime plus la nourriture santé. Vous ne me croirez pas, mais je trouve même qu'elle a mauvais goût!

— Non! nous sommes-nous exclamés en chœur.

Je parie que n'importe lequel d'entre nous aurait accepté d'échanger sa mère contre ce hamburger!

— Mais oui! a-t-elle insisté. Je ne mange plus que ce genre de nourriture, maintenant!

Elle a aussi avalé une montagne de frites nappées de sauce et bu un verre de racinette où flottait une boule de crème glacée. Nous avons continué de refiler des bouts de tofu au chien pendant qu'elle s'en donnait à cœur joie à s'empiffrer d'aliments vides. Quelques gouttes de sauce chili et de ketchup glissaient sur son ravissant menton.

Son repas terminé, elle s'est précipitée à la cuisine et est revenue avec un énorme sac de papier. Elle a fouillé à l'intérieur. On a entendu un bruit de billes qui s'entrechoquent. C'était un son que je connaissais bien. Finalement, sa main est ressortie, tenant délicatement, entre le pouce et l'index... une boule magique.

Une boule magique!

Vous ne le savez peut-être pas, mais je suis le client numéro un de l'industrie des boules magiques. C'est pour cette raison qu'on m'a surnommé Tamia : avant, j'avais toujours les joues gonflées par un gros bonbon dur.

Puis est arrivé le lundi fatidique. Un rendez-vous chez

le dentiste. Onze caries.

Je n'avais pas mangé un seul bonbon dur depuis le tournoi des étoiles. Et voici que j'en avais un devant les yeux! Et pas n'importe lequel : une méga-bombe au raisin, avec une véritable explosion de jus de fruit à l'intérieur! C'était comme narguer un gars assoiffé, en plein désert, en lui montrant un verre d'eau.

J'ai regardé sa jolie joue gonflée par la méga-bombe. On aurait dit que c'était elle qui portait le nom de Tamia.

Je sais ce que vous pensez. Les Blouin étant des personnes si gentilles, pourquoi ne lui en demandais-je pas une? Mais la vie n'est pas si simple. Mon prochain rendez-vous chez le dentiste allait avoir lieu dans trois semaines. S'il découvrait une carie, cela voudrait dire que j'avais enduré six mois de torture pour rien, à utiliser le fil dentaire jusqu'à déchirer mes gencives, à me brosser les dents avec une force à me disloquer l'épaule! Je serais alors certain de ne jamais revoir une boule magique de ma vie.

Cédric a avalé péniblement sa dernière gorgée de jus de concombre, puis a soupiré :

— Je dois vous avouer que je suis inquiet au sujet du match de samedi. Ce sera difficile sans Alex. Et comment va-t-on se débrouiller avec Fragile? Mais surtout, c'est le reste d'entre nous qui m'inquiète. Les joueurs sont si déprimés! D'après moi, l'équipe n'est pas prête à fournir les efforts nécessaires pour remporter une victoire durant les séries.

— Peux-tu nous blâmer? s'est plaint Jonathan qui est

d'un naturel plutôt doux, mais que la situation touchait plus que les autres, Alexia étant sa sœur jumelle. Je propose qu'on ne se présente même pas samedi. Ça va leur montrer ce qu'on pense de leurs stupides éliminatoires.

— C'est exactement ce qu'ils espèrent, abruti! a dit Alexia en inversant le volume. Ils veulent se débarrasser de nous.

— On va se faire éliminer samedi de toute façon, a dit Benoît d'un air malheureux. Jonathan suggère simplement qu'on parte volontairement, en faisant un pied de nez à Fréchette et à la ligue.

— Oubliez ça, a répliqué Cédric. On leur fournirait tout simplement les armes dont ils ont besoin pour renvoyer les Flammes de façon permanente.

Le style de Boum Boum est de laisser ses joueurs discuter pendant un moment, avant de donner son opinion. J'ai monté le volume de mon magnétophone pour ne pas manquer un seul mot de son intervention.

— J'ai joué dans la LNH pendant 16 ans, a-t-il déclaré. Et jamais, au grand jamais, je n'ai pris part aux séries éliminatoires. Chaque fois que j'étais dans une patente gagnante, je me faisais échanger et me retrouvais en dernière place. Je peux juste vous dire une affaire : quand on a la chance de jouer dans les bébelles, on ne la rate pas.

J'ai vu l'expression des joueurs changer. Boum Boum ne parle pas beaucoup, et encore moins en français. Mais ses rares interventions vont directement au cœur du sujet.

— Vous avez raison, a dit Jonathan, penaud. Comment

va-t-on faire pour battre les Vaillants?

— Peut-être que Fragile pourrait saigner sur eux? a blagué Carlos.

Cédric a grogné :

— Qu'est-ce qu'on va faire avec lui? Il va se faire tuer sur la glace!

— En tout cas, je peux te dire une chose, a promis Benoît d'un air sombre. S'il dit encore une fois que tout le monde le déteste, je vais vraiment me mettre à le détester!

— Fichez la paix à Virgile, a dit Alexia d'un ton protecteur. Il est mignon. Je l'aime bien, moi!

— Bien sûr! s'est s'exclamé son frère d'une voix sarcastique. C'est pour ça que tu essayais de lui arracher la tête pendant l'exercice de mise en échec?

— Elle n'a pas eu besoin de le faire, il l'a fait tout seul! est intervenu Cédric.

— C'est vrai, a dit Boum Boum. Il a presque mangé son bâton. Je pensais qu'il était machin-chouette.

— Mort, a traduit sa femme, la bouche gonflée par son bonbon.

Carlos a trouvé ça bidonnant. Et de le voir glousser nous a fait éclater de rire. Pour la première fois depuis la réunion de la ligue, notre moral est remonté légèrement du trente-sixième dessous.

J'ai pensé à un titre : *L'espoir renaît*.

Cela m'a donné une idée.

Chapitre 5

L'autobus scolaire passait nous prendre chaque jour de la semaine à 8 h. Les pourris de Bellerive l'avaient baptisé *Pathfinder*, comme la mission de la NASA vers Mars. Mais pour une fois, je n'étais pas là pour entendre leurs blagues plates habituelles. Le lundi matin à 7 h, j'étais à bord de l'autobus de la ville. Ma destination : la bibliothèque municipale. Quand le concierge est arrivé pour ouvrir la porte, il m'a trouvé assis sur les marches.

Je n'avais aucune confiance en M. Fréchette. Je voulais voir le règlement de mes propres yeux.

Faire des recherches n'est pas mon aspect favori du travail journalistique. C'est trop ennuyeux. Toutefois, c'est important. Quand je travaillerai pour *Sports Mag*, j'aurai peut-être besoin de trouver des renseignements. Comme les records de buts de Wayne Gretzky, la taille et le poids de la Coupe Stanley ou encore l'année où le nombre de joueurs est passé de six à cinq (il y a très, très longtemps, il y avait un joueur supplémentaire, appelé le maraudeur, entre les deux défenseurs).

J'ai donc grimpé quatre volées de marches pour atteindre le vieux grenier qui sentait le renfermé et où étaient conservées les archives de la ville. Après des recherches interminables, j'ai finalement trouvé cette vieille loi ridicule sur les femmes et les bâtons.

La poussière et la rage m'ont fait suffoquer. Devinez l'origine de cette loi idiote? Il y a 120 ans, le mulet d'une femme s'était coincé dans la boue. Pour le déloger, elle avait utilisé un gros bâton comme levier. Mais le mulet était si lourd que la femme était morte d'épuisement. Cette loi visait donc à protéger les femmes et à les empêcher de se blesser en effectuant des travaux physiques exigeants. Elle n'avait jamais été modifiée et était donc toujours en vigueur. Voilà pourquoi, un siècle plus tard, Fragile remplaçait Alexia!

J'étais deux fois plus furieux qu'avant. Vous parlez d'une injustice! Heureusement, les Flammes ont leur propre journaliste. Je pouvais utiliser la section des sports de la *Gazette* pour exposer cette arnaque au grand jour.

Sauf que la prochaine *Gazette* ne sortirait qu'après les matchs de quart de finale qui avaient lieu la fin de semaine. Les Flammes devraient jouer sans Alexia et avec Virgile! À la sortie de mon article, l'équipe serait peut-être là où les pourris de Bellerive la voulaient : hors des séries! Parfois, un journal mensuel est pire que pas de journal du tout!

Il ne me restait qu'une chose à faire : aller voir le maire.

L'administration publique était responsable de ce règlement; elle pouvait donc l'annuler.

Je sais ce que vous pensez : comment un enfant peut-il obtenir un rendez-vous avec le maire? Eh bien, j'ai déjà été camelot et je savais où vivait le maire.

Toutefois, je ne savais pas qu'il faisait la grasse matinée le lundi matin. Je crois que je l'ai réveillé. Il a ouvert la porte en robe de chambre, et il n'avait pas l'air très content de me voir.

— J'espère que je ne vous dérange pas, monsieur Sénécal, ai-je dit. Beau pyjama, ai-je ajouté pour l'amadouer.

Il a étouffé un bâillement :

— J'ai toujours du temps à accorder aux jeunes de Bellerive.

— Heu, en fait, je ne vis pas à Bellerive, ai-je avoué. Je suis Tamia Aubin, de Mars.

— Oh! Mars, a-t-il grogné. Que puis-je faire pour toi?

Je lui ai parlé du règlement de 1887, et du fait qu'il empêchait Alexia de participer aux éliminatoires.

À ma grande surprise, il a très bien réagi. Il m'a invité à entrer et m'a offert un verre de jus d'orange pendant qu'il notait ma plainte dans son ordinateur.

— Je suis heureux que tu m'aies signalé ce problème, Tamia, m'a-t-il dit. Comme la plupart des villes, Bellerive a beaucoup de règlements désuets. Mais nous ne pouvons pas les annuler si des gens comme toi ne viennent pas nous en parler.

— Voulez-vous dire qu'il va être aboli? ai-je demandé avec espoir.

— Parfaitement, a-t-il répondu. Je vais mettre le processus en marche dès que j'arriverai au bureau.

— Génial! me suis-je exclamé. Alors, ça ne va pas prendre beaucoup de temps?

— Une fois que l'assemblée aura lieu, ce sera instantané, a dit le maire en souriant. Voyons, a-t-il ajouté en enfonçant quelques touches de son clavier. La prochaine assemblée aura lieu le 14 décembre, à 9 h.

Ma déception était si grande que je suis encore étonné de ne pas m'être écroulé sur le sol.

— Mais il sera trop tard pour les séries éliminatoires! Ce sera au milieu de la prochaine saison!

— C'est comme ça, l'administration publique, a-t-il gloussé. Il faut respecter certaines procédures.

J'ai baissé la tête. Dehors, il avait commencé à neiger. Le maire m'a tapoté le dos.

— Attends, je vais m'habiller et te conduire à l'école.

— Est-ce que je dois attendre une date d'assemblée? ai-je demandé d'un ton amer. Parce que, dans ce cas, aussi bien me conduire à la cérémonie de remise des diplômes!

Il a éclaté de rire. Je ne voyais pas ce qu'il y avait de si drôle.

Nous sommes arrivés à l'école au moment où les élèves descendaient de l'autobus.

— Où étais-tu, Tamia? m'a demandé Jonathan pendant que le maire redémarrait. Est-ce que c'était le maire

Sénécal? a-t-il ajouté en fronçant les sourcils.

J'ai soupiré.

— Rappelle-moi de ne jamais travailler pour la ville, ai-je répliqué. On ne peut rien faire avant qu'il soit trop tard.

Chapitre 6

La fièvre des éliminatoires avait envahi le centre communautaire. Au moment de la mise au jeu, il n'y avait pas une seule place libre, ni même d'endroit où se tenir debout.

Les Marsois venaient toujours en grand nombre encourager les Flammes. Mais ce jour-là, les partisans de Bellerive étaient cinq fois plus nombreux. Des douzaines de flashs crépitaient dans les gradins. L'ambiance était à la fête. Le samedi des quarts de finale était toujours un grand événement.

Il y avait beaucoup de choses à noter pour un journaliste sportif. Mais c'est Alexia qui captait mon attention. Elle était debout près du banc des Flammes, droite comme un garde du palais. Mais au lieu d'un fusil, elle brandissait une vadrouille à long manche.

Malgré ma nervosité, je n'ai pas pu m'empêcher de l'applaudir. C'était le parfait pied de nez à l'intention de

M. Fréchette. Cette loi idiote disait qu'elle ne pouvait pas manier un bâton, mais les vadrouilles faisaient partie des objets permis.

L'arbitre a patiné jusqu'à elle.

— Que fais-tu avec une vadrouille? a-t-il demandé, dérouté.

— Je n'ai pas pu trouver de baratte, a-t-elle rétorqué en haussant les épaules.

Les Flammes ont entouré leur capitaine, la félicitant comme si elle venait de réussir un tour du chapeau. L'arbitre s'est éloigné en secouant la tête.

Boum Boum a tapé dans le dos d'Alexia.

— Tu vas nous manquer, ma fille!

Ah! ce qu'elle nous a manqué! Au cours des 60 premières secondes de la période d'échauffement, Virgile Norbert a encore mangé son bâton et nous avons eu droit à un autre bain de sang. Il y avait un tel dégât que les joueurs ont dû évacuer la patinoire et qu'on a ressorti la surfaceuse.

Jean-Philippe s'est penché par-dessus la bande, éperdu d'admiration.

— Regardez ce gars, a-t-il dit d'un air rêveur en désignant le conducteur. Il a de la chance! Je ne peux qu'imaginer ce qui lui passe par la tête en ce moment.

— Il se demande probablement comment autant de sang peut sortir d'un aussi petit nez, a commenté Benoît.

— Vous me détestez, hein? a gargouillé Fragile. Vous me détestez encore plus maintenant!

— On ne te déteste pas; on t'aime, lui a dit Alexia. Mais

les employés d'entretien, eux, te détestent.

Pendant que le nettoyage se poursuivait, l'entraîneur a scié 25 cm du bâton de Virgile.

Puis, après un délai d'attente de 20 minutes, la partie a commencé.

Avec son bâton raccourci, Virgile ne s'assenait plus de coups au visage. Mais comme joueur de hockey, il était à peu près aussi utile que de la crème solaire pour un ver de terre. Il était si petit que son chandail taché de sang pendait jusqu'à ses chevilles, comme une robe du soir. Ses manches étaient roulées tant de fois qu'il semblait porter des brassards de flottaison. Il ne patinait pas mal, mais n'allait pas très vite sur ses jambes courtes. Vraiment pas le genre de gars qu'on souhaiterait pour remplacer Alexia Colin. Et surtout pas contre l'équipe de l'Atelier de carrosserie Brunet.

Les joueurs des Vaillants étaient grands et solides. Ils avaient terminé en troisième place au classement, surtout grâce à leur style de jeu agressif. Leur capitaine était un homme des cavernes appelé Xavier Giroux, qui avait un seul point faible : il avait peur d'Alexia. J'étais catastrophé de voir son air joyeusement surpris en constatant qu'Alexia n'était pas en uniforme.

— Un à la fois, a-t-il promis à Cédric. Je vais vous broyer un à un sur la glace.

— Tu n'oserais pas dire ça si ma sœur jouait! a beuglé Jonathan.

— Vas-y, essaie donc! a raillé Alexia sur le banc.

Évidemment, dès la mise au jeu, Xavier a plaqué Cédric d'un coup de coude déloyal que l'arbitre n'a pas vu.

— Et de un! a lancé le capitaine des Vaillants après le coup de sifflet.

— Tu as eu de la chance, a dit Alexia en haussant les épaules.

Mais au prochain jeu, il s'est attaqué à Jean-Philippe. Après lui avoir coupé le chemin au cours d'une ruée vers la rondelle, il l'a violemment plaqué contre la bande.

— Et de deux! a-t-il dit en souriant.

Alexia a rejeté son commentaire d'un coup de vadrouille.

— Les Flammes n'ont pas peur d'un gros cornichon comme toi.

— Moi, j'ai peur d'un gros cornichon comme lui, a chuchoté Virgile.

Je pouvais comprendre Virgile. Alexia faisait tout pour faire enrager Xavier, et les joueurs devaient en subir les conséquences.

Sa prochaine victime a été Benoît. Xavier l'a frappé de côté, l'envoyant percuter le poteau du filet, puis s'est emparé de la rondelle.

Xavier était loin d'être un imbécile. Il était même un excellent joueur offensif. Il a fait une passe à son ailier gauche, qui a exécuté un lancer du poignet plutôt réussi. Jonathan a effectué un solide arrêt avec son gant bloqueur.

— Dégagez le machin! a beuglé Boum Boum.

— Le rebond! ai-je traduit.

C'était plus facile à dire qu'à faire. Aussitôt que le bâton de Kevin a touché la rondelle, paf! Xavier a écrasé Kevin dans le coin. Les Vaillants sont arrivés comme une nuée de sauterelles et ont écarté les Flammes du jeu. Xavier s'est mis en position devant le filet.

— Enlevez-le de là! s'est écrié Jonathan. Je ne vois pas la rondelle!

Mais même en unissant leurs efforts, Cédric et Jean-Philippe n'ont pas réussi à écarter le capitaine des Vaillants. Un défenseur a exécuté un lancer frappé cinglant de la pointe. Avec Xavier qui lui bloquait la vue, Jonathan n'avait aucune chance. C'était 1 à 0 pour les Vaillants.

— On vous a déjà battus, et on va recommencer! a lancé Xavier à la figure de Cédric.

Toutefois, ce n'est pas en se laissant impressionner par des brutes qu'on est élu trois fois joueur le plus utile à son équipe. La prochaine fois que Cédric a eu la rondelle, il a fait une feinte qui a pris Xavier par surprise.

— Spinorama!

J'ai crié mon idée de titre pendant que Cédric dépassait Xavier en trombe.

Pour empêcher ce qui promettait d'être une superbe échappée, Xavier n'a eu d'autre choix que d'avancer son bâton pour faire trébucher Cédric. Les partisans de Mars ont hurlé pour réclamer une punition.

La main de l'arbitre s'est levée :

— Deux minutes pour avoir fait trébucher l'adversaire!

Les Flammes se retrouvaient en avantage numérique.

Comment décrire le jeu de puissance des Flammes? Il n'était pas du tout conforme à la moyenne. L'élément le plus important a été Kevin, qui a sorti la rondelle de sa zone. Il a aperçu Jonathan, qui lui faisait signe d'attaquer de l'aile gauche, où la défense était plus faible.

Vous vous demandez probablement comment un gars peut mener une attaque en gardant l'œil sur son propre gardien, qui devrait normalement être derrière lui. C'est que Kevin est le meilleur patineur à reculons de toute l'histoire de la ligue Droit au but. Et comme il est incapable de patiner vers l'avant, toutes ses attaques se font à reculons. Pour se diriger, il regarde dans le rétroviseur collé à son casque. D'accord, il y a beaucoup de trucs bizarres au sein des Flammes, mais ça fonctionne, et c'est ce qui compte.

Juste avant la ligne bleue, Kevin a fait une passe à Benoît – ai-je mentionné que ce dernier ne patine que vers l'avant? Par contre, Benoît est le plus rapide patineur de l'équipe. Il est entré à toute vitesse dans la zone des Vaillants, entraînant leurs défenseurs hors de leurs positions.

Soudain, Cédric est arrivé derrière lui.

— Je suis à découvert!

Passe abandon. Lancer frappé!

Le gardien des Vaillants a plongé sur la rondelle, mais il était trop tard. Égalité, 1 à 1.

Un titre s'est inscrit dans ma tête. Je l'ai beuglé pendant les acclamations de la foule : *Premier but des Flammes en séries!*

Mais ce moment de bonheur n'a pas duré. Le but en avantage numérique a permis à Xavier de quitter le banc des punitions. Peu de temps après, le capitaine des Vaillants a mis Marc-Antoine en échec, d'un coup de hanche qui l'a projeté contre le poteau du filet.

— Et de cinq! a ricané Xavier.

— Et alors? a répliqué Alexia. Tu n'as pas encore eu Carlos!

Elle pensait probablement que ce dernier ne risquait rien. Carlos est le plus costaud des Flammes, et le deuxième meilleur plaqueur après elle. Mais cela n'a pas fait hésiter Xavier. Lors de la prochaine mise au jeu, il a chargé comme un rhinocéros en direction de Carlos, le rattrapant derrière le filet. Ce grand gaillard de Carlos a frappé la bande avant de rebondir par-dessus le filet et d'écraser Jonathan sur la glace. Notre gardien étant immobilisé, l'ailier des Vaillants n'a eu aucun mal à faire entrer la rondelle dans le coin supérieur du filet.

Les Vaillants avaient repris leur avance.

Chapitre 7

Le pointage était toujours 2 à 1 à la fin de la première période.

— Vas-tu arrêter d'agacer Xavier? a lancé Carlos à Alexia dans le vestiaire. Chaque fois que tu ouvres la bouche, l'un de nous se fait tabasser!

Alexia lui a jeté un regard dégoûté :

— Il faut bien que quelqu'un vous aide à vous défendre, puisque je ne suis pas sur la glace pour le faire!

— Pas de panique, est intervenu l'entraîneur Blouin avec son bon sens habituel. Nous ne sommes qu'à un truc derrière. Ma femme s'en vient avec son machin.

Comme nous savions que nous aurions du mal à jouer sans Alexia, nous avions demandé à Mme Blouin de s'asseoir dans la dernière rangée de gradins pour avoir une vue complète de la patinoire. Nous l'attendions pour qu'elle nous fasse son rapport.

Elle a fait une entrée remarquée. D'abord, son hot-dog

est arrivé. Il mesurait 45 centimètres et dégoulinait de moutarde et de ketchup. Elle le tenait en équilibre dans une main afin d'avoir l'autre libre pour tenir son lait frappé format géant. Rappelez-vous que cette femme avait auparavant l'habitude de grignoter des germes de haricot en guise de repas. Elle a dû se placer de côté pour que son hot-dog et son ventre puissent passer la porte. C'était une vision étonnante.

— Bon, a aboyé son mari. Fais-nous ton rapport.

— La moutarde n'est pas assez forte, a-t-elle dit d'un air pensif. Mais la relish maison est parfaite.

Nous l'avons dévisagée, mais personne, pas même Boum Boum, n'a eu le courage de lui poser une autre question.

La sirène a rappelé les équipes au jeu.

La deuxième période était l'occasion pour les Flammes de mettre les bouchées doubles, d'égaliser la marque, puis de terrasser les Vaillants. C'est du moins ce que j'ai enregistré dans mon magnétophone. Et nous aurions peut-être réussi si nous avions eu Alexia.

Dans les faits, nous avions Virgile, et il ne se faisait pas oublier. D'un point de vue défensif, il était complètement nul. Lorsque l'autre ailier s'emparait de la rondelle, Fragile était toujours aussi loin de lui qu'il était possible de l'être sans quitter l'aréna. Pour ce qui était de l'offensive, Virgile était pire que nul. Chaque fois que Cédric amorçait une attaque, ce petit maigrichon s'arrangeait toujours pour être dans ses jambes. Jean-Philippe a même trébuché sur lui. Un vrai danger public.

Sur le banc, Boum Boum a donné quelques conseils à Virgile.

— Quand on a la patente, reste dans ton cossin. Assure-toi que tu sais où sont tes zigotos.

La panique se lisait sur le visage de notre nouvel ailier.

Alexia a passé la deuxième période à agacer Xavier Giroux.

— Quel est ton problème, Xavier? a-t-elle chantonné. Je pensais que tu allais massacrer toute notre équipe. Aurais-tu peur?

Cela a enragé Xavier. Une minute plus tard, il a percuté Jean-Philippe, qui s'est écroulé au centre de la glace.

— Et de 10! s'est-il réjoui.

— Mais non! a ri Alexia. Tu l'avais déjà plaqué, lui. Tu es encore à neuf, espèce de raté!

Jean-Philippe s'est relevé et a patiné jusqu'à Jonathan.

— Peux-tu demander à ta sœur d'arrêter? s'est-il exclamé. Elle va nous faire tuer!

Jonathan a haussé les épaules :

— Laisse-la faire. Pense à quel point c'est dur pour elle de rester sur le banc.

— Facile à dire pour toi, s'est plaint Jean-Philippe. Tu ne risques rien. Xavier ne s'attaquera jamais au gardien.

Il se trompait. Au prochain jeu, le capitaine des Vaillants s'est précipité vers le filet. Sous les yeux de l'arbitre, il a fait semblant de trébucher. Il a glissé sur son fond de culotte jusque dans le but, heurtant Jonathan sous les genoux. Notre gardien s'est écroulé comme un sac de pommes de terre. Seul son masque l'a empêché de s'écraser la figure sur la glace.

Boum Boum a grimpé sur le banc. Sa queue de cheval était hérissée dans son dos.

— C'est une bébelle!

— Une pénalité! ai-je traduit.

L'arbitre a écarté nos protestations du revers de la main :

— C'était un accident.

— Ouais, un accident, a renchéri Xavier en souriant. Je suis vraiment maladroit.

Puis il a patiné jusqu'à notre banc, où il a lancé à Alexia :

— Et de 10!

Oh, que les Flammes étaient en colère! Il y a une règle tacite au hockey selon laquelle on ne doit laisser personne s'en prendre au gardien de but. J'ai remarqué que Cédric et Jean-Philippe talonnaient le capitaine des Vaillants, guettant l'occasion d'une mise en échec particulièrement énergique. C'était une erreur. Comme ils avaient délaissé leur position et que Virgile était encore au mauvais endroit, les Vaillants ont franchi la ligne bleue dans une attaque à quatre.

Toc! Un lancer frappé à partir de l'enclave. Jonathan n'a rien pu faire. L'équipe des Flammes tirait de l'arrière 3 à 1.

Le moral était au plus bas dans le vestiaire pendant la deuxième pause. Il semblait bien que l'histoire de l'équipe Cendrillon allait s'achever dans une finale abrégée. Il restait encore une période à jouer, mais tout le monde se comportait comme si le match était fini. Normalement, les joueurs auraient harcelé l'entraîneur, le suppliant de leur donner des conseils pour reprendre le dessus. Au lieu de cela, ils restaient assis sans mot dire, la mine dépitée.

Même Cédric avait l'esprit ailleurs.

— Tu sais, Alex, a-t-il dit à notre capitaine, tu ne nous as pas vraiment aidés, aujourd'hui.

Je pouvais presque entendre les rouages du cerveau d'Alexia se placer en mode inversé.

— Dis donc, Rougeau, tu es un vrai génie! Quel a été ton premier indice? Le fait que je n'avais pas de patins aux pieds?

— Tu sais ce que je veux dire, a-t-il grogné. Pourquoi as-tu provoqué Xavier? Tu l'as poussé à massacrer toute l'équipe.

Elle l'a regardé avec pitié :

— Quel est l'objectif d'une partie de hockey? Marquer des buts, non? Eh bien, si un gars court partout en essayant de plaquer tout le monde, qu'est-ce qu'il ne fait pas pendant ce temps-là?

Cédric lui a jeté un regard empreint d'étonnement et de respect.

— Es-tu en train de me dire que tu l'as fait exprès pour qu'il nous pourchasse, nous, au lieu de la rondelle?

— Exactement, le champion! Et si je ne l'avais pas fait, l'écart serait de cinq buts au lieu de deux.

Mme Blouin est entrée dans le vestiaire. Son hot-dog et son lait frappé géants avaient disparu. Elle était passée à l'étape du dessert. Il y avait une grosse bosse dans sa joue droite. Mais lorsqu'elle a tourné la tête, je me suis aperçu qu'il y avait une bosse identique dans sa joue gauche.

J'étais sidéré. Notre Mme B. tentait de relever le défi de deux bonbons durs à la fois! Même au sommet de ma carrière d'avaleur de bonbons durs, je n'avais jamais eu pareille audace! En matière de boules magiques, cela équivalait à traverser les chutes Niagara sur une corde raide!

— Écoutez, bande de zigotos! a aboyé l'entraîneur avant de se tourner vers sa femme. Fais-nous ton rapport.

Cette fois, elle avait vraiment des renseignements pour nous. Elle a déplié un morceau de papier et a commencé à lire :

— Grrbl vrr rmmm mommm flrr krrflntz vrrfl...

La morale de cette histoire : deux bonbons durs en même temps, c'est peut-être bon pour les papilles gustatives, mais c'est très mauvais pour l'art oratoire.

La sirène a retenti. Voilà. La troisième période. C'était un grand moment de journalisme. Les Flammes s'apprêtaient à jouer le tout pour le tout!

Chapitre 8

Xavier Giroux a passé la troisième période à patiner d'un joueur à l'autre en scrutant leurs masques. Je pense qu'il essayait de trouver lequel n'avait pas encore subi ses assauts. Chaque fois qu'il s'approchait d'un joueur, Alexia lui lançait :

— Pas lui! Tu l'as déjà plaqué!

Puis une chose incroyable s'est produite. Benoît a envoyé la rondelle derrière le filet des Vaillants, et leur gardien est sorti pour aller la chercher. Juste au moment où il faisait sa passe de dégagement, Xavier est passé devant lui. Je suppose qu'il essayait de voir si Marc-Antoine était sur la liste des « joueurs plaqués ». Peu importe la raison, la rondelle a rebondi sur la jambe de Xavier et a roulé doucement dans le filet désert.

C'était un hasard si extraordinaire que nous nous sommes à peine réjouis. Mais quel revirement de situation! L'équipe des Flammes, qui semblait fichue une minute plus tôt, ne tirait plus de l'arrière que par un but.

Sur le banc, Alexia a donné un coup de vadrouille sur le casque de Cédric.

— As-tu vu ça, le champion? a-t-elle dit d'une voix basse. C'était un cadeau du ciel. Maintenant, si tu ne vas pas sur la glace égaliser la marque immédiatement, je te conseille d'être sur tes gardes, parce que c'est à moi que tu vas avoir affaire!

— Tu me menaces? a dit Cédric, surpris.

— Et devant témoins! a répondu Alexia.

Je sais que ça semble excessif, mais j'ai enregistré cette conversation. Et le plus bizarre, c'est que tout s'est déroulé comme elle le voulait.

Cédric a remporté la mise au jeu avec un petit coup rapide du poignet. Il a fait glisser la rondelle entre les jambes de Xavier, puis a contourné son adversaire comme s'il exécutait une figure de danse carrée. Il a ensuite filé à la vitesse de l'éclair.

Je me suis levé d'un bond. Tous les partisans des Flammes en ont fait autant. Quand Cédric Rougeau est sur sa lancée, aucun joueur de la ligue ne peut s'en approcher. Et personne ne l'a fait. Il a déjoué le premier défenseur en maniant son bâton de façon magistrale. Le deuxième défenseur s'est écarté de son chemin sans attendre.

Cédric a effectué un lancer frappé court si bien ciblé que même Dominik Hasek n'aurait pas pu l'arrêter. La rondelle est entrée dans le coin supérieur du filet avec une précision mathématique.

— Égalité! me suis-je écrié, faisant grimper l'aiguille de mon magnéto au maximum.

Les partisans de Mars étaient déchaînés.

Je n'en croyais pas mes yeux. Ce devait être la première fois de l'histoire du hockey que quelqu'un était contraint par la menace de marquer un but égalisateur! Quel reportage d'intérêt humain pour *Sports Mag*, ou même la *Gazette*! Dommage que je n'aie pas eu le courage de l'écrire. Alexia m'aurait assassiné si je l'avais fait.

J'ai cru que Xavier Giroux allait piquer une crise. On distinguait à peine son visage rouge derrière sa visière embuée. Mais au lieu de se concentrer sur le jeu pour reprendre l'avance, il a consacré tous ses efforts à retrouver le onzième joueur, celui qu'il n'avait pas encore malmené.

Alexia l'asticotait sans relâche :

— Dix, ce n'est pas onze, lui a-t-elle rappelé d'un ton joyeux. Qu'est-ce qui se passe, Xavier? Tu ne peux pas finir ce que tu as commencé?

Le capitaine des Vaillants a poussé un grognement de frustration :

— Qui est-ce qui reste?

Alexia a agité son index comme une mère qui réprimande son bébé :

— Tss, tss! Je ne suis pas une rapporteuse!

Mais le dilemme de Xavier s'est résolu tout seul. Parce que, devant lui, est apparu tout à coup un garçon haut comme trois pommes, qui était empêtré dans un uniforme des Flammes trop grand pour lui et parsemé de taches de sang. C'était le onzième joueur, Virgile Norbert.

Même de mon siège derrière le banc des joueurs, j'ai pu voir les yeux de Xavier se fixer sur Virgile comme un missile à tête chercheuse.

Alexia a tenté de le prévenir :

— Virgile!

C'était inutile. Xavier était l'un des meilleurs joueurs de la ligue, alors que Fragile était le plus petit et le plus lent. Il n'avait aucune idée de ce qui l'attendait.

En trois puissantes enjambées, le capitaine des Vaillants s'est retrouvé derrière la fragile silhouette de Virgile. Le grand gaillard a abaissé son épaule, s'apprêtant à écrabouiller le pauvre garçon.

Mais il a raté son coup. Je ne peux pas expliquer comment, mais je peux vous décrire ce qui s'est passé. Xavier s'est jeté sur Fragile et est passé à travers lui, sans même le toucher. Boum! Je jure que l'édifice tout entier a tremblé lorsque Xavier a frappé la bande. Il a fallu arrêter l'horloge pour le ramasser à la petite cuillère.

Il n'était pas blessé, mais il avait le souffle si court qu'il n'allait pas pouvoir recommencer à respirer normalement avant le jeudi suivant. Selon les règlements de la ligue, il fallait le retirer du jeu.

L'entraîneur des Vaillants était horrifié :

— Ce n'est pas juste! Comment une équipe peut-elle jouer sans capitaine?

— Aucune idée! a répondu Alexia en écartant les bras.

Quant à Virgile, il avait finalement réussi à atteindre le

banc des Flammes. J'ai tendu mon micro sous son nez. Pouvait-il m'expliquer ce qui s'était passé?

— Oh, non! s'est-il lamenté. Maintenant, l'autre équipe aussi me déteste!

Boum Boum était surexcité.

— Ça y est! Ils ont perdu leur capitaine, eux aussi! Maintenant, c'est une patente équitable! Il nous reste 1 minute et 37 bébelles pour compter! a-t-il ajouté en jetant un coup d'œil à l'horloge.

Nos joueurs ont eu un regain d'énergie. Nous avons retrouvé les Flammes que nous connaissions et aimions tant. Benoît a mené une attaque avec rapidité et confiance. Les attaques à reculons de Kevin ont dérouté les défenseurs. Les avants ont multiplié les passes, créant plusieurs occasions de marquer. Jonathan était solide comme un roc devant le filet.

Il ne restait plus que 30 secondes de jeu. Je souhaitais un but, plus que tout au monde! Bien sûr, nous aurions une chance de compter en prolongation. Mais à ce moment précis, les Flammes dominaient le jeu. C'était notre meilleure chance d'écraser les Vaillants avant qu'ils se ressaisissent.

Puis l'équipe adverse a pris les Flammes au dépourvu, au beau milieu d'un changement de trio.

— Retournez-y! a crié Boum Boum.

Mais il était trop tard. Notre première ligne d'attaque n'était pas en position.

D'un geste héroïque, Cédric a freiné subitement, avant

de plonger vers le joueur en possession de la rondelle, dans une tentative désespérée de le harponner. La rondelle s'est dégagée et a roulé jusqu'à Virgile, qui l'a regardée comme s'il s'agissait d'une grenade dégoupillée. Après tout, c'était la première fois qu'il s'en approchait de toute la partie, et il ne restait que 15 secondes de jeu.

— Frappe-la!

Ce cri a jailli de ma bouche, ainsi que de celle de l'entraîneur et de la moitié des joueurs.

C'est ce qu'il a fait, d'un coup bizarre et maladroit qui a fait glisser la rondelle, au ralenti, vers le coin de la patinoire.

Vous auriez dû voir la ruée! Tous les joueurs ont délaissé leur position et se sont précipités vers la rondelle. Les deux équipes se sont entassées dans un entrechoquement de bâtons.

Huit secondes... sept... six...

Le grand Carlos s'est libéré de la mêlée en entraînant la rondelle. Il a cherché son centre des yeux. Mais tout ceci se déroulait au milieu d'un changement de trio bâclé. Marc-Antoine était toujours sur le banc. Le seul centre sur la glace était Jean-Philippe, qui faisait partie de l'autre trio.

— Par ici! a-t-il lancé en frappant la glace de son bâton.

Quatre... trois... deux...

Carlos lui a fait une passe tout en finesse. Jean-Philippe ne l'a même pas arrêtée, car il ne restait pas assez de temps. D'un coup solide, il l'a fait entrer dans le filet adverse, à côté du gardien des Vaillants, une fraction de seconde avant la fin du match.

Pointage final : 4 à 3 pour les Flammes.

L'équipe de Mars passait au deuxième tour.

Chapitre 9

— Qui a volé Mars? a demandé M. Pincourt, notre enseignant de sciences.

Il parlait de la planète, pas de la ville. Nous étions rassemblés devant la maquette du système solaire. Mercure, Vénus, et toutes les autres planètes s'y trouvaient, sauf une. La quatrième orbite ne contenait qu'une banane.

Des gloussements et des ricanements ont fusé. Les pourris de Bellerive pensaient qu'il n'y avait rien de plus amusant que de se moquer de Mars. Et nous, les Marsois, n'avions d'autre choix que d'endurer ces idioties.

Rémi a donné un coup de coude à Olivier, qui a levé la main.

— Monsieur Pincourt, est-ce que ce n'est pas Mars, là-bas? a-t-il demandé.

Il désignait l'arrière du laboratoire. En effet, la planète rouge était là, pendue à une corde. Elle était criblée de petits trous. Une longue flèche ornée de plumes la transperçait. Des bâtons de dynamite factices y étaient attachés. Le tout reposait sur une chaise électrique miniature. Une pancarte écrite à la main proclamait : LES CHANCES DE MARS AUX ÉLIMINATOIRES.

Rémi et Olivier se sont mis à applaudir. M. Pincourt a même eu un petit gloussement. Le seul Marsois qui a ri était Carlos, mais il s'est arrêté quand Alexia lui a enfoncé la banane dans la bouche.

Cédric a pris notre défense :

— La dernière fois que j'ai vérifié, les Flammes allaient affronter les Requins en demi-finale. Nos chances ne sont pas si mauvaises, après tout!

— Ne te fais pas d'illusions! a rétorqué Rémi. Aucun Martien ne mettra sa main d'extraterrestre sur la Coupe Fréchette, je te le garantis!

— Et moi, je te garantis que c'est vous qui allez vous retrouver les mains vides!

C'était la voix d'Alexia, plus basse que jamais. Mais tout le monde l'a entendue.

Je voyais bien que Rémi et Olivier étaient sûrs d'eux. Et ils avaient toutes les raisons de l'être. Après notre match, ils avaient défait les Étincelles 7 à 1. Cinq de ces sept buts avaient été marqués par Rémi Fréchette.

— Tu vas perdre ton titre de joueur le plus utile, Rougeau, a dit Rémi. J'ai suivi le stage de Wayne Gretzky pendant la semaine de relâche.

— Tu veux dire le stage où on apprend à devenir une grande gueule? a dit calmement Alexia.

Olivier l'a fusillée du regard :

— Tu as du culot pour une fille qui a été renvoyée de la ligue!

— J'ai eu trois cours privés avec Wayne Gretzky lui-même! a insisté Rémi. Il m'a aidé à perfectionner mon lancer du poignet.

Je parie que Cédric mourait d'envie de riposter : « Et alors? » Mais cinq buts dans un match en séries, c'était suffisant pour appuyer ces vantardises.

— Aujourd'hui, nous commençons un module d'astronomie, a dit M. Pincourt. Certains d'entre vous ont le goût de faire des blagues parce que la ville voisine s'appelle Mars. Mais maintenant que vous vous êtes bien amusés, essayez de garder votre sérieux, d'accord?

Vous pouvez imaginer ce qui s'est passé. Personne n'a gardé son sérieux. Chaque fois que le mot Mars était prononcé, quelqu'un lançait un beuglement d'orignal. Et ce n'était pas seulement ce mot qui déclenchait les rires. Ces idiots rigolaient en entendant les termes : planète, orbite, astéroïde, étoile, nébuleuse, satellite et même nuage!

— Vous exagérez! ai-je explosé. Vous avez aussi des nuages à Bellerive!

— En fait, a lancé la voix flûtée de Virgile Norbert, il n'y a aucune raison d'associer les nuages à Mars. La Terre est une planète bien plus nuageuse.

Un silence stupéfait a accueilli ses paroles. Je me suis retourné pour dévisager Fragile. Était-ce là sa façon de prendre la défense de Mars? Ou alors, il n'avait rien compris, comme d'habitude!

M. Pincourt en avait assez :

— Pourriez-vous vous concentrer sur le cours, s'il vous plaît? Quand on entend la même blague des centaines de fois, elle finit par ne plus être drôle.

Essayez de faire comprendre ça aux tarés de Bellerive. Les cris d'orignaux et les hennissements ont cessé. Mais chaque fois que M. Pincourt prononçait le mot Mars, je recevais des boulettes de papier imprégné de salive ou du papier chiffonné sur la tête.

Je faisais mine de les ignorer. Je ne m'occupais pas davantage de M. Pincourt. J'avais des choses plus importantes à faire. Le prochain numéro de la *Gazette* allait paraître le mercredi suivant. Je voulais écrire un article qui dénoncerait la ligue Droit au but de Bellerive et sa vieille loi de 1887. Les officiels ne pourraient plus garder Alexia à l'écart des séries. Quand les gens liraient mon article, ils seraient aussi indignés que moi. J'avais déjà mon titre :

IL N'Y A PAS DE JUSTICE
par Clarence « Tamia » Aubin
journaliste sportif de la *Gazette*

Je savais que mon plus grand défi serait de faire comprendre à tout le monde à quel point cette vieille loi était ridicule. Alors, j'ai mis le paquet :

La loi empêchant les femmes de tenir des bâtons n'a rien à voir avec le hockey. Les responsables de la ligue Droit au but de Bellerive veulent se débarrasser d'Alexia Colin parce qu'ils redoutent le trop grand succès des Flammes.

Ils sont irrités parce que l'équipe de Mars fait partie des séries au terme de sa toute première année dans la ligue.

On ne peut pas laisser la ligue agir ainsi. Même le maire de Bellerive estime qu'il s'agit d'une loi désuète. Le prochain match des Flammes aura lieu samedi. Téléphonez à M. Fréchette. Son numéro ne figure pas dans l'annuaire, alors le voici : 555-8406. C'est à vous de ramener Alexia Colin sur la glace, là où elle devrait être...

J'ai terminé la rédaction de mon article juste avant la cloche. J'étais plutôt fier de moi. Je me disais que quelques centaines d'appels téléphoniques aideraient à donner une leçon à M. Fréchette.

J'ai gravi les marches trois à la fois et ai intercepté Mme Spiro à quelques pas de la salle des enseignants. Elle est la rédactrice en chef de la *Gazette*, ainsi que mon enseignante de français.

— Voici mon article! Il est prêt! ai-je dit, tout essoufflé. On peut l'imprimer quelques jours plus tôt. Comme ça, tout le monde pourra le lire avant la fin de semaine.

Elle a jeté un coup d'œil rapide sur ma feuille. Puis elle s'est mise à lire le texte en fronçant les sourcils.

— Clarence, je ne peux pas publier ça.

— Mais il le faut! l'ai-je suppliée. C'est la seule façon d'obtenir justice!

Elle a soupiré.

— Clarence, tu ne peux pas accuser quelqu'un sans preuve, publier son numéro de téléphone et encourager les gens à le harceler! C'est illégal.

— Vous avez toujours dit qu'un bon journaliste devait se porter à la défense de causes justes, ai-je protesté.

Elle devait avoir hâte de boire son café, car elle s'est impatientée :

— Si tu écris un texte convenable, il paraîtra dans la *Gazette* de ce mois-ci. Sinon, nous irons sous presse sans section sportive. Est-ce que c'est clair?

Voilà le problème avec les enseignants. Quand ils parlent devant toute la classe, c'est un monde idéal. Mais lorsqu'il s'agit de la vraie vie, on n'a jamais le droit de faire quoi que ce soit.

J'étais si furieux que je me suis mis à arpenter le couloir en parlant tout seul. Comment pouvais-je écrire un gentil petit article disant qui avait joué contre qui, et qui avait marqué? Ce serait faire abstraction de la plus grande arnaque de l'histoire de la ligue. Ça équivaudrait à dire qu'une maison a de jolis rideaux roses en négligeant de mentionner qu'elle est en train de brûler!

De plus, il m'était impossible de publier cet article à l'insu de Mme Spiro. Cette femme est si préoccupée par le gaspillage de papier qu'elle relit les textes un million de fois avant l'impression.

Qu'est-ce que je pouvais faire?

Chapitre 10

Le prochain entraînement des Flammes avait lieu au centre communautaire le mardi, après l'école. C'était une autre mesquinerie de M. Fréchette. Il nous avait alloué la période de 15 h 30 à 16 h 30. Mais comme la cloche de l'école ne sonnait qu'à 15 h 30, nous perdions beaucoup de temps à nous rendre là et à enfiler nos uniformes.

Nous avions donc élaboré un système. À 15 h 25, tous les joueurs des Flammes demandaient la permission d'aller aux toilettes. Ils attrapaient leurs sacs dans leur casier, revêtaient leur uniforme dans les toilettes (à l'exception des patins) et attendaient la fin des classes. Dès que la cloche sonnait, c'était une course effrénée vers la sortie. L'entraîneur nous attendait devant l'école, dans le camion de livraison. Nous nous entassions à l'arrière, et Boum Boum démarrait sur les chapeaux de roues, en direction du centre communautaire. Je sais que ça semble ridicule, mais c'était la seule façon de profiter au maximum de notre heure d'entraînement.

Cet après-midi-là, c'était la première fois que Virgile participait à ces préparatifs frénétiques. J'imagine qu'on avait oublié de lui mentionner que le camion était rempli de sacs d'aliments naturels. Il a plongé tête première et s'est écrasé la figure dans un sac de 20 kilos de muesli.

Quand le camion s'est arrêté devant le centre communautaire et que Boum Boum a ouvert les portes arrière, il a aperçu toute son équipe couverte de sang et de céréales.

— Virgile a encore mangé son bâton? s'est-il exclamé, horrifié.

— Non, a répondu Alexia. Juste du muesli.

— Maintenant, même l'entraîneur me déteste, a gargouillé Virgile.

Les joueurs venaient de mettre le pied sur la glace quand Alexia a levé la main :

— Monsieur, est-ce qu'on pourrait commencer par un exercice de plaquage?

Boum Boum a réfléchi.

— Pourquoi pas? D'accord, les avants à gauche, les machins à droite...

Alexia l'a interrompu :

— Je voulais dire un exercice spécial de plaquage. Une sorte d'expérience. Juste Virgile et moi.

Oh! oh!

Boum Boum devait penser comme moi, car il a répondu d'un ton circonspect :

— Heu, je ne crois pas que ce soit une bonne patente. Après tout, Virgile n'a pas l'expérience, ni les machins-trucs...

— Alex, ce n'est pas sa faute, ce qui est arrivé, a renchéri Jonathan.

— Je me porte volontaire pour ton expérience, a ajouté Cédric. Prends-moi comme cobaye.

— Avez-vous fini? a dit Alexia d'un ton dégoûté.

— Mais Alex... a insisté Boum Boum.

C'est Fragile lui-même qui a réglé la question.

— Ça va, monsieur, a-t-il dit courageusement. Je dois le faire. Sinon, les autres me détesteront pour toujours.

Il s'est mis à patiner dans un drôle de style courbé, en poussant la rondelle avec son bâton. Alexia s'est approchée en deux coups de patins et a abaissé son épaule pour une mise en échec foudroyante.

— On va avoir besoin de la surfaceuse, a marmonné Jean-Philippe.

— De deux surfaceuses! a renchéri Carlos.

Je l'avoue. J'ai fermé les yeux.

Quand je les ai rouverts, Alexia était étendue à plat ventre et glissait sur la glace pendant que Virgile la dépassait en haletant.

— Elle a raté son coup, a chuchoté Benoît, incrédule.

— Alexia ne rate jamais son coup! a ajouté Jonathan, les yeux ronds.

Alexia s'est relevée tant bien que mal.

— Allez, on essaie encore, a-t-elle dit d'une voix basse.

Alors, ils ont recommencé. Cette fois, elle s'est mise en position pour le plaquer d'un coup de hanche qui aurait envoyé voler n'importe quel joueur dans les airs. Mais, inexplicablement, Fragile a réussi à l'éviter de justesse.

— Ça alors, je n'en crois pas mes bidules! s'est exclamé Boum Boum, stupéfait.

Finalement, Alexia a foncé sur Virgile comme si elle avait l'intention de l'aplatir comme une crêpe, mais elle est passée par-dessus lui! Il était si courbé qu'elle n'a même pas effleuré son casque.

Virgile s'est tourné vers l'entraîneur avec une expression perplexe.

— C'est pour quand, la mise en échec?

Nous étions estomaqués. J'étais sûr qu'Alexia cracherait du feu. Mais non. Quand elle s'est approchée, elle avait un sourire fendu jusqu'aux oreilles.

— Je le savais! s'est-elle écriée. C'est pour ça que Xavier a raté sa mise en échec dans le dernier match. Virgile est impossible à plaquer!

— Mais voyons, ça ne se peut pas! a répliqué Benoît.

— Essayez vous-mêmes, a riposté Alexia.

C'est ce qu'ils ont fait. Un par un, tous les joueurs de l'équipe se sont attaqués à Virgile. Ils ont obtenu les mêmes résultats que Xavier et Alexia. Même Boum Boum a essayé. Un joueur de la LNH! Mais il s'est presque évanoui en se frappant la tête sur la porte du banc des punitions.

Les joueurs étaient déconcertés. Selon Alexia, c'était la taille de Virgile qui expliquait ce phénomène. Cédric soutenait que c'était son style de patinage courbé. Jonathan croyait que Virgile était si peureux qu'il avait un instinct naturel pour esquiver les coups à l'approche du danger.

Peu importe la raison, un joueur impossible à plaquer était sûrement un atout pour une équipe de hockey – même si le joueur en question était nul pour toutes les autres manœuvres.

— Virgile! a crié l'entraîneur, encore étourdi après sa collision. Viens ici avec les autres zigotos.

Virgile s'est approché lentement, d'un air accablé.

— J'ai tout raté, hein?

— Non, tu n'as rien raté, a répondu patiemment Boum Boum.

— En fait, a ajouté Alexia, ton rôle dans cette équipe vient de prendre beaucoup d'importance.

Nous avons invité Virgile à partager notre collation au magasin d'aliments naturels. Mais une fois encore, il a refusé de nous accompagner.

Cédric a deviné pourquoi.

— Virgile, personne ne te déteste. Tu n'as pas remarqué que l'entraîneur a passé toute la période à travailler avec toi?

— Oui, a dit Virgile en hochant tristement la tête. Je vous ai enlevé votre entraîneur pendant une heure. Je cause toujours des problèmes.

Impossible de discuter avec Fragile. Parfois, je pense qu'il veut qu'on le déteste. De toute façon, il y avait des hamburgers aux courgettes au menu. Le pauvre garçon faisait donc bien de rentrer chez lui.

La nourriture était déjà sur la table, fumante et dégoûtante, quand nous sommes arrivés au magasin. La belle Mme Blouin – qui s'arrondissait un peu plus chaque jour – nous a accueillis à la porte. Elle se dirigeait vers la benne à ordures avec un énorme sac à provisions.

Voilà qui prouve à quel point un journaliste est concentré quand il prépare un scoop : j'ai presque manqué le bruit d'entrechoquement caractéristique qui sortait du sac. J'ai couru derrière elle et l'ai rattrapée à un centimètre de la benne à ordures.

— Non, madame Blouin! Vous n'allez pas jeter ces boules magiques?

— Je sais, Tamia, a-t-elle dit en secouant la tête. Mais je dois m'en débarrasser.

— Mais pourquoi? ai-je gémi.

— J'avais un rendez-vous chez le dentiste aujourd'hui. Figure-toi que j'ai une carie! Je n'avais pas eu de carie depuis mon enfance. Mon dentiste dit que c'est à cause de ces bonbons.

Les boules magiques causent des caries. Tiens, tiens.

Puis elle a offert au renard les clés du poulailler.

— Veux-tu les avoir, Tamia? a-t-elle demandé en me tendant le sac.

J'aimerais pouvoir dire que ce sont ses beaux yeux bruns qui m'ont convaincu. Mais le fait est que j'aurais accepté ces boules magiques de la part du plus affreux babouin de la jungle. Pensez-y, des boules magiques! Elles faisaient autant partie de moi que mes oreilles!

Oui, je sais. Je ne pouvais pas en manger une seule. J'avais un rendez-vous chez le dentiste, moi aussi, dans moins de deux semaines. La pression se faisait sentir. Si le dentiste trouvait la moindre indication que j'avais mangé une boule magique, ma mère monterait sur ses grands chevaux. Mais pouvais-je pour autant laisser ces bonbons finir dans une poubelle? Pas question! Quand le Dr Meunier aurait terminé ce qu'il avait à faire, j'avais bien l'intention de passer à travers ce sac jusqu'à ce qu'il soit vide.

Après la réunion, j'ai dissimulé ma réserve de bonbons sous mon chandail. Je n'ai eu aucun problème à la faire entrer dans la maison à l'insu de ma mère. Elle avait les yeux fixés sur le téléviseur et non sur son fils, qui semblait être en état de grossesse, tout comme Mme Blouin. Une fois dans ma chambre, j'ai enfoncé le sac dans un tiroir et j'ai disposé tous mes sous-vêtements de la semaine par-dessus.

J'avais cependant fait une petite erreur de calcul. J'allais devoir vivre avec toutes ces boules magiques – dans ma chambre! – pendant plus de deux semaines. Si je me laissais tenter – même en léchant un millimètre carré d'un seul bonbon – je savais que je ne pourrais plus m'arrêter de les manger!

Il fallait que je sois raisonnable. Et je n'étais pas très doué pour ça.

Je ne sais pas comment j'ai réussi à dormir cette nuit-là. Je vous jure que mon tiroir à sous-vêtements luisait dans le noir. Bon, d'accord, je sais qu'il ne luisait pas vraiment. Mais à la seule pensée que ces bonbons étaient là-dedans, que je pouvais en avoir un, deux, cinq, cent... J'en crevais!

Moins je pouvais dormir, et plus je pensais à ma conversation de la veille avec Mme Spiro. Je me sentais plus frustré que jamais. Elle refusait de publier mon article, simplement parce que j'y exposais la mesquinerie de M. Fréchette et que je donnais son numéro de téléphone privé. La ligue allait donc pouvoir nous arnaquer impunément, sans susciter la moindre protestation.

La liberté de presse, laissez-moi rire!

J'ai serré les mâchoires. Bien sûr, Tamia Aubin, l'élève, devait obéir à Mme Spiro. Mais j'étais un journaliste avant d'être un étudiant.

Comment pourrais-je publier mon article à son insu? Elle lisait toujours le journal en entier avant de me donner le feu vert pour l'impression. Dommage que je ne puisse pas embaucher un hypnotiseur pour lui faire croire que mon article était une liste inoffensive de pointages et de faits saillants. Y avait-il un autre moyen?

Tout à coup, j'ai trouvé une solution.

Chapitre 11

Le lendemain matin, le téléphone a sonné pendant que je m'habillais. J'ai dû décrocher au même moment que ma mère, car elle ne savait pas que j'écoutais.

Ce n'est pas que je voulais l'espionner, mais mon instinct de journaliste m'a poussé à rester en ligne. Que voulez-vous? Mes oreilles ont du pif pour les exclusivités.

— Bonjour, madame Aubin. Ici le Dr Meunier.

C'était le dentiste!

— Madame Aubin, je ne voudrais pas me mêler de ce qui ne me regarde pas, mais je dois vous mettre au courant : une de mes patientes m'a informé qu'elle a donné un sac de boules magiques à votre fils.

J'en ai presque échappé le téléphone. La plupart des gens ont un dentiste qui se contente de réparer les dents. Le mien se prend pour Sherlock Holmes.

Il fallait agir, et vite! J'ai sorti le sac de bonbons du tiroir, l'ai lancé sur le lit et l'ai enveloppé dans ma couverture. Puis j'ai arraché le lacet de mon soulier droit et je m'en suis servi pour ficeler le tout avant de jeter le paquet par la fenêtre.

Je me suis empressé de m'habiller, puis je suis descendu en tentant de me faufiler hors de la maison.

— Clarence!

Vous ne me croirez jamais. Elle m'a fouillé! Elle a commencé par m'examiner des pieds à la tête, puis a scruté le contenu de mon sac à dos comme une douanière. Ma propre mère! Si je n'avais pas été coupable, j'aurais été vraiment insulté!

Ensuite, elle m'a regardé dans les yeux en disant :

— Clarence, aurais-tu quelque chose à me dire?

J'ai fait l'innocent :

— C'est une journée importante à l'école. On imprime la *Gazette* aujourd'hui.

Elle m'a laissé partir. Aussitôt que j'ai franchi la porte, je l'ai vue se diriger en haut pour fouiller ma chambre.

Je me suis précipité dans le jardin pour ramasser mon paquet de boules magiques. J'étais plutôt fier d'avoir réagi aussi rapidement. Si je n'avais pas sorti ces bonbons de la maison, ils auraient été réduits en poussière!

J'ai attrapé l'autobus de justesse. Je ne devais pas être en retard ce jour-là. J'avais beaucoup de travail à faire pour que le journal paraisse à temps.

En arrivant à l'école, j'ai couru à mon casier pour y mettre mon paquet de bonbons. Puis je me suis dirigé vers la salle d'informatique où j'ai choisi un ordinateur. J'ai commencé à taper :

LE DÉBUT DES SÉRIES
par Clarence « Tamia » Aubin
journaliste sportif de la *Gazette*

La fin de semaine dernière a eu lieu le premier tour des éliminatoires de la ligue Droit au but de Bellerive...

J'ai nommé les équipes gagnantes et les pointages. J'ai indiqué quelles équipes allaient s'affronter dans les demi-finales du samedi suivant. Rien de plus.

Une fois l'article terminé, je suis allé le montrer à Mme Spiro.

Elle m'a souri :

— Clarence, tu m'impressionnes. Tu fais preuve d'une grande maturité. Tu peux aller imprimer le journal.

— Merci, ai-je dit d'un air sérieux.

Je me suis dirigé vers le bureau du journal. Le disque contenant le reste des articles se trouvait à côté du clavier.

J'ai détruit mon dernier texte et ajouté au disque le véritable article – celui qui accusait M. Fréchette.

Mme Spiro ne saurait jamais qui était le responsable. Heu... elle le devinerait probablement, mais à ce moment-là, le journal serait imprimé et tout le monde en aurait un exemplaire.

C'était un bon plan, audacieux et digne d'un véritable journaliste. Et il aurait fonctionné si elle n'était pas entrée juste au moment où les premières pages sortaient du photocopieur.

En une fraction de seconde, son regard est tombé sur le numéro de téléphone de M. Fréchette. Je suppose que ce n'était pas une bonne idée de l'avoir mis en caractères gras.

Je m'attendais à ce qu'elle se mette à crier. Mais elle s'est contentée de dire :

— Sors d'ici, Clarence.

— Mais, madame Spiro...

— Je t'ai dit que tu ne pouvais pas imprimer cet article, a-t-elle déclaré d'un ton sévère. Tu m'as désobéi. J'ai souvent fermé les yeux sur tes bêtises, mais maintenant, c'est terminé. Tu ne travailles plus pour la *Gazette* de l'école élémentaire de Bellerive. Tu es congédié.

J'ai eu l'impression de recevoir un coup de poing dans le ventre de la part d'un champion de boxe. Être journaliste, ce n'est pas seulement une activité; c'est ma raison d'être. Si je ne pouvais plus être journaliste, je n'étais plus Tamia Aubin.

Dépouillé de mon identité, je suis sorti du bureau de la *Gazette*.

Chapitre 12

Je n'avais pas le courage de dire à l'équipe que j'étais renvoyé du journal. J'ai apporté mon magnétophone au centre communautaire, pour les demi-finales du samedi. J'ai pris des notes, j'ai « enregistré » les bruits de la foule. Jean-Philippe m'a même convaincu d'interviewer le conducteur de la surfaceuse au sujet de l'entretien de la glace. Mais il n'y avait pas de cassette ni de piles dans le magnétophone. Je me sentais aussi vide que mon appareil. Tamia Aubin, journaliste, était chose du passé.

L'équipe n'avait cessé de me harceler les deux jours précédents. Et ça continuait.

— Hé, Tamia! a lancé Cédric. Il n'y a pas de section de sports dans la *Gazette* ce mois-ci?

— Il n'y avait pas assez de place, ai-je menti.

— Qu'est-ce que tu dis là? a-t-il répliqué. Il y avait une page vide à la fin!

Heureusement, je n'ai pas eu besoin de répondre, car

Cédric a été appelé au centre de la patinoire pour la mise au jeu. Mais j'ai remarqué qu'Alexia me lançait un regard curieux.

Les adversaires des Flammes étaient les Requins du restaurant Le Corsaire, qui occupaient le deuxième rang du classement. Ils n'avaient perdu que trois matchs durant la saison, dont deux aux mains des Pingouins. Ils excellaient dans tout : ils avaient de bons plaqueurs, des patineurs rapides, des défenseurs robustes et un gardien solide. Dans la ligue, ils étaient craints, mais respectés. Les Requins étaient de bons gars.

Ils n'étaient pas forts en gueule comme Rémi Fréchette ou Xavier Giroux. Heu… sauf un, mais ce n'était pas un joueur : c'était Roger Distel, propriétaire du restaurant Le Corsaire et commanditaire des Requins. Son équipe lui tenait vraiment à cœur. Pour chacun des matchs, il se déguisait en requin et sautait sur son siège en s'époumonant :

— Allez, les Requins! Patinez! Ils sont pourris, vous allez les écraser! Lancez! Il n'y a pas de gardien! Hé, l'arbitre, es-tu aveugle? C'était hors-jeu! Foncez dans le tas, les gars!

Vous voyez le genre. Il était aussi détestable que possible, avec sa grosse tête sortant de sa gueule de requin et sa nageoire oscillant devant la figure du spectateur derrière lui.

— Hé, regardez donc ce zouave! a dit Boum Boum en souriant.

C'était justement le problème. Les Flammes regardaient Roger Distel au lieu de jouer au hockey. Rappelez-vous que nous avions affaire aux Requins, des spécialistes de l'offensive. Ils savaient comment profiter des moments de distraction de l'adversaire. En quelques minutes, ils avaient pris l'avance avec deux buts.

Boum Boum était furieux :

— Vous vous laissez distraire par un gars qui n'est même pas sur la patente! s'est-il écrié. Concentrez-vous sur le cossin!

— D'accord, a promis Cédric.

Au même moment, Roger Distel a poussé un cri qui ressemblait au sifflement d'un bateau à vapeur. Carlos riait tellement que l'ailier des Requins lui a ôté la rondelle aussi facilement que s'il enlevait un bonbon à un bébé.

Toc! Jonathan a dû réagir vite pour bloquer son lancer frappé court.

Les Flammes ont fait des efforts. Vraiment. Mais comment se concentrer sur le jeu quand quelqu'un hurle :

— Vous êtes des requins, des tueurs sous-marins! Ces gars sont des bâtonnets de poisson, des galettes de crabe, des brochettes de crevettes!

Cet homme était un vrai clown d'attraction foraine! Les Flammes riaient encore en entrant dans le vestiaire pour la première pause.

— Tu parles d'un machin-truc! a fulminé Boum Boum, ses yeux de mante religieuse balayant ses joueurs penauds pour se poser sur sa nouvelle recrue.

— Virgile! Qu'est-ce qui s'est passé? Tu étais supposé remonter avec la bébelle!

— La rondelle, a traduit Alexia.

— Vous voulez dire maintenant? a demandé Fragile d'un air perplexe.

— Évidemment, maintenant! a explosé Boum Boum. Ce sont les éliminatoires! C'est maintenant ou jamais!

— Tu ne te souviens pas de l'entraînement? a dit patiemment Cédric.

— Bien sûr que je m'en souviens, a répliqué Virgile. Mais je ne pensais pas que je devais faire ça pendant un match!

Boum Boum s'est arraché le peu de cheveux qu'il lui restait.

— Quand pensais-tu le faire? Pendant un mariage?

À la deuxième période, Fragile a donc répété ce qu'il avait appris durant l'entraînement. Jonathan a fait dévier un rebond dans sa direction, puis notre jeune recrue a remonté l'aile droite aussi vite que le lui permettaient ses petites jambes. Il avait l'air si inoffensif, si désarmé, que les Requins n'ont même pas essayé de le plaquer. Il a traversé la ligne rouge à une vitesse inégalée – ce qui, dans son cas, n'était pas très rapide.

— Allez, les Requins! a beuglé Roger Distel. Ce gars ne sait même pas patiner! Frappez-le!

Trois joueurs des Requins ont tenté de le plaquer. Le premier a trébuché sur lui. Le deuxième est passé complètement à côté. Et le troisième s'est presque tué en tombant dans la foule après avoir passé par-dessus la bande.

Les Flammes ont alors mené une attaque à trois contre deux.

Cédric a frappé son bâton sur la glace :

— Par ici!

Virgile lui a jeté un regard ébahi. Il savait qu'il devait patiner avec la rondelle, mais il ne s'était pas entraîné à faire des passes.

Finalement, Jean-Philippe a fondu sur son propre coéquipier :

— Donne-moi la rondelle!

— Mais l'entraîneur a dit...

— Donne-moi la rondelle!

Jean-Philippe a fait une passe à Cédric, qui a traversé la ligne bleue avec un seul défenseur devant lui. Il a levé son bâton pour feindre un lancer frappé, puis a contourné le défenseur comme s'il n'était pas là. Après une feinte habile, il a fait entrer la rondelle dans le coin supérieur du filet.

— *Les Flammes reprennent du terrain!* ai-je hurlé avant de me rappeler que je n'avais pas besoin de titre, puisque j'étais un ex-journaliste.

Les partisans des Flammes étaient déchaînés. J'ai essayé de partager leur enthousiasme. Après tout, journaliste ou pas, j'étais toujours le partisan numéro un de l'équipe.

Et qu'est-ce que Fragile avait à dire au sujet de sa première mention d'aide?

— Je suis désolé. J'ai oublié de faire une passe. Je rate toujours tout.

Mais il avait l'air content quand Boum Boum l'a serré dans ses bras.

L'entraîneur a donné le signal du changement de trio, mais Alexia l'a convaincu de laisser Virgile sur la glace avec la deuxième ligne d'attaque.

— Il les déroute complètement, a-t-elle dit. Profitons-en pendant qu'ils sont déstabilisés.

— Excellente patente, a approuvé Boum Boum.

C'était une bonne décision. Virgile était le complément parfait pour Marc-Antoine Montpellier. Ce dernier était si lent que Virgile et lui traversaient péniblement la ligne rouge en même temps, comme deux tortues faisant la course.

— Plaquez-les, plaquez-les! hurlait Roger Distel.

En moins de temps qu'il ne faut pour le dire, on a vu des Requins étendus un peu partout sur la glace. Virgile a envoyé la rondelle à Marc-Antoine, qui l'a ramenée en arrière pour son fameux lancer-pelletée. D'un long mouvement ample, comme s'il pelletait de la neige, il a projeté la rondelle le long de la glace. Après avoir heurté l'intérieur du poteau, elle a dévié à l'intérieur du filet.

Égalité, 2 à 2. Les Flammes reprenaient le dessus.

Nos joueurs ont ramené le jeu dans la zone adverse, pendant que Benoît et Kevin gardaient la ligne bleue comme des sentinelles. Les passes étaient précises et bien maîtrisées. Les tirs se multipliaient contre le gardien des

Requins.

Puis Roger Distel s'est remis à crier :

— Quel est votre problème, les Requins? Vous laissez ces mauviettes vous bousculer? Ils ne sont que du menu fretin! Ils ne sont pas dignes de transporter vos nageoires dans l'aréna!

Même Boum Boum a pouffé de rire. Et une fois que les éclats de rire ont commencé, il n'y a plus eu moyen de les arrêter. Carlos riait tellement qu'il s'est écroulé sur la patinoire. Personne ne l'a poussé. Il est tombé tout seul. Son bâton a fait trébucher Kevin. Pendant que notre meilleur patineur arrière était hors service, le capitaine des Requins s'est élancé sur la glace à la vitesse de l'éclair.

— Arrête-le, Benoît! ai-je crié.

Notre rapide défenseur a rattrapé le joueur et immobilisé la rondelle, grâce à une mise en échec avec le bâton. Mais juste au moment où je nous croyais hors de danger, le capitaine des Requins s'est retourné brusquement et a fait une passe abandon à son ailier, qui le suivait de près.

Paf! Le lancer frappé était si foudroyant que Jonathan n'a pas eu le temps de réagir. Les Requins menaient 3 à 2. Le pointage n'avait pas changé lorsque la deuxième période a pris fin.

Les Flammes ont regagné le vestiaire avec une mine dépitée.

— Ce n'est pas notre faute, a gémi Carlos. C'est leur commanditaire! Impossible de se concentrer avec cet idiot!

— Ce n'est pas juste, a ajouté Jean-Philippe. S'il ne la ferme pas, l'arbitre devrait leur donner une pénalité d'équipe!

Boum Boum ne supporte pas les pleurnicheries. Il faut dire qu'avec le genre de carrière qu'il a eue, il aurait eu lui-même de quoi pleurnicher. Mais chaque fois qu'il se faisait renvoyer dans les ligues mineures, il continuait à sourire de toutes les dents qu'il lui restait.

— Allons, les gars, a-t-il dit. C'est inexcusable de jouer comme des zouaves juste parce qu'un zèbre porte un costume de zigoto dans les gradins.

— Ce n'est pas seulement son costume, a riposté Kevin en essuyant son rétroviseur embué avec un morceau de papier hygiénique. C'est ce qu'il dit. Il nous fait rire!

— Ce n'est pas un crime, a répliqué Boum Boum.

— On dirait qu'il le fait exprès!

Je me suis penché vers Alexia :

— Je sais que l'entraîneur a raison, mais je plains les joueurs. Ce doit être difficile de se concentrer avec ce bouffon qui crie à tue-tête. Rien que de le voir sauter sur place dans son costume ridicule...

Elle m'a interrompu :

— Tamia, pourquoi ne nous as-tu pas dit que tu avais été renvoyé du journal?

J'étais si surpris que j'en ai eu le souffle coupé pendant une minute. Mais j'ai répliqué, mine de rien :

— Pourquoi t'imagines-tu une chose pareille?

Elle a désigné mon magnétophone.

— Comment peux-tu enregistrer? Les bobines ne tournent même pas. Il n'y a pas de piles dedans, n'est-ce pas?

— Peut-être que je n'en avais plus, ai-je répondu, sur la défensive.

— Tamia, c'est à moi que tu parles. Je ne t'ai jamais vu à un match sans six piles de rechange dans tes poches et une autre dans une narine. Tu as tellement de piles sur toi que chaque fois que tu rotes, tes yeux s'allument. Tu surpasses même le lapin d'Energizer! Plus de piles, toi? Ça m'étonnerait!

Que pouvais-je faire d'autre? Je lui ai tout raconté :

— J'ai écrit un article qui dénonçait le fait que la ligue te tient à l'écart des éliminatoires. Mme Spiro ne voulait pas que je l'imprime, mais j'ai quand même essayé de le publier.

Sa sympathie m'a réchauffé le cœur :

— C'était vraiment stupide, Tamia. Tu es un idiot.

— Ne le dis à personne, l'ai-je suppliée. Pour être le journaliste de l'équipe, il faut être... journaliste!

— Ne t'inquiète pas, m'a-t-elle rassuré. Mais arrête de brandir ton magnétophone. Le voyant lumineux n'est même pas allumé.

Penaud, j'ai glissé mon appareil dans ma poche arrière.

— Je suppose qu'on a une chose en commun, lui ai-je dit. Nous sommes tous deux victimes d'une injustice. Je suis renvoyé du journal et tu es renvoyée de la ligue.

— Si tu as l'intention de t'apitoyer sur ton sort, ne

compte pas sur moi, a-t-elle répondu d'un ton impatient. Bon, vas-tu m'aider à nous débarrasser de Roger Distel, oui ou non?

J'en ai presque avalé ma langue.

— Nous débarrasser de lui? ai-je répété, stupéfait. Mais comment? Tu ne veux pas... l'agresser, ou quelque chose de ce genre?

— L'agresser? a-t-elle dit d'un ton dangereusement bas. Nous allons l'aider. Il doit avoir froid, assis si près de la glace pendant toute la partie.

— Froid? Mais non! ai-je dit avec un ricanement. Il doit faire un million de degrés dans ce costume de requin! Il doit suer comme une bête de somme sous les tropiques!

— Il a froid, a-t-elle insisté. Et nous allons faire tout notre possible pour le réchauffer.

Chapitre 13

La patinoire était entourée de radiateurs d'appoint portatifs dirigés vers les gradins, afin d'empêcher les spectateurs de geler. Nous n'avons pas eu de mal à en dénicher un dans un coin désert, car la plupart des spectateurs avaient profité de la pause pour aller au casse-croûte.

Heureusement, l'appareil était muni de poignées, car il était brûlant. En le transportant, je pouvais sentir ma peau rôtir. C'était une vraie fournaise!

— Hé, où allez-vous avec ça?

C'était l'un des vice-présidents de la ligue.

— C'est pour les Flammes, a expliqué Alexia. La plaque chauve de l'entraîneur Blouin commence à geler.

Il nous a laissés partir. Nous avons transporté le radiateur jusqu'au banc de l'équipe.

— Et maintenant, qu'est-ce qu'on fait? ai-je chuchoté.

Aussitôt que ces mots sont sortis de ma bouche, Roger

Distel s'est dirigé vers la fontaine en marchant sur la pointe de ses nageoires. Pour abaisser son visage près du jet d'eau, il a dû repousser son museau du requin vers l'arrière, tout en se contorsionnant comme un bretzel au-dessus du robinet. C'était le moment ou jamais.

Nous avons placé le radiateur sous les gradins et l'avons fait glisser sur le ciment jusqu'à ce qu'il se trouve sous le siège de Roger Distel.

Alexia a tourné le bouton au maximum.

— On veut qu'il soit bien au chaud, a-t-elle dit d'un air satisfait.

La sirène a rappelé les deux équipes sur la glace. Pendant la courte période d'échauffement, les spectateurs ont tous repris leurs places dans les gradins bondés.

Je gardais Roger Distel à l'œil. J'étais si nerveux que je transpirais, comme si je portais moi-même un costume de requin.

Le jeu a repris à un rythme effréné. Il était évident que les deux équipes se donnaient à fond pour la dernière période. C'était une situation classique, digne de *Sports Mag* : un écart d'un seul but, dans un match où l'équipe victorieuse allait passer à la finale pendant que les perdants prendraient le chemin de la maison.

— Allez, les Requins! Dévorez-les! Vous êtes les dents de la mer!

Roger Distel a arrêté de sauter quelques instants pour demander :

— Est-ce que c'est seulement moi, ou il commence à

faire chaud, ici?

C'était une période de hockey fantastique, avec de nombreux tirs au but pour les deux équipes et des tactiques défensives spectaculaires. Mais pour être honnête, je n'ai pas vu grand-chose. Je ne pouvais pas quitter Roger Distel des yeux. Sa tête pendait hors de sa gueule de requin. Ses cheveux étaient collés à son crâne par la transpiration. Son visage était de la couleur d'une tomate mûre. Ce devait être un véritable sauna dans sa section, car les gens s'éloignaient peu à peu du commanditaire des Requins, qui a fini par se retrouver seul au centre d'un cercle vidé de spectateurs.

Il est devenu encore plus bruyant et détestable :

— L'eau est remplie de sang, les Requins! Achevez-les! Gobez-les tout crus!

Je me suis tourné vers Alexia :

— Ton plan ne fonctionne pas. Plus il a chaud, plus il crie!

— Patience, Tamia, a-t-elle répliqué d'un air calme.

Il restait cinq minutes de jeu lorsque c'est arrivé. Jean-Philippe était sur le banc des punitions pour avoir fait trébucher un joueur de l'équipe adverse. Les Requins se retrouvaient donc en avantage numérique. S'ils marquaient et portaient leur avance à 4-2, tout était fichu. Les Flammes ne pourraient jamais remonter la pente alors que le jeu était aussi défensif. Quant à Roger Distel, il était hystérique et sautait comme une gazelle. Mais il transpirait à grosses gouttes.

Puis, au beau milieu d'un bond, il s'est évanoui.

Du moins, je pense que c'est ce qui s'est passé. Je l'ai quitté des yeux une seconde pour observer Jonathan qui bloquait un lancer du revers, et quand j'ai de nouveau tourné la tête dans sa direction, le commanditaire des Requins avait disparu! Son costume était toujours là, mais il semblait vide. Je suppose qu'il s'était écroulé à l'intérieur. Ou alors il avait fondu comme la méchante sorcière du Magicien d'Oz.

M. Fréchette a interrompu le match et appelé une ambulance. Il y a eu quelques moments d'angoisse, car personne ne trouvait Roger Distel dans le costume. Les ambulanciers ont fini par le sortir de là au moyen des « mâchoires de vie » – vous savez, ces énormes pinces de désincarcération qu'on utilise pour découper les voitures accidentées.

Je savais que la situation pourrait fournir un titre percutant, avec ces mâchoires qui libéraient un homme d'un requin. Mais je n'arrivais pas à mettre le doigt dessus.

Et cet horrible Roger Distel! Aussitôt qu'il a repris conscience, il a crié à la figure de l'ambulancier :

— Allez, les Requins! Mâchez-les, puis recrachez-les!

Ce gars n'en manquait pas une. Il a continué à crier, sans paraître remarquer qu'on avait interrompu le jeu pour lui administrer des soins médicaux d'urgence. Et vous auriez dû entendre ses cris de protestation quand les ambulanciers lui ont dit qu'ils devaient l'emmener à l'hôpital pour s'assurer qu'il allait bien!

La foule l'a applaudi à sa sortie de l'aréna. Je parie que les spectateurs étaient heureux d'être débarrassés de sa grande gueule.

Le match a enfin pu reprendre. En l'absence de Roger Distel, les joueurs des Flammes n'avaient plus d'excuses. Ils devaient cesser de patauger et plonger dans l'action.

Je suppose qu'on ne peut pas blâmer les Requins de leur confusion, après la défaillance de leur commanditaire. Les Flammes ont mené quelques attaques remarquables, autant avec Virgile qu'avec Kevin patinant à reculons. Cela a suscité quelques magnifiques tirs au but, mais le gardien des Requins parvenait toujours à faire un arrêt avec sa mitaine.

Puis, à moins de deux minutes de la fin du match, Cédric a intercepté la rondelle, juste à l'intérieur de la ligne bleue adverse. Je ne sais pas pourquoi il ne s'est pas élancé vers le filet. C'est pourtant un joueur tout en finesse, capable des meilleures manœuvres... Peu importe la raison, il a plutôt virevolté et exécuté un lancer frappé foudroyant.

La rondelle a réussi à se frayer un chemin à travers une marée de bras, de jambes et de bâtons devant le filet des Requins. Leur gardien a tendu son bouclier, mais il était trop tard.

— Égalité! me suis-je écrié pendant que les partisans des Flammes poussaient des acclamations.

Désormais, la victoire n'était acquise à aucune des équipes. Les Flammes et les Requins ont redoublé d'efforts, et la tension est devenue insoutenable. Même si leurs chances étaient égales, j'estimais que les Marsois avaient un léger avantage. Étant une bonne équipe, les Requins avaient rarement eu besoin d'actes héroïques de dernière minute. Mais les joueurs des Flammes, qui traînaient de la patte depuis leurs débuts, avaient l'habitude d'être acculés au pied du mur. Réussiraient-ils encore une fois à s'en sortir?

L'entraîneur Blouin a décidé de s'en tenir à la stratégie qui nous avait si bien servi jusque-là.

— Passe-la à Machin-truc! a-t-il beuglé.

— À Virgile! a traduit Alexia.

Et notre petit Fragile s'en est bien tiré. Il semblait patiner un peu plus vite. Il s'est même souvenu qu'il devait faire une passe.

Mes yeux se sont écarquillés d'horreur. Le pauvre type avait envoyé la rondelle directement sur la palette du capitaine des Requins!

Cédric a surgi d'on ne sait où, se précipitant sur le capitaine au moment où ce dernier s'apprêtait à faire un tir cinglant.

Boum! Le plaqueur et le plaqué ont volé dans les airs. La rondelle a roulé doucement jusqu'à Jonathan. Mais notre gardien ne voulait pas l'avoir près de son filet. Il a effectué une passe de dégagement qui a renvoyé la rondelle dans la zone neutre.

Bing! Elle a frappé le masque de Carlos. L'impact a été si rude que notre grand ailier est tombé comme une roche. Quand il s'est remis debout, la moitié des spectateurs criaient :

— Vas-y, Carlos!

— Fais une échappée! ai-je hurlé.

Carlos n'est pas très rapide. Mais il avait trois mètres d'avance sur le défenseur adverse le plus proche. Il a foncé vers le filet adverse et a fait le pire lancer que j'aie jamais vu : en plein sur les jambières du gardien!

— Noooon! a gémi Boum Boum.

Ce qu'il y a de bien avec Carlos, c'est qu'il n'abandonne jamais. Il a frappé de nouveau sur la rondelle, qui avait rebondi devant lui, puis a essayé de frapper le deuxième rebond.

— Elle est entre tes cossins! a crié l'entraîneur.

— Tes patins! ai-je traduit.

D'un coup de patin, Carlos a poussé la rondelle vers sa palette, puis l'a frappée. Elle est entrée dans le filet en passant sous le gant du gardien.

C'était 4 à 3 pour les Flammes, avec cinq secondes de jeu seulement. Pas assez de temps pour que les Requins puissent faire quoi que ce soit. La sirène a retenti.

Les Flammes de Mars – l'équipe d'indésirables, la risée de la ligue – allaient jouer en finale. C'était un miracle.

Le chahut régnait dans le vestiaire. Gonflés à bloc, les joueurs n'ont même pas remarqué que Mme B. distribuait des roulés au chou et au tofu pendant qu'elle dévorait un sandwich au bifteck et au fromage. Carlos n'avait pas cessé de crier depuis son but. Même Virgile avait l'air plutôt content.

Il y avait tellement de bruit que je n'ai pas eu l'occasion de parler à Alexia avant le retour vers Mars, dans le camion de livraison.

— Hé! ai-je chuchoté. Quand on a mis ce radiateur sous le siège de Roger Distel, tu ne devais pas savoir qu'il se retrouverait à l'hôpital, hein?

— Si tu le dis, Tamia, a-t-elle répondu avec un grand sourire.

Je suis heureux qu'Alexia Colin soit mon amie. Parce que, si elle était mon ennemie, je pense que je ne dormirais plus le reste de ma vie.

Chapitre 14

Le lundi matin, j'allais sortir de la maison quand ma mère m'a dit qu'elle voulait me parler.

Ce n'est jamais bon signe.

— Excuse-moi, maman, mais je vais manquer l'autobus.

— Ce ne sera pas long, a-t-elle insisté. Clarence, je dois t'avouer quelque chose. J'étais tellement certaine que tu avais les boules magiques de Mme Blouin que j'ai fouillé ta chambre.

J'étais stupéfait. Elle avait rougi.

— Je sais que j'aurais dû te croire. Je suis désolée.

Que pouvais-je faire d'autre? Je lui ai pardonné. C'était facile, surtout que je savais mes boules magiques bien à l'abri dans mon casier à l'école, enveloppées dans ma couverture bleue.

Je n'ai pas pu m'empêcher d'ajouter :

— J'espère que tu me feras plus confiance à l'avenir,

maman.

Je sais que c'était immoral, mais elle n'en savait rien.

— Je vais essayer, Clarence. Oh! en passant, je ne trouve pas ta couverture bleue.

Tout en me dirigeant vers la porte, j'ai lancé par-dessus mon épaule :

— Elle est peut-être au lavage!

Ou dans mon casier, remplie de boules magiques...

L'heure était à la fête dans l'autobus scolaire. L'idée que les Flammes de Mars allaient jouer pour la Coupe Fréchette nous époustouflait. Nous allions perdre, bien entendu. Nos adversaires étaient les Pingouins électriques, ce qui n'était guère surprenant. Ils avaient terrassé les Démons 11 à 0 dans le match qui avait suivi le nôtre.

Jonathan a poussé un soupir satisfait.

— En ce qui me concerne, le match de samedi était notre championnat. Même si on n'a pas remporté la coupe, on a prouvé à Bellerive que les Marsois ont leur place dans cette ligue.

— On a fait tout ce qu'on projetait de faire cette année, a approuvé Benoît.

— Sauf conduire la surfaceuse, a ajouté Jean-Philippe d'une voix nostalgique.

— Ce serait tout de même bien de faire bonne figure face aux Pingouins, a fait remarquer Carlos.

Alexia était complètement dégoûtée, ce qui veut dire qu'on l'entendait à peine quand elle a parlé :

— Bande d'idiots! Vous pourriez au moins attendre la

mise au jeu avant de capituler!

— Allons, Alexia, a rétorqué son frère. Tu sais qu'on n'a aucune chance contre les Pingouins!

— On les a déjà battus, lui a fait remarquer Alexia.

— C'était un coup de chance sur notre patinoire raboteuse, lui a rappelé Jonathan. Une chance pareille n'arrive pas durant les séries. C'est une finale en deux matchs, et l'équipe victorieuse est celle qui a marqué le plus grand nombre de buts. On n'a pas de capitaine et les Pingouins sont meilleurs que jamais. Rémi Fréchette a compté neuf buts en deux tours d'éliminatoires! Je veux bien avoir une attitude positive, mais il ne faudrait pas se faire d'illusions.

—Demandons l'avis de Tamia, puisque les journalistes sont obligés d'être honnêtes, a dit Kevin en se tournant vers moi. Si la *Gazette* sortait aujourd'hui, écrirais-tu que les Flammes ont une chance de gagner contre les Pingouins?

J'ai essayé de tourner ça à la blague :

— Eh bien, Fragile a complété toute une partie sans saigner. Alors, les possibilités sont sans limite pour les Flammes!

Cela a allégé l'atmosphère. Les Flammes et leurs camarades ont ri jusqu'à leur arrivée à l'école.

J'ai su que quelque chose clochait en mettant le pied dans l'édifice. Il y avait un brouhaha dans le couloir. J'ai demandé au premier élève que j'ai croisé :

— Qu'est-ce qui se passe?

— Inspection des casiers, a-t-il répliqué. M. Lambert fouille tous ceux dont le numéro est au-dessus de 700.

— Au-dessus de 700? Mais c'est dans mon couloir!

J'étais si horrifié que je n'ai même pas demandé ce que cherchait le directeur. Je craignais trop ce qu'il risquait de trouver.

Vous vous demandez probablement quel était le problème. C'est vrai, il n'y a aucune loi interdisant d'avoir quelques centaines de boules magiques dans un casier scolaire. Mais le jour où le dentiste m'avait trouvé 11 caries, ma mère avait alerté le monde entier. Elle avait même rédigé une lettre qui était maintenant affichée sur le babillard de la salle des profs. Il fallait être un ermite dans une caverne pour ne pas savoir que j'étais soumis à une loi martiale dentaire. Quand M. Lambert ouvrirait mon casier et verrait tous ces bonbons, il appellerait sûrement ma mère. Ce n'était peut-être pas une bonne idée d'avoir reproché à maman son manque de confiance...

Je me suis faufilé dans un groupe d'élèves qui entourait M. Lambert et le concierge, M. Sarkis. Le directeur n'a pas découvert un réseau d'activités criminelles. Un des élèves avait gardé un livre de la bibliothèque emprunté en 1996; un autre avait affiché la photo d'une actrice vêtue d'un bikini de la taille d'un timbre-poste; une fille dont le casier contenait un morceau de pizza vieux de six mois s'est fait sermonner, sans même écoper d'une retenue. Puis ç'a été mon tour.

— Qu'est-ce que c'est que ça? Une couverture?

Le concierge a sorti ma couverture bleue. J'ai fermé les yeux, certain d'entendre le cliquètement de centaines de boules heurtant le plancher de terrazzo.

Rien ne s'est produit.

— J'ai été volé! ai-je balbutié. Heu, je veux dire...

Le directeur et le concierge ont déplié ma couverture. Je n'en croyais pas mes yeux. Ce devait être l'humidité de l'école, ou quelque chose du genre. Chacun des bonbons de Mme Blouin était resté collé à la couverture.

Le directeur m'a regardé en plissant les yeux :

— Clarence, peux-tu m'expliquer ce que c'est?

J'ai commencé à transpirer.

— C'est un... heu... ai-je bredouillé.

— C'est une carte des étoiles de la Voie lactée! a lancé une voix derrière moi.

Je me suis retourné. J'ai aperçu le petit Virgile Norbert, qui examinait ma couverture avec beaucoup d'intérêt.

— Une carte des étoiles? a dit M. Sarkis en fronçant les sourcils.

— On étudie l'astronomie dans la classe de sciences de M. Pincourt, a expliqué Fragile, avant de se tourner vers moi. Où as-tu eu l'idée de faire une carte des étoiles?

— Je me suis dit que, que... ai-je commencé en cherchant désespérément une explication. Que ce serait scientifique!

Le directeur a levé un sourcil. Pendant une minute, j'ai presque pensé qu'il allait me croire. Mais qui est arrivé tout à coup dans le couloir? M. Pincourt lui-même. C'était bien ma chance.

M. Lambert lui a montré ma couverture.

— D'après vous, est-ce que ça ressemble à une galaxie?

J'ai attendu, le souffle coupé. J'étais fichu.

— Oui, tout à fait, a déclaré l'enseignant d'un air satisfait. Observez la concentration d'étoiles vers le centre, et les bras spiraux plus clairsemés en bordure.

Eh bien, qui l'aurait cru? Les galaxies sont formées exactement de la même façon que les boules magiques adhérant naturellement à une couverture. On en apprend tous les jours.

M. Pincourt avait l'air impressionné :

— Et les différentes boules de couleur représentent les divers types d'étoiles de notre galaxie. Très créatif. Clarence, c'est toi qui as fait ça?

J'ai hoché la tête en disant :

— Je suppose que je devrais la rapporter chez moi pour... heu... la terminer.

— Mais non! s'est exclamé M. Pincourt. Accrochons-la à un endroit où toute l'école pourra l'admirer.

— Dans la cafétéria, peut-être? a suggéré M. Lambert.

Si vous aviez un tas de boules magiques, les mettriez-vous dans une pièce remplie de 800 enfants affamés?

— Assurez-vous de l'accrocher assez haut, ai-je supplié. Il ne faudrait pas que quelqu'un mange mes étoiles.

Ma remarque a déclenché l'hilarité générale.

Quand la cloche a sonné, je me suis tourné vers Virgile pour le remercier de m'avoir sauvé la vie. Mais il était déjà parti en classe. Je ne sais toujours pas s'il a dit cela par esprit d'équipe. Peut-être qu'en voyant des boules magiques sur une couverture, il avait vraiment vu une galaxie.

Chapitre 15

L'équipe des Flammes ne partait pas favorite dans cet affrontement contre les Pingouins. En ville, la plupart des gens pensaient que nous n'allions pas marquer un seul but au cours des deux parties de la finale. La centrale électrique de la ville, qui commanditait les Pingouins, avait déjà imprimé des t-shirts célébrant leur victoire. Évidemment, ils ne devaient pas être distribués avant la fin de semaine. Mais devinez qui avait mis la main sur un t-shirt avant tout le monde et avait le culot de le porter à l'école? Rémi Fréchette.

Il le portait sous sa chemise. Chaque fois qu'un adulte se trouvait dans les parages, le t-shirt était dissimulé. Mais Rémi le dévoilait aux Marsois, dès qu'il en avait l'occasion. Si vous regardez le mot « salaud » dans le dictionnaire, vous y verrez probablement une photo de Rémi.

— Vous avez deux parties à jouer avant que tu puisses porter ce t-shirt, lui ai-je dit d'un ton hargneux. Et tu n'es pas sûr à cent pour cent que vous allez gagner.

— Je ne suis pas sûr à cent pour cent que le soleil va se lever demain, a-t-il répliqué en riant. Je te l'ai déjà dit. Aucun Martien ne mettra sa main d'extraterrestre sur la Coupe Fréchette.

À ce moment précis, Alexia est entrée dans la classe. Rémi a sauté sur une chaise et a bombé la poitrine, brandissant le t-shirt de la victoire à sa figure.

J'étais fier d'elle : elle a regardé droit devant elle comme s'il n'avait pas été là.

Ce grand dadais l'a suivie jusqu'à son pupitre.

— Que penses-tu de mon t-shirt? lui a-t-il demandé.

— Je pense qu'il va valoir beaucoup d'argent quand les Flammes vont vous battre, a-t-elle répliqué.

— Nous battre? s'est écrié Rémi. Avec mon jeu amélioré, je pourrais battre les Martiens à moi tout seul!

— Je suis certaine que tu aimerais ça, a dit Alexia. Dommage qu'il y ait tous ces crétins dans ton équipe. À commencer par lui, a-t-elle ajouté en désignant Olivier Vaillancourt.

Alexia n'avait généralement pas de mal à faire enrager ces deux idiots. Mais pas cette fois. C'est là que j'ai compris que les Pingouins n'avaient aucun doute quant à l'issue de la finale.

Et ce n'était pas seulement leur équipe. Toute la ville de Bellerive était convaincue que les Pingouins n'auraient qu'à se présenter à la patinoire pour remporter leur troisième championnat consécutif. Lorsque le journal de

Bellerive publiait un article sur la finale de la ligue Droit au but, le reporter ne prenait même pas la peine d'identifier l'équipe qui allait affronter les Pingouins. Ça m'avait toujours rendu fou quand on nous avait qualifiés de Martiens, de zozos de l'espace et de gagas de la galaxie. Mais c'était peut-être mieux que de se faire totalement ignorer.

Boum Boum était inquiet de la réaction des Flammes.

— Ce n'est pas parce que les gens vous traitent comme des zigotos que vous êtes des cocos! a-t-il grondé.

Cela pouvait vouloir dire bien des choses. Mais c'était probablement sa façon d'encourager ses joueurs à ne pas se croire vaincus d'avance, même si tout le monde le pensait.

— Et toi, qu'est-ce que tu fais, Tamia? s'est plaint Benoît. Notre journaliste d'équipe devrait nous défendre quand personne d'autre ne le fait!

Oh, quel sentiment horrible! J'avais l'impression de les avoir abandonnés.

Alexia est venue à mon secours :

— Laissez Tamia tranquille! Ce n'est pas sa faute si la *Gazette* sort toujours au mauvais moment.

Je lui étais reconnaissant de son appui. Mais ça ne faisait que me rappeler que j'étais au chômage.

Lorsque les joueurs des Flammes se sont retrouvés au magasin d'aliments naturels avant le premier match de la finale, ils étaient aussi nerveux qu'un groupe de prisonniers en route pour la chaise électrique. Qui ne l'aurait pas été? J'étais paniqué, et je n'avais même pas à enfiler des patins.

Si nous étions anxieux, qu'en était-il de Virgile? Le pauvre voyait la finale comme une occasion de se faire détester de toute la ville, pas seulement des Flammes. Mais je dois reconnaître qu'il faisait des efforts. Il est même venu à Mars pour le déjeuner de l'équipe. Vous auriez dû voir son expression quand il a pris sa première bouchée de gaufre au tofu et de germes de soya sautés. Il avait l'air de quelqu'un dont le pantalon vient de se remplir d'eau glacée. Je suis sûr qu'il voulait dire quelque chose, ou du moins cracher quelque chose. Mais comme le reste de l'équipe faisait mine de se régaler, il a dû se dire qu'il faisait mieux de se taire.

Croyez-moi, ce n'était pas facile pour nous d'avaler du soya en regardant Mme B. dévorer une queue de castor de 30 cm fourrée à la crème et glacée au chocolat.

Parlant de Mme B., elle grossissait de jour en jour. Je sais que la plus belle femme du monde se cachait là-dessous, mais durant cette période, elle était grosse comme une barrique. La naissance n'aurait pas lieu avant deux mois, ce qui était plutôt inquiétant. J'avais entendu dire que les femmes enceintes engraissaient encore plus à la fin. Au mois de juin, la compagnie de téléphone octroierait probablement à Mme B. son propre indicatif régional.

Après le déjeuner, Boum Boum a prononcé un discours qui comprenait 90 pour cent de machins-trucs et de bidules. Mme B. a traduit, mais elle avait la bouche si pleine de pâtisserie que nous n'avons pas compris grand-chose.

— C'est exactement ce que je veux dire, a confirmé l'entraîneur en se frappant le genou. Bon, tout le monde dans le cossin. C'est le temps de passer à l'action!

Les joueurs des Flammes sont donc partis à la rencontre de leur destin, poussés par la sagesse de ses paroles. Dommage que personne n'en ait compris un mot.

— Il est fier de nous, a chuchoté Alexia quand nous nous sommes entassés dans le camion.

— Il a dit ça? a demandé Virgile, les yeux ronds.

— Oui, a dit sérieusement Alexia. J'ai appris à parler trucmuche.

Quelqu'un avait trafiqué la pancarte au-dessus de l'entrée du centre communautaire. Quand l'entraîneur Blouin a ouvert les portes du camion, nous avons aperçu le message suivant :

LES PINGOUINS ÉLECTRIQUES
CONTRE LES MELFAMS

Carlos a trouvé ça hilarant, surtout quand Virgile a dit :

— Je pensais que c'était notre équipe qui jouait. Qui sont les Melfams?

Nous sommes entrés dans l'aréna. En voyant la patinoire, nous nous sommes immobilisés de stupéfaction. Il y avait de quoi effacer le sourire de Carlos. On aurait dit le Centre Bell. Des gradins portatifs avaient été ajoutés dans tous les espaces libres autour de la patinoire. Il devait y avoir 2000 spectateurs là-dedans!

Cédric a pris une grande inspiration :

— La finale de hockey! Même les gens qui ne connaissent pas la différence entre une rondelle et une poignée de porte viennent voir ces parties!

— Mais où sont nos partisans? a demandé Jonathan en jetant un regard à la ronde.

C'était ce que nous nous demandions tous. On aurait dit que chaque siège était occupé par un habitant de Bellerive.

Après quelques moments de recherche, nous avons aperçu un certain nombre de Marsois. Ils étaient disséminés dans les dernières rangées et dans les marches des gradins. Quelques-uns regardaient à travers la vitre ternie du casse-croûte. Même Mme B., qui était enceinte, devait se tenir debout, coincée entre ma mère et quelques autres parents à côté de la surfaceuse. Ils étaient si près les uns des autres qu'il y avait à peine de la place pour le sac de biscuits au beurre d'arachide que tenait la femme de l'entraîneur.

— Il faudra dire à nos parents de venir plus tôt demain, a dit Alexia. Ils devront être bien assis quand on remportera la victoire.

— Tu blagues, j'espère, a dit Jonathan en fronçant les sourcils.

— Est-ce que j'ai l'air de blaguer? a-t-elle rétorqué.

La tête de mort et les os croisés qu'on voit sur les

étiquettes de poisons ont davantage l'air de blaguer qu'Alexia Colin. Avait-elle perdu la raison? Les Pingouins semblaient imbattables. Ils avaient les meilleurs joueurs, un entraîneur hors pair, un plus grand nombre de partisans... Même leurs uniformes étaient plus beaux que ceux des autres équipes. Cette foule n'était pas venue voir une partie de hockey. Elle était venue voir les Pingouins nous exterminer.

D'un autre côté, nous avions Boum Boum. Ce n'était pas exactement Guy Lafleur, mais il avait vraiment joué dans la LNH. Et il avait quelques armes secrètes en réserve.

Il a utilisé l'arme no 1 lors du tout premier jeu de la partie. Cédric a remporté la mise au jeu et envoyé la rondelle à Fragile, qui a commencé son « attaque » lente et laborieuse. J'étais sur le banc avec le reste de l'équipe – impossible de trouver un siège avec une foule pareille. Nous nous sommes levés pour mieux voir. Personne ne voulait manquer le spectacle de Rémi et Olivier tombant en pleine figure après avoir tenté de plaquer Virgile.

Mais ça ne s'est pas produit. Rémi, Olivier et leur centre, Tristan Aubert, ont formé un demi-cercle autour de Virgile, bloquant toutes ses possibilités de passe.

— On vous a espionnés, les Martiens! a lancé Rémi en passant devant notre banc. Vos trucs minables ne fonctionnent pas avec nous!

Ils ont suivi Virgile sur toute la longueur de la patinoire.

— Il n'a plus de place pour patiner! me suis-je exclamé.

— Lance! a hurlé Boum Boum.

Mais il s'agissait de Virgile. Il s'était entraîné à faire des passes, mais personne ne lui avait parlé de lancer au but.

— Hé! a dit Carlos, fasciné. Il ne va tout de même pas continuer à patiner, j'espère.

— Bien sûr que non, a dit Alexia d'un ton sec. Personne n'est aussi stupide que ça!

Paf! Le corps de Virgile s'est écrasé dans la bande. Son masque a frappé le plexiglas. Vous devinez le reste. Imaginez les chutes Niagara en rouge cerise.

Chapitre 16

Des exclamations de surprise et des cris horrifiés ont fusé dans les gradins. C'est que les spectateurs ne connaissaient pas Fragile aussi bien que nous. Les officiels ont calmé la foule pendant que Virgile cessait peu à peu de saigner. Le seul délai a été causé par Jean-Philippe, qui a offert 10 $ au conducteur de la surfaceuse pour qu'il le laisse nettoyer la glace. L'homme, qui semblait sur le point d'accepter, a marchandé jusqu'à ce que Jean-Philippe lui propose 35 $. C'est alors que M. Fréchette s'est approché et a ordonné à son employé de s'acquitter de sa tâche.

Mais notre ailier n'abandonnait pas si facilement. Il a demandé au président de la ligue :

— S'il se fait renvoyer, est-ce que je pourrai conduire la surfaceuse en attendant qu'il soit remplacé?

M. Fréchette a perdu patience :

— Retourne à ton banc ou je donne une pénalité aux Flammes!

Jean-Philippe a obéi d'un air boudeur.

— M. Fréchette gâche toujours tout! a-t-il dit à ses coéquipiers.

Quand le jeu a repris, Boum Boum a utilisé son autre atout : l'attaque à reculons de Kevin.

Kevin est difficile à plaquer, puisqu'il tourne toujours le dos à l'adversaire, un peu comme un meneur qui protège son dribble au basket-ball. Grâce à son rétroviseur, Kevin sait où se trouvent les défenseurs, ainsi que ses coéquipiers s'il désire faire une passe.

Cependant, M. Morin, l'entraîneur des Pingouins, était malin. Il avait non seulement trouvé une façon de contrer Virgile, mais avait aussi un plan pour Kevin.

Au lieu de frapper notre défenseur, Olivier a plongé entre ses jambes, harponnant la rondelle en direction de Tristan. Ce dernier a fait une passe à Rémi, qui est parti en échappée. Il a foncé seul vers le filet, a ramené la rondelle légèrement à l'arrière, puis, d'un coup rapide du poignet, l'a projetée derrière Jonathan.

Lorsque 2000 personnes se mettent à crier dans un petit aréna, les acclamations individuelles se fondent dans une clameur tonitruante.

— Beau machin! a admis Boum Boum à regret.

Il devait crier pour se faire entendre par-dessus les cris des partisans des Pingouins.

— Trop beau, ai-je ajouté d'un air sombre.

Évidemment, Rémi ne pouvait pas garder sa joie pour lui.

— C'est grâce à Wayne Gretzky! a-t-il lancé avec un grand sourire, en brandissant son bâton devant le banc des Flammes.

— Tu n'es pas si bon que ça! a crié Carlos, avant de se tourner vers nous. Pensez-vous que c'est Wayne Gretzky qui lui a montré à lancer comme ça? a-t-il chuchoté.

— C'était un coup de veine! s'est exclamée Alexia. Il ne pourrait pas recommencer avant un million d'années!

En fait, ça lui a pris environ trois minutes. Carlos était sur le banc des punitions pour accrochage, et les Pingouins étaient en supériorité numérique. Olivier a bousculé Benoît dans le coin et a fait une passe parfaite à Rémi dans l'enclave. Rémi a immobilisé la rondelle, puis *paf!* Le même lancer du poignet. Jonathan a encore été déjoué. En un rien de temps, notre équipe tirait de l'arrière par deux buts. Subito presto : catastrophe instantanée!

Comprenez-moi bien : j'avais déjà vu les Flammes perdre auparavant. Mais à ces occasions, les joueurs avaient mal patiné, commis des erreurs, joué n'importe comment. Ce jour-là, ils se démenaient vraiment sur la glace. Après chaque changement de trio, ils revenaient au banc hors d'haleine. Voilà ce qui m'inquiétait. Il est facile de s'améliorer quand on ne fournit pas beaucoup d'efforts. Il suffit de jouer avec plus d'énergie. Mais quand on donne son maximum et qu'on se fait tout de même massacrer, c'est sans espoir.

Rémi a complété son tour du chapeau avant la fin de la première période. Bien sûr, c'était encore un lancer du poignet, en hauteur, cette fois. Jonathan a été pris par surprise.

Avec un pointage de 3 à 0, les Flammes avaient besoin de jouer défensivement durant la deuxième période. Et je dois dire que, pendant 15 minutes, on a assisté au jeu le plus défensif que j'aie jamais vu au hockey. Rémi ne pouvait pas s'approcher de la rondelle sans que Cédric ou Carlos lui bloquent la route. Benoît et Kevin étaient incroyables, interceptant des lancers et gardant les avants adverses éloignés du filet. Après avoir laissé passer 18 tirs au filet pendant la première période, les Flammes n'ont permis que trois lancers aux Pingouins durant la deuxième, et aucun par Rémi Fréchette.

— Où est passé ton lancer du poignet? a jeté Carlos à Rémi.

Le neveu du président de la ligue a éclaté de rire.

— Votre jeu serait parfait... si vous protégiez votre avance! a-t-il rétorqué. Le seul problème, c'est que vous tirez de l'arrière par trois buts, Einstein!

Il avait raison. Les Flammes bloquaient les Pingouins, mais ils ne marquaient pas. Et c'est notre équipe qui essayait de remonter la pente.

À la troisième période, Boum Boum a été forcé d'abandonner le jeu défensif et de passer à l'offensive. Ma première idée de titre était « Tactique audacieuse », mais je l'ai changée pour « Tactique désastreuse ». Avec Cédric qui s'attaquait à Rémi au lieu de le couvrir, il n'a pas fallu longtemps pour revoir le fameux lancer du poignet à la

Gretzky. En moins de temps qu'il ne faut pour le dire, la rondelle est entrée dans le filet, pendant que Jonathan s'étendait de tout son long sur la glace comme un empoté. Cette fois, on a entendu des rires parmi les cris des partisans des Pingouins.

Son bâton levé triomphalement dans les airs, Rémi a patiné jusqu'à la table du marqueur. Sautant par-dessus la bande, il a approché son visage du micro et beuglé :

— À bas, les Martiens!

Les rires ont déferlé dans l'assistance. Rémi s'est fait sermonner par son entraîneur, qui l'a envoyé sur le banc.

Mais le mal était fait. La foule s'est mise à scander : « Épais de l'espace! Épais de l'espace! » Les blagues sur Mars ont fusé dans les gradins :

— Hé, les gagas de la galaxie! C'est ça que vous appelez du hockey sur Mars?

— Je peux sentir ton haleine d'astéroïde d'ici!

— Va ramasser ton fumier d'extraterrestre sur ta planète!

Je dois préciser que ce n'étaient pas les adultes qui criaient ces inepties. Mais ils ne faisaient pas beaucoup d'efforts pour faire taire leurs enfants.

Ma colère était telle que la fumée me sortait pratiquement des oreilles. Les Flammes n'avaient pas subi un tel traitement depuis leur première partie au sein de la ligue. Et nous étions en finale! Nous méritions plus de respect que ça!

Les joueurs des Flammes restaient figés, le visage

sombre. La queue de cheval de Boum Boum était hérissée dans son dos. Quant à Alexia, son menton était si pointé vers l'avant qu'elle aurait pu s'en servir comme bélier.

Puis un crétin de Bellerive a eu le culot de crier :

— Hé, les Martiens, où est votre capitaine? En train de vendre des biscuits pour les Guides?

Comme si Alexia avait abandonné l'équipe, au lieu d'avoir été renvoyée parce qu'elle était une fille! J'en avais assez enduré : la finale, la ligue, quatre mois de railleries et d'arnaques...

J'ai bondi sur le banc et je me suis mis à invectiver la foule :

— Taisez-vous, espèces de sales snobs pourris...

Je n'ai jamais pu compléter mon chapelet d'insultes. Pour la première fois de la saison, l'entraîneur Blouin m'a mis à la porte de l'aréna.

Chapitre 17

En fait, il ne m'a pas exactement mis à la porte. Il m'a dit :

— Tamia, va dans le cossin.

J'étais pratiquement certain qu'il parlait du vestiaire. C'est là que j'ai passé le reste du massacre des Flammes.

Oh, bien sûr, j'ai regardé la partie. J'avais un sens journalistique trop aiguisé pour ne pas glisser ma tête par la porte et regarder quelques minutes du match. Mais quand Olivier a compté, faisant passer l'avance des Pingouins à 5 à 0, le spectacle est devenu trop pénible à regarder. Les joueurs des Flammes faisaient des efforts, mais ils étaient complètement surclassés. Ils méritaient à peine de se trouver sur la même patinoire que leurs adversaires. Qui pouvait prédire ce que le pointage serait après le match du lendemain? Peut-être 10 à 0? Ou 12 à 0? Quelle conclusion minable pour une équipe Cendrillon! Ce serait comme si Cendrillon partait épouser son prince, mais qu'en route, elle se faisait renverser par un autobus, frapper par la foudre et dévorer par un loup-garou.

J'étais donc assis dans le vestiaire, à ruminer ma colère, à déprimer et aussi à m'ennuyer. Les vestiaires sont loin d'être un parc d'attractions de Disney, vous savez! Ce sont des endroits laids qui sentent mauvais. Quand on est chanceux, on peut y trouver un vieux journal ou un magazine que quelqu'un a laissé traîner. Tout ce que j'ai pu dénicher dans ce dépotoir était un vieux catalogue du Monde Sportif, datant de l'automne 1997. Il était plié en deux et dépassait de l'un des casiers.

Tout était préférable au spectacle du carnage sur la patinoire. J'ai sorti le catalogue et j'ai commencé à parcourir les annonces publicitaires de bâtons de golf, de raquettes de tennis et de skis. Je n'ai pas pu m'empêcher de jeter un regard courroucé aux images d'enfants joyeux tenant des bâtons de hockey.

— Vas-y, souris! ai-je lancé à la photo d'un garçon. Tu ne te fais pas malmener juste à cause de ta ville, toi!

Le garçon de la photo ne répondait rien. Il continuait de sourire sous les lettres du message publicitaire : Bâtons de hockey. Bois : 19,99 $. Aluminium : 29,99 $.

Les mots m'ont soudain sauté aux yeux : Aluminium! Aluminium!

Je me suis remémoré le vieux règlement de 1887 qui maintenait Alexia à l'écart des séries : « Aucune personne de sexe féminin n'a le droit de tenir ou manier, de quelque façon que ce soit, un morceau de bois d'une longueur excédant un mètre... »

Un morceau de bois.

Je me suis levé d'un bond et j'ai donné un coup de poing dans le vide en hurlant :

— Youpiiiii!

C'est à ce moment précis que la porte du vestiaire s'est ouverte et que les membres de l'équipe sont entrés d'un pas traînant, précédés de l'entraîneur. Ils ont dû penser que j'étais cinglé, à sauter ainsi de joie alors que les Flammes venaient de se faire écraser et humilier.

Alexia m'a foudroyé du regard.

— J'espère que tu viens de gagner à la loterie, Tamia, a-t-elle dit entre ses dents serrées. À moins que tu ne sois devenu un admirateur de Rémi Fréchette?

— Tu peux jouer, Alexia! Tu peux jouer! ai-je dit en lui mettant le catalogue sous le nez. Avec ça!

Elle est restée bouche bée, comme si elle n'en croyait pas ses propres yeux.

— Je peux jouer, a-t-elle fini par dire.

Si je n'avais pas su qu'il s'agissait d'Alexia, j'aurais juré qu'elle refoulait deux grosses larmes d'un clignement de paupières.

Elle a tendu le catalogue à Boum Boum, et les joueurs se sont rassemblés autour de lui. Les yeux de mante religieuse de notre entraîneur étaient encore plus écarquillés que d'habitude.

— Un bidule en machin-truc! s'est-il exclamé.

— Un bâton en aluminium! a traduit Cédric d'une voix

altérée par l'émotion. Ce n'est pas couvert par ce vieux règlement parce que ce n'est pas un morceau de bois. C'est un morceau d'aluminium!

— Ils n'avaient pas d'aluminium en 1887! ai-je ajouté, tout excité.

— Nous avons retrouvé notre capitaine! s'est écrié Carlos.

Voilà le genre de sujet que *Sports Mag* aime offrir à ses lecteurs : une équipe inspirée et unie, animée par l'espoir et la confiance. C'était un spectacle réjouissant : tous les joueurs poussaient des cris de joie, proposaient de contribuer à l'achat du bâton d'aluminium. J'étais si énervé que j'ai failli ne pas remarquer la petite silhouette qui se faufilait vers la porte.

Alexia l'a aussi aperçue :

— Arrête! a-t-elle aboyé. Virgile, où vas-tu comme ça?

Plié en deux sous le poids de son sac de sport, le pauvre garçon était si petit que son sac avait l'air d'un insecte géant en train de le dévorer.

— À la maison, a-t-il répondu.

— À la maison? a répété Boum Boum. Mais on a retrouvé notre patente! On va faire une chose d'équipe et planifier notre bébelle pour le match de demain.

— Notre stratégie, ai-je traduit.

— Votre capitaine est revenue! a dit Fragile. Pourquoi auriez-vous besoin de moi?

L'entraîneur lui a mis un bras sur l'épaule :

— Parce que tu es l'un des nôtres. Tu fais partie de

l'équipe. Dans une équipe, on joue ensemble, on gagne ensemble, on subit des machins ensemble.

— Des défaites, a dit Cédric.

— Vous allez juste finir par me détester, a averti Virgile.

— On est prêts à courir ce risque, a dit la capitaine des Flammes en souriant.

Le second match de la finale de la ligue avait lieu le dimanche, à 16 h. Croyez-le ou non, les gradins n'étaient pas aussi remplis que la veille. Après tout, les Pingouins avaient déjà une avance de cinq buts contre zéro, et les gens devaient penser que les séries étaient déjà gagnées. Les spectateurs présents ce jour-là étaient surtout venus assister à la remise du trophée. Il y avait beaucoup de membres des familles des joueurs, ainsi que des grosses légumes de la centrale électrique.

Par contre, Mars avait attiré une foule importante. Après notre visite au Monde Sportif pour acheter le bâton en aluminium, les joueurs et moi avions passé la soirée à répandre la nouvelle que les Flammes avaient un dernier atout en réserve. Nous avions pris soin de ne pas promettre de victoire, bien entendu. Notre retard de cinq buts rendait cela pratiquement impossible. Mais avec le retour d'Alexia, nous avions bien l'intention de faire travailler ces pourris pour leur trophée.

Nos partisans étaient arrivés assez tôt pour trouver des sièges à l'avant, où les Flammes pourraient les voir et profiter de leurs encouragements. Cette chère Mme B. était directement derrière le banc des joueurs. Elle me réservait mon siège habituel, où elle avait déposé une énorme boule au fromage et au piment, ainsi qu'une boîte de biscuits Ritz. Elle n'aurait pas dû se donner tout ce mal : elle occupait presque deux places à elle seule.

Lorsque nous sommes arrivés, Rémi et Olivier se trouvaient près du casse-croûte, entourés de leurs admirateurs.

— Hé! Cédric, où est ta petite amie? a lancé Olivier. Oh, excuse-moi, ta capitaine!

— Ta petite capitaine! a gloussé Rémi.

C'était vrai, on ne voyait Alexia nulle part. Heureusement, aucun de ces idiots n'a remarqué que Boum Boum et Carlos se démenaient pour transporter un long sac de sport extrêmement lourd.

Cédric a haussé les épaules :

— Ton oncle ne veut pas la laisser jouer. Il doit penser que son neveu n'est pas assez fort pour l'affronter!

— Ce n'est pas pour ça! a explosé Rémi. C'est le règlement! On obéit aux règlements sur cette planète, tu sais!

— Je parie qu'elle est partie parce qu'elle en avait assez de vous voir jouer comme des empotés, a ajouté Olivier. Quelle loyauté!

— Assez de ces patentes, est intervenu l'entraîneur Blouin. Allons dans le bidule.

Pendant que nous nous éloignions, Rémi nous a lancé :

— J'avais raison, oui ou non? Aucun Martien ne mettra

sa main d'extraterrestre sur la Coupe Fréchette!

Une fois dans le vestiaire, Boum Boum a ouvert la fermeture éclair du long sac de sport, et Alexia en est sortie. Elle s'est époussetée de la main, le menton pointé vers l'avant.

— Quel fendant, ce Fréchette! s'est-elle exclamée. Dommage que le sac n'ait pas eu d'ouvertures! Je l'aurais fait trébucher!

— Tu en auras bientôt l'occasion, a promis Boum Boum. Sur la bébelle.

Notre tactique était de miser sur l'élément de surprise. Les joueurs essaieraient de garder le retour d'Alexia secret le plus longtemps possible. Elle portait le chandail de rechange des Flammes, le numéro 13. Nous lui avions loué des patins, puisque les siens étaient blancs. Nous lui avions même trouvé une visière teintée afin que les Pingouins ne puissent pas distinguer son visage. Ses cheveux blonds étaient dissimulés sous son casque.

Sur la glace, l'entraîneur l'a envoyée à la défense au lieu de sa position habituelle à l'aile droite. Ainsi, elle n'aurait pas à se placer face à Rémi pour la mise au jeu, et risquer qu'il la reconnaisse.

Cédric a remporté la mise au jeu, mais Jean-Philippe a raté sa réception de la passe. C'est Olivier qui a récupéré la rondelle. Il a expédié une passe à Tristan, qui a franchi la ligne bleue des Flammes.

Paf!

Alexia a surgi de nulle part et a renversé le centre des

Pingouins d'une magnifique mise en échec avec l'épaule. Benoît et Rémi se sont élancés vers la rondelle. Benoît a été le plus rapide, mais Rémi a avancé son bâton pour bloquer sa passe de dégagement. La rondelle a été propulsée vers les gradins.

— Qui est-ce? a demandé Rémi en regardant Alexia.

Mais avant qu'il puisse vérifier, l'arbitre a appelé Cédric et Tristan au point de mise au jeu, juste à l'extérieur de la zone des Flammes. Cette fois, Tristan a immobilisé Cédric pendant que Rémi harponnait la rondelle en direction d'Olivier, à l'aile gauche.

Boum!

Alexia a traversé la glace et écrasé Olivier contre la bande. Elle a envoyé la rondelle à Benoît, qui s'est aussitôt élancé pour mener l'attaque des Flammes. Le gardien des Pingouins a dû réagir rapidement pour bloquer le lancer frappé de Jean-Philippe.

Sans trop savoir ce qui se passait, Rémi s'est dit qu'il valait mieux nous dénoncer.

— Monsieur! a-t-il crié à son entraîneur. Ils trichent! Ils ont un nouveau joueur!

L'entraîneur Morin a regardé Alexia en fronçant les sourcils.

— Hé, Blouin! a-t-il lancé par-dessus le banc des punitions. Qu'est-ce que tu essaies de faire, au juste?

— Juste un machin-truc, a répondu Boum Boum, l'air innocent.

— Un quoi?

Entre-temps, le jeu avait repris. Jean-Philippe était en possession de la rondelle dans le coin, mais Rémi a intercepté sa passe vers le centre. Il a traversé la ligne bleue avec un seul défenseur à déjouer : Alexia.

— Je vais te donner une leçon, le Martien! a-t-il dit, tout essoufflé.

Il a réussi à ricaner, même s'il était au beau milieu d'une attaque.

Il a feinté à gauche, avant d'accélérer pour tenter de la contourner sur la droite. Mais en passant, il a jeté un coup d'œil à travers sa visière teintée.

Il s'est exclamé, les yeux ronds :

— C'est toi?

Chapitre 18

Alexia lui a administré une mise en échec avec la hanche qui semblait sortie tout droit d'un film de formation de la LNH. Rémi s'est envolé par-dessus notre capitaine comme s'il jouait à saute-mouton avec un sac à dos équipé de réacteurs.

Paf!

Quand il a atterri sur la glace, Alexia s'était déjà emparée de la rondelle et franchissait la ligne bleue adverse.

— À moi! a crié Cédric.

— Pas maintenant, le champion! a-t-elle grogné.

Je n'avais jamais entendu une voix pareille sortir d'une bouche humaine.

Olivier a tenté de harponner la rondelle. Soulevant un de ses patins, Alexia a donné un violent coup de lame sur son bâton. Le bois s'est fendu et le bâton est tombé des mains de l'ailier adverse. Puis notre capitaine a littéralement embouti le défenseur qui essayait de la plaquer.

Toc!

Son lancer était bas et percutant. La rondelle a heurté le bord de la jambière du gardien avant de dévier dans le filet.

J'ai crié mon idée de titre pendant que les partisans des Flammes se levaient en hurlant :

— *Pas de blanchissage!*

Mon magnétophone était équipé d'une cassette et de piles neuves. En l'honneur du retour d'Alexia, je m'étais promis de faire un reportage comme si je travaillais toujours pour la *Gazette*.

Rémi commençait à peine à se remettre sur ses pieds après ce plaquage colossal.

— C'est Alexia Colin! a-t-il dit à l'arbitre d'un ton sec. Elle a été renvoyée de la ligue! Ce but ne compte pas!

L'officiel s'est tourné vers Alexia :

— Est-ce que c'est vrai, mon gars? Enfin, tu sais ce que je veux dire...

Pour toute réponse, Alexia a retiré son casque. Ses cheveux blonds sont retombés sur ses épaules. L'exclamation de surprise qui est sortie de toutes les bouches a fait bondir l'aiguille de mon sonomètre.

— Sa présence est illégale! a accusé Olivier. Appelez la police!

Je suppose qu'il parlait de la patrouille des bâtons de hockey.

Évidemment, il a fallu que M. Fréchette vienne mettre

son nez là-dedans. Il s'est approché pour annoncer la décision officielle de la ligue :

— Comme il a été marqué par un joueur non admissible, ce but est refusé. Et toi, jeune fille, tu devrais montrer plus de respect envers le règlement. Dépose ce bâton et quitte la patinoire immédiatement!

— Mais c'est un bidule en machin-truc! a tonné Boum Boum.

— Un quoi? a demandé l'entraîneur Morin, déconcerté.

— Le règlement de Bellerive lui interdit de transporter un morceau de bois de plus d'un mètre, a précisé le président de la ligue d'un air sévère. Que cela nous plaise ou non, le règlement, c'est le règlement.

— Mais ce n'est pas un morceau de bois, a protesté Cédric. C'est un morceau d'aluminium!

Alexia a levé un pied et frappé la lame de son patin avec son bâton. Le bruit du métal contre le métal était facilement reconnaissable.

M. Fréchette est resté interdit :

— Un bâton en aluminium?

— Un bidule en machin-truc, a confirmé l'entraîneur Blouin.

— Eh bien, c'est... c'est... merveilleux, a bredouillé le président de la ligue.

— Tu veux dire que tu vas la laisser jouer? a demandé Rémi, bouche bée.

— Bien sûr, a répondu son oncle avec un grand sourire. La direction de la ligue s'en voulait d'avoir dû exclure une excellente joueuse comme Alexia. C'est seulement à cause du règlement que nous l'avons fait.

Si vous croyez ces paroles, vous croyez probablement aussi à la fée des dents. M. Fréchette ne laissait notre capitaine réintégrer la ligue que parce qu'il n'avait plus d'excuse pour l'en empêcher.

Le fait d'avoir Alexia avec nous a transformé le jeu. Ses mises en échec robustes impressionnaient les Pingouins, qui y pensaient à deux fois avant de se lancer à la poursuite d'une rondelle libre. Ils n'hésitaient pas longtemps, mais c'était suffisant pour que les Flammes prennent une longueur d'avance sur eux. Bientôt, Jean-Philippe a devancé Olivier dans le coin et envoyé une passe parfaite à Cédric dans l'enclave. Notre capitaine adjoint a fait semblant de lancer, puis a ramené adroitement la rondelle de l'autre côté de sa palette, avant de la faire entrer dans le filet d'un lancer du revers. Le pointage total était maintenant 5 à 2.

L'entraîneur Morin n'a pas tardé à utiliser son temps d'arrêt.

— C'est quoi, votre problème, les gars? a-t-il crié à ses joueurs embarrassés. Vous jouez comme une bande de peureux! D'accord, leur capitaine est revenue. Et puis après? Vous êtes les Pingouins! Si vous ne pouvez pas battre les Flammes avec leur capitaine, inutile de vous prétendre les meilleurs!

Après cet excellent discours, les Pingouins sont revenus en force. Étonnamment, les Flammes leur ont tenu tête. Il y avait de l'action sur la glace, avec de superbes jeux offensifs des deux côtés. Toutefois, personne ne marquait. Puis, juste avant la fin de la période, Rémi s'est débarrassé de son couvreur devant le filet des Flammes. Olivier lui a envoyé la rondelle.

Toc! C'était 6 à 2 pour les Pingouins.

— Pourquoi est-ce que je n'arrive pas à bloquer son lancer? s'est écrié Jonathan dans le vestiaire, en frappant ses jambières avec son bâton.

Cédric n'y comprenait rien non plus :

— Ce n'est pourtant pas plus difficile que les autres lancers du poignet!

L'entraîneur a pris un air songeur, en roulant ses yeux de mante religieuse.

— On dirait que tu te jettes toujours dans la mauvaise direction, en laissant à Fréchette la moitié du cossin pour lancer, a-t-il dit.

— C'est le lancer du poignet de Wayne Gretzky, est intervenu Benoît. C'est impossible à bloquer pour un gars de notre âge.

— Ce n'est pas le lancer du poignet de Wayne Gretzky, a expliqué Alexia patiemment. Il l'a peut-être appris au stage de Wayne Gretzky, mais Rémi est seulement un gars de 12 ans ordinaire, avec un mauvais caractère et une gueule aussi grande que le Grand Canyon. Ne te décourage pas, Jonathan. Tu réussiras d'ici la fin du match.

Jonathan avait retrouvé son sourire quand les équipes sont revenues sur la glace pour la deuxième période. Mais il a fallu moins d'une minute à Rémi pour triompher de notre gardien. Au cours d'une attaque à quatre joueurs, il est parti en échappée. Il a visé et lancé. Jonathan n'a pas pu se déplacer à temps pour faire l'arrêt. Les Pingouins menaient 7 à 2.

Les Flammes accusaient de nouveau un recul de cinq buts. Nous n'étions pas plus avancés qu'à la fin du match précédent. Sur le banc de l'équipe, tout le monde gardait le silence. Même Boum Boum n'avait rien à dire. Le seul son qu'on entendait, c'était le crouche, crouche, crouche de Mme Blouin, qui dévorait une boîte entière de biscuits avec sa boule au fromage, devenue un hémisphère.

Puis, ô miracle, les Flammes ont eu un coup de veine. Alexia a plaqué Rémi contre la bande. C'était une mise en échec parfaitement légale, mais Rémi était si furieux qu'il a allongé son bâton et lui a cinglé la jambe pendant qu'elle s'éloignait. Notre capitaine s'est écroulée pendant que l'arbitre levait le bras.

— Cinglage avec intention de blesser! a aboyé l'arbitre. Pénalité majeure!

Chapitre 19

Incroyable! Une pénalité majeure! Ce type de pénalité dure cinq minutes au lieu de deux. Et elle ne se termine pas lorsque l'autre équipe marque un but. Les Flammes allaient avoir l'avantage numérique tout ce temps!

Évidemment, Rémi a réagi en bébé lala.

— Ce n'est pas juste! a-t-il crié à l'arbitre. Vous me donnez une punition majeure parce que c'est une fille!

— Ça suffit, Fréchette, a ordonné l'entraîneur Morin du banc des Pingouins. Tu sais que tu ne dois pas faire de coup bas!

Je n'avais jamais vu Boum Boum aussi énervé. Il courait si vite autour du banc que sa queue de cheval tournoyait comme les pales d'un hélicoptère. Je me suis dit qu'il était fou d'envoyer Virgile à l'aile gauche, au lieu de Jean-Philippe. Mais comme les Pingouins avaient un joueur en moins, ils n'étaient pas assez nombreux pour l'entourer et l'empêcher de faire des passes.

Quand Fragile a traversé la ligne bleue, Tristan a tenté de le plaquer et a percuté la bande. Notre petit coéquipier a fait une passe à Alexia, qui a envoyé la rondelle à Cédric, dans une position parfaite pour faire dévier la rondelle dans le filet : 7 à 3.

Nous avons applaudi nos joueurs, mais le jeu de puissance des Flammes ne faisait que commencer. Boum Boum a demandé un arrêt de jeu pour laisser reposer ses attaquants. Deux minutes plus tard, Benoît a fait appel à sa vitesse supersonique pour mener une attaque spectaculaire d'un bout à l'autre de la patinoire. Le gardien des Pingouins a réussi un premier arrêt, mais Alexia s'est ruée dans la zone de but, a saisi le rebond et réussi à pousser la rondelle dans le filet : 7 à 4.

Puis, au moment où Rémi quittait le banc des punitions, Olivier a tenté de lui envoyer une passe de dégagement. Kevin l'a bloquée à la ligne bleue et s'est mis à reculer dans l'enclave. Grâce à son rétroviseur, il pouvait voir l'amas de Pingouins protégeant leur gardien. Son lancer n'était pas très percutant, mais la rondelle a dévié une ou deux fois sur des lames de patins avant de rebondir dans le but : 7 à 5! C'était redevenu un vrai match.

Les partisans des Flammes étaient déchaînés. Mme B. m'a serré dans ses bras, écrasant le reste de sa boule au fromage sur mon blouson.

Pour le reste de la période, nous avons assisté aux mises en échec les plus brutales et aux coups de patins les plus énergiques jamais observés dans la ligue Droit au but.

Les partisans des deux équipes s'égosillaient, debout dans les gradins. Les Pingouins étaient partout à la fois sur la patinoire, jouant comme des champions et défendant âprement le titre qu'ils détenaient depuis deux ans. Mais nos Flammes leur tenaient tête et ne se laissaient pas distancer.

Juste avant la fin de la période, les Pingouins ont marqué de nouveau. Olivier a enlevé la rondelle à Carlos dans le coin. Il a contourné notre ailier et fait une superbe passe à Rémi, dans l'enclave. Vous devinez le reste. Encore ce lancer du poignet! Ce misérable, horrible, affreux lancer du poignet! Comment Wayne Gretzky avait-il pu l'enseigner à un crétin comme Rémi? Au retour des Flammes dans le vestiaire, le pointage était de 8 à 5, et le regain d'énergie provoqué par leur remontée s'était dissipé.

Jonathan s'est octroyé tout le blâme :

— Vous avez bien joué. C'est moi qui aurais dû bloquer le lancer de Fréchette. C'est ma faute.

— Non, c'est la mienne, a gémi Carlos. Olivier ne devrait pas arriver à me devancer dans les coins.

— Et moi, j'aurais dû me servir de ma tête! s'est lamentée Alexia d'une voix basse. Si j'avais pensé au bâton d'aluminium il y a trois semaines, on n'aurait pas commencé cette partie avec un retard de cinq buts!

Quelle déception! Il est déjà pénible de se faire blanchir, mais ce devait être encore pire d'effectuer une remontée en finale, pour dégringoler aussitôt après.

Tous les joueurs s'accusaient à tour de rôle :

— J'aurais dû patiner plus vite...

— J'aurais dû faire des plaquages plus énergiques.

— J'aurais dû...

Si je travaille un jour pour *Sports Mag*, mon premier article va s'intituler : *J'aurais dû...*

Tout à coup, l'entraîneur a pris la parole :

— Je n'ai jamais été aussi fier de vous qu'aujourd'hui!

Nous étions stupéfaits. Et ce n'était pas seulement parce qu'il s'exprimait dans un français impeccable. L'entraîneur nous faisait face, la voix vibrante d'émotion.

Tout à coup, j'ai compris. Boum Boum Blouin ne connaissait rien aux championnats, aux victoires, aux triomphes. Toute sa carrière dans la LNH s'était résumée à ce qu'il avait devant les yeux : la déception, la frustration et les efforts incessants pour tenter de s'améliorer.

— Je n'ai rien de plus à vous apprendre, a-t-il continué, les larmes aux yeux. Vous êtes devenus des hommes. Et heu... une patente, a-t-il ajouté en tournant ses yeux de mante religieuse vers Alexia.

Que pouvions-nous faire d'autre? Nous l'avons serré dans nos bras. C'était un geste spontané. Toute l'équipe, y compris Virgile, s'est levée pour aller étreindre l'entraîneur dans une accolade à mi-chemin entre une embrassade et un caucus de football. Nous étions dégoûtants : les joueurs étaient couverts de transpiration et de glace fondue, et ma veste était maculée de fromage au piment. Mais cela nous importait peu. Nous sentions que c'était la chose à faire.

La sirène a retenti, mais nous n'avons pas relâché notre étreinte. Nous nous sommes dirigés vers la porte dans un groupe compact, en traînant les pieds. Nous avons dû nous serrer comme des sardines pour nous extirper du vestiaire. Quand les Pingouins sont sortis de leur propre vestiaire, ils nous ont vus nous glisser par la porte comme une gigantesque créature des marais.

— Ils sont fous, ces Martiens! a décrété Rémi.

Mais cette accolade d'équipe était exactement ce qu'il fallait aux Flammes. Nos joueurs se sont mis à filer à toute allure sur la glace, ébranlant l'extrême confiance des Pingouins. Si un étranger s'était aventuré dans le centre communautaire, il aurait été convaincu que les joueurs en vert étaient les tenants du titre, et non les novices de la petite ville de l'autre côté du canal.

Cédric a été le premier à marquer un but, complétant ainsi son tour du chapeau. Puis Carlos a fait entrer le rebond causé par un lancer-pelletée de Marc-Antoine. Le pointage est passé à 8-7.

Rémi a ralenti la remontée des Flammes en marquant grâce à un autre lancer du poignet. C'était son huitième but en deux matchs. Mais les Marsois ont aussitôt riposté. Jean-Philippe a reçu une passe abandon d'Alexia et a propulsé la rondelle entre les jambes du gardien.

C'était 9 à 8 pour les Pingouins. Il restait 1 minute 12 secondes de jeu.

L'entraîneur Blouin a retiré Jonathan pour ajouter un attaquant à l'équipe. Quels moments angoissants! Le filet était désert, béant comme un gouffre. C'était une cible rêvée pour les Pingouins, qui comptaient d'excellents marqueurs dans leurs rangs – particulièrement Rémi Fréchette.

Mais les tenants du titre n'ont pas prêté attention au filet vide. Ils ont laissé un de leurs défenseurs à l'arrière pour protéger leur gardien, puis les quatre joueurs restants ont formé un grand carré mobile dans la zone neutre, se renvoyant la rondelle entre eux.

— Dernière minute de jeu! ont annoncé les haut-parleurs.

Boum Boum a été le premier à comprendre ce qu'ils faisaient.

— Ils ne vont pas marquer! a-t-il crié. Ils se contentent de tuer le temps!

J'ai regardé l'horloge : 43, 42, 41...

Benoît a plongé en avant, tendant son bâton pour intercepter une passe. Mais il n'était pas assez près.

— Hé, les Martiens! a lancé Rémi en tricotant. Il ne vous reste plus beaucoup de temps!

Soudain, Alexia a quitté sa position et a foncé tête baissée vers lui.

— Nooon! ont crié Boum Boum et la moitié des partisans de Mars, moi y compris.

Elle laissait le champ libre à Rémi pour un tir dans notre filet désert.

Mais en voyant la meilleure plaqueuse de la ligue se jeter sur lui comme une lionne, Rémi a paniqué et raté sa passe à Olivier. Dans un incroyable élan d'énergie qui m'a moi-même étonné, Cédric s'est précipité et a intercepté la rondelle.

Il avait un seul joueur à affronter. La manœuvre qu'il a exécutée est pratiquement impossible à décrire. Disons qu'il a feinté une feinte. Il a commencé par feindre un lancer classique du revers, puis a interrompu son mouvement pour contourner le défenseur à la vitesse de l'éclair. Le gardien s'attendait à une autre feinte, et Cédric s'est donc empressé de lancer, frappant la rondelle plus tôt que nécessaire.

— Qu'est-ce que tu fais? ai-je crié.

Cédric savait bien que le gardien des Pingouins était le meilleur attrapeur de la ligue. La mitaine de ce dernier s'est aussitôt élevée pour faire l'arrêt. J'ai regardé, fasciné, la rondelle frapper le bas de la mitaine et retomber... dans le filet!

Égalité : 9 à 9. Je n'arrivais pas à le croire : nous allions en prolongation.

Chapitre 20

J'avais vraiment choisi la mauvaise semaine pour me faire renvoyer de la *Gazette*! Je tenais la primeur du siècle, mais où aurais-je pu la publier?

Cependant, il manquait à ma primeur la partie la plus importante : le pointage final. Allait-on assister au triomphe de la plus étonnante équipe Cendrillon depuis la création du conte de fées? À moins que les méchantes belles-sœurs – les Pingouins – ne remportent la victoire...

Une chose était certaine : j'allais devoir écrire ce reportage en me fiant uniquement à ma mémoire, car tout ce que mon magnétophone enregistrait, c'était la clameur de l'assistance. Les gens s'époumonaient, debout sur leurs sièges. Des miettes de biscuits s'échappaient de la bouche de Mme B., qui s'était levée pour joindre sa voix à la foule.

Avec la Coupe Fréchette en jeu, les deux équipes ont commencé la période de prolongation par un jeu prudent. Mais le rythme s'est vite intensifié. Les joueurs des

Flammes avaient toutes les raisons du monde d'être confiants. Après tout, ils avaient renversé la vapeur dans un match qui avait commencé avec un recul de cinq buts. Il n'y avait qu'un seul problème.

— C'est ce pourri de Rémi! a dit Marc-Antoine d'un ton nerveux. Il déstabilise Jonathan. S'il réussit un tir en prolongation, on est cuits.

— Jonathan est un bon gardien, ai-je dit sans quitter la patinoire des yeux. Mais il perd tous ses moyens devant ce lancer du poignet. Non seulement il n'arrive pas à l'arrêter, mais on dirait qu'il se jette toujours du mauvais côté!

— C'est peut-être un blocage mental, a suggéré Carlos. Un truc psychologique. Il ne peut pas réussir l'arrêt parce qu'il s'en pense incapable.

— Il n'arrive pas à prédire de quel côté arrivera la rondelle, ai-je dit tristement. Ou alors, c'est que Rémi regarde d'un côté tout en lançant de l'autre.

J'avais dit ça à la blague. Mais mes paroles sont restées en suspens, leur véracité frappant soudain chacun de nous au même moment. Voilà ce que Wayne Gretzky avait dû enseigner à Rémi : comment se servir de son regard pour tromper le gardien et le faire bouger dans la mauvaise direction. Comment expliquer autrement qu'un simple lancer du poignet se soit transformé en arme mortelle?

— C'est ça! nous sommes-nous écriés en chœur.

— C'est quoi? s'est exclamé Boum Boum.

Nous lui avons fait part de notre théorie sur le lancer « magique » de Rémi Fréchette.

— Il faut le dire à Jonathan, ai-je conclu. Quand il saura quoi surveiller, il pourra arrêter le lancer de Rémi sans problème!

L'entraîneur était si enthousiaste qu'il a bondi sur le banc.

— Temps d'arrêt! a-t-il beuglé.

— Pas question, a dit le juge de ligne. Vous l'avez déjà utilisé.

Le jeu a donc continué.

Boum Boum ne s'est pas laissé décourager. Allongeant le bras par-dessus la bande, il a attrapé le chandail vert le plus près et attiré le joueur contre le banc. C'était Virgile Norbert.

— Provoque un coup de machin! a chuchoté l'entraîneur, affolé.

— Un coup de sifflet! ai-je traduit. Fais interrompre le jeu! On a un message pour Jonathan.

Le petit Fragile a regardé autour de lui. L'action se passait de l'autre côté de la zone neutre. Il ne s'en approcherait jamais assez rapidement pour tomber sur la rondelle, l'immobiliser ou la propulser dans les gradins.

J'aurais voulu hurler de frustration. Nous avions résolu le mystère du lancer de Rémi, mais cela ne servirait à rien si ce dernier marquait un but avant que Jonathan soit mis au courant.

C'est alors que notre Virgile a fait une chose complètement folle, courageuse et géniale : il a redressé ses maigres épaules, a placé l'embout de son bâton à la hauteur de son masque et s'est précipité à toute vitesse sur la bande.

Paf!

Bain de sang. Coup de sifflet.

L'entraîneur était consterné. Il a pris une poignée de serviettes, a bondi sur la glace et est allé appliquer des compresses sur le nez de son joueur blessé.

— Tu l'as fait exprès de manger ton bâton! l'a-t-il accusé. Pourquoi as-tu fait un machin aussi stupide?

J'ai à peine entendu la réponse étouffée de Virgile sous le flot de sang.

— Allez parler à Jonathan! a-t-il insisté. Donnez-lui votre message!

En entendant ces mots, Carlos a sauté par-dessus la bande et s'est dirigé vers notre zone de but. Jonathan et lui ont tenu un long conciliabule. Au terme de leur conversation, ils ont tourné les yeux vers Rémi Fréchette. J'ai distinctement entendu Jonathan déclarer, avec un grand sourire :

— Compris!

À la grande déception de Jean-Philippe, l'arbitre a refusé de faire entrer la surfaceuse. Les taches de sang ont été essuyées à l'aide de serviettes, puis le jeu a repris.

La mise au jeu a eu lieu dans la zone des Flammes, à gauche de Jonathan. La formation des Flammes était composée de Cédric, Alexia et Jean-Philippe à l'avant, et de Benoît et Kevin à la défense. Il s'agissait des mêmes joueurs qui avaient été envoyés sur la patinoire au tout début du premier match des Flammes, au mois d'octobre.

Tristan a bougé prématurément et l'arbitre l'a expulsé du cercle de mise au jeu. Rémi est venu se placer devant Cédric.

— Ça y est, Rougeau, a-t-il grogné. C'est entre toi et moi!

Ces anciens partenaires de trio et meilleurs amis étaient devenus des rivaux acharnés.

Cédric a remporté la mise au jeu, mais Rémi a frappé son bâton, envoyant la rondelle rebondir dans le coin. Tristan s'est lancé à sa poursuite, Alexia sur ses talons.

Boum! Elle l'a frappé de l'épaule, le coinçant entre elle et son coéquipier Olivier, venu à la rescousse. Le coup était si violent que les deux Pingouins sont tombés. La rondelle a jailli dans les airs. En tombant, Olivier a avancé son bâton et a poussé la rondelle en direction du filet.

Là, dans sa position habituelle, attendait Rémi Fréchette. Seul!

— Noooon!

Ce cri n'a pas seulement jailli de ma bouche, mais de celle de tous les partisans de Mars.

Rémi a exécuté le lancer du poignet à la Gretzky qui avait fait de lui le meilleur marqueur des éliminatoires. Et cette fois, j'ai vu clairement sa feinte. Son casque… non, son corps tout entier était orienté vers le coin droit. Et pourtant, la rondelle a filé vers le coin gauche!

On aurait dit que la Terre s'arrêtait de tourner. Toute la scène m'est apparue comme une série d'images successives. La rondelle se rapprochait peu à peu du filet et de la victoire des Pingouins. Les huit autres fois où Rémi avait effectué ce lancer, ça lui avait valu huit buts.

Puis les images ont commencé à s'animer. J'ai vu Jonathan se jeter en travers de la zone de but. La rondelle glissait toujours vers le filet désert. À la dernière seconde, Jonathan a battu l'air de son bâton et...

Poc!

— C'est un arrêt!

Je ne pouvais pas entendre ma voix avec la clameur de la foule, mais je savais que je criais parce que j'avais la gorge en feu.

Kevin s'est emparé du rebond et a entrepris une attaque à reculons.

Paf!

Rémi l'a plaqué de côté. Kevin s'est écroulé, mais pas avant d'avoir fait une passe à Benoît. Notre rapide défenseur a mis les gaz et traversé la ligne rouge à pleine puissance, distançant aisément les avants adverses. Au moment où il a fait une passe à Jean-Philippe, les Flammes menaient une attaque à trois contre deux.

— Vas-yyyyy!

Un défenseur s'est avancé vers Jean-Philippe, mais notre ailier a fait glisser la rondelle entre les patins de l'adversaire en direction de Cédric. Avec un seul Pingouin devant lui, notre capitaine adjoint a choisi de ne pas feinter. Il a accéléré, dans l'espoir de battre le défenseur par sa seule vitesse. Et il a réussi. Toutefois, lorsqu'il est arrivé à la hauteur du filet, l'angle était trop fermé pour lui permettre un tir au but. Mais avait-il le choix? Il était presque à la ligne rouge.

Soudain, il a entendu le bruit d'un bâton frappant la glace derrière lui – et pas un bâton de bois. D'un mouvement vif comme l'éclair, il a pivoté et, d'un coup du revers, a expédié la rondelle à l'aveuglette vers le devant du filet.

La passe était loin d'être précise, mais ça n'a pas arrêté Alexia. Elle a bondi dans un saut de l'ange, battant désespérément l'air de son bâton.

Cling!

Chapitre 21

Le bout de la palette d'aluminium est entré en contact avec la rondelle, juste assez pour la renverser sur sa tranche. Une exclamation collective a fusé des gradins quand la rondelle s'est mise à rouler dans les airs, à travers la zone de but déserte. Puis, alors qu'elle semblait sur le point de rater la cible, elle a mystérieusement changé de trajectoire, a vacillé, puis est retombée à plat dans le filet.

Je sais que ça semble incroyable, mais pendant une fraction de seconde, je n'ai pas compris ce qui venait d'arriver. C'était la même chose pour tout le monde. Il y a eu un moment de silence stupéfait dans l'aréna.

Puis l'entraîneur Blouin a poussé un cri que je n'essaierai même pas de décrire. Ce n'était pas un cri d'encouragement, de triomphe ni même de joie. C'était simplement un relâchement de tension. Après 16 années désastreuses dans la LNH, Boum Boum était enfin victorieux.

Les partisans des Flammes étaient déchaînés. Certains se sont précipités sur la glace, où ils se sont mis à glisser et à danser d'allégresse. Les autres sont demeurés près de la bande, à frapper le plexiglas en poussant des cris frénétiques.

Quant aux joueurs des Flammes, le meilleur titre que je pouvais trouver pour décrire leur état d'esprit était : *Démentiel!* Ils tombaient à tour de rôle en prenant leur élan pour sauter sur Alexia, qui avait marqué le but vainqueur. J'ai rejoint l'équipe sur la glace, où j'ai étreint les joueurs en poussant des cris de triomphe et en bondissant sur place. C'était plus qu'un simple scoop de *Sports Mag*. C'était une centaine d'articles réunis en un seul : une équipe Cendrillon, une remontée spectaculaire, le triomphe de la justice sur l'iniquité, la revanche des exclus reprenant la place qui leur était due. C'était plus qu'une victoire; c'était une méga-bombe, une supernova, un moment exaltant, fantastique, supergénial!

Alexia et Cédric, qui avaient passé la saison à se disputer, frappaient leurs casques ensemble en riant de bonheur. Ce sont nos deux capitaines qui ont finalement ramassé la rondelle gagnante et l'ont remise à notre entraîneur.

Boum Boum l'a donnée au joueur qui la méritait plus que tous les autres. Était-ce Alexia, qui avait marqué le but victorieux? Cédric ou Jean-Philippe, qui avaient fait les passes? Ou encore Jonathan, qui avait fait l'arrêt le plus important? Non.

— Virgile, a dit Boum Boum à son nouveau joueur. Si tu n'avais pas mangé ton bâton pour interrompre le jeu, on aurait probablement perdu cette patente. Tu es le zigoto le plus résistant que j'aie jamais vu. Je pense que tu devrais avoir cette bébelle.

Une expression pleine d'espoir s'est dessinée sur le petit visage de Virgile.

— Vous voulez dire que vous ne me détestez plus?

Nos éclats de rire ont été interrompus par des oh! et des ah! M. Fréchette s'approchait avec la Coupe Fréchette. Laissez-moi vous dire que ce trophée argenté n'avait jamais autant brillé que ce jour-là sous les lumières de l'aréna.

Alexia a regardé autour d'elle avec jubilation.

— Où est mon ami Rémi? Je veux qu'il nous voie mettre nos mains d'extraterrestres sur sa précieuse coupe!

— Nos mains? a gloussé Jonathan. Je vais faire bien plus que la toucher! Je vais la prendre dans mes bras, l'embrasser, et même la marier!

— Boum Boum! a appelé la voix de Mme Blouin derrière nous. C'est le moment!

— Oui, je sais! a répondu l'entraîneur. Ils vont nous donner la patente Fréchette!

— Non, non! a-t-elle insisté. C'est le moment! Le bébé s'en vient!

Stupéfait, il s'est tourné vers sa femme :

— Mais, mais... l'accouchement est prévu pour le mois de juin!

— Tu diras ça au bébé! a-t-elle répliqué d'un air fâché. Il faut aller à l'hôpital!

Paniqué, Boum Boum a couru vers elle et a tenté de la guider à travers la foule vers la sortie la plus proche. Ils n'ont pas avancé d'un pouce. Il y avait 20 rangées de spectateurs agglutinés autour de la patinoire. Avec les Marsois délirants de joie et les Pingouins désireux de quitter les lieux, c'était un véritable embouteillage.

L'entraîneur s'est tourné vers la sortie sud. La voie était tout aussi encombrée. Il a demandé, d'un air inquiet :

— Comment allons-nous sortir de ce bidule?

Soudain, on a entendu le grondement d'un énorme véhicule. Une voix a crié :

— Par ici, monsieur Blouin!

Nous sommes restés bouche bée. Les spectateurs en liesse se dispersaient pour laisser passer la surfaceuse, qui avançait en grondant sur la glace, conduite par Jean-Philippe.

Les yeux de mante religieuse de l'entraîneur ont jailli de leurs orbites.

— Jean-Philippe? s'est-il écrié. Bon sang, qu'est-ce que tu fais là?

Jean-Philippe a désigné l'ouverture de la bande destinée à la surfaceuse. Elle conduisait à une sortie donnant accès au terrain de stationnement, où les résidus de glace étaient déversés.

— Je peux vous sortir d'ici! Montez!

Nous étions plutôt habitués aux idées saugrenues de

Jean-Philippe. Celle d'utiliser comme ambulance une surfaceuse conduite par un enfant de 12 ans était digne des meilleurs classiques de tous les temps.

D'un autre côté, qu'est-ce que Boum Boum pouvait faire d'autre? Les sorties étaient bloquées. Et il n'était pas question que le bébé naisse dans un aréna. L'entraîneur a donc conduit sa femme sur la glace et l'a soulevée jusqu'au marchepied de l'énorme machine. En montant à son tour, il a agité un doigt en direction de Jean-Philippe :

— Conduit avec patente!

— Avec prudence! a traduit Mme B. d'une voix faible.

— Jean-Philippe! s'est écrié Carlos. Où vas-tu?

— À l'hôpital! a répondu Jean-Philippe en appuyant sur l'accélérateur et en décrivant un virage à 180 degrés.

Alexia a bondi sur un des pare-chocs.

— Pas question que ce bébé naisse sans moi!

— Ni moi! a ajouté Cédric en montant à côté d'elle.

Tous les joueurs des Flammes, ainsi que le journaliste de l'équipe, se sont empilés sur la surfaceuse. Vous auriez dû voir ça! Quelques gars étaient entassés sur le capot, s'agrippant pour ne pas glisser. Marc-Antoine était étendu aux pieds de Jean-Philippe. Virgile avait passé son bâton par-dessus le dossier du conducteur et s'y cramponnait de toutes ses forces, les paupières serrées. Quant à Jean-Philippe, eh bien, c'était son heure de gloire. Il avait conduit ce véhicule tellement de fois dans ses rêves qu'il était un vrai pro.

M. Fréchette galopait à nos côtés en criant comme un

forcené :

— Revenez! Ne partez pas avec ma surfaceuse!

— Désolé, monsieur Fréchette! lui a lancé Jean-Philippe. On a rendez-vous à l'hôpital!

Puis nous sommes sortis dans le stationnement. L'hôpital était au bout de la rue. Jean-Philippe a piloté la surfaceuse le long du trottoir.

— Écartez-vous! a-t-il crié à un pauvre homme qui promenait son chien. Laissez passer les champions du hockey et une femme enceinte!

Nous nous sommes arrêtés sous la pancarte portant le mot « Urgences ». Le personnel infirmier, qui n'était sûrement pas habitué à voir arriver des patients à bord d'une surfaceuse, a été plutôt compréhensif. L'entraîneur et sa femme ont aussitôt été emmenés au département d'obstétrique, pendant qu'on nous dirigeait vers la salle d'attente. Les joueurs ont dû déposer leurs bâtons dans le porte-parapluies. Leurs lames de patins sur le linoléum nous ont attiré quelques regards désapprobateurs.

Nous nous sommes installés pour attendre des nouvelles.

— Vous savez, ai-je dit à mes camarades, Rémi Fréchette avait raison depuis le début. Aucun Marsois n'a mis la main sur la Coupe Fréchette. On est partis avant que son oncle puisse nous la remettre.

— Ne t'en fais pas, m'a rassuré Cédric. On va l'avoir, notre trophée. Ils ne peuvent pas nous l'enlever, juste parce qu'on avait une urgence médicale. J'espère que Mme B. et le bébé vont bien, a-t-il ajouté d'un ton nerveux.

— Pourquoi est-ce si long? s'est plaint Carlos. On est ici depuis 10 minutes. Combien de temps est-ce que ça prend pour avoir un bébé?

— Ma mère dit qu'elle a mis 22 heures à accoucher de moi, a dit Fragile.

— Vingt-deux heures! s'est exclamé Jean-Philippe. Flûte, j'aurais dû mettre plus de pièces dans le parcomètre!

Toutefois, nous avons rapidement eu des nouvelles. Quand Boum Boum est entré dans la salle d'attente, nous nous sommes levés d'un bond. C'était un grand moment.

— C'est une patente, a-t-il annoncé.

Il y a eu un instant de silence.

Puis Alexia a demandé :

— Voulez-vous dire que c'est une fille?

— Non, une patente! a-t-il insisté.

Mme B. est apparue derrière lui, toujours aussi grosse qu'une maison.

— C'est une indigestion, a-t-elle traduit d'un air penaud. Trop de piment. C'était une fausse alerte.

Quand nous sommes revenus au centre communautaire pour réclamer notre trophée, tout le monde était parti.

Chapitre 22

— Alors, Clarence, a dit mon dentiste, le lundi matin. Il paraît que les Flammes ont remporté les éliminatoires hier? Raconte-moi ça!

Évidemment! Le Dr Meunier était le seul habitant de Bellerive qui ne faisait pas mine d'ignorer la victoire des Flammes, et j'avais 5 kilos d'instruments dentaires dans la bouche! Je n'aurais même pas pu proférer un grognement, encore moins une description détaillée de la victoire qu'avait remportée la meilleure équipe Cendrillon de l'histoire du hockey!

Par contre, je n'avais pas à me plaindre de mon examen dentaire. Je n'avais que deux caries. C'était bien mieux que les 11 caries du rendez-vous précédent. J'étais fraisé et plombé quand je suis entré dans l'école, à 9 h pile. Ma destination : la cafétéria, où se trouvait une carte de la Voie lactée constituée de boules magiques. Je n'allais pas revoir le dentiste avant six mois, et j'avais bien l'intention de célébrer ça en dévorant la moitié de la galaxie, la Grande Ourse y compris, avant le dîner. J'allais de nouveau mériter mon surnom de Tamia. À partir de ce moment, les gens devraient peut-être même m'appeler poisson-globe.

J'ai croisé les joueurs des Flammes, qui étaient rassemblés devant la vitrine près du bureau. Bien à l'abri derrière la fenêtre cadenassée, luisait la Coupe Fréchette.

— Quel sans-cœur, ce M. Fréchette! s'est exclamé Jonathan, dégoûté. Il s'est arrangé pour qu'on ne puisse pas avoir notre trophée.

— Il est seulement fâché parce que la police a mis la surfaceuse à la fourrière, a ajouté Jean-Philippe. Comment aurais-je pu savoir que c'était une zone interdite?

— Tu aurais pu lire la pancarte, a dit Alexia. C'était écrit : « Zone de remorquage ».

— Hé! a protesté Jean-Philippe d'un ton fâché. C'était la première fois que je conduisais! Je trouve que je m'en suis plutôt bien sorti.

— On n'a pas eu de bébé, a souligné Carlos.

— Ce n'est pas ma faute! a explosé Jean-Philippe. Même un vrai conducteur de surfaceuse n'aurait pas pu vous obtenir un bébé!

— Cet horrible Rémi Fréchette avait quand même raison, ai-je dit avec tristesse. On ne mettra jamais la main sur ce trophée.

— À moins que quelqu'un n'ait apporté une brique! a lancé Alexia.

— Ne vous laissez pas abattre, a dit Cédric. Ils vont

nous le donner au banquet du mois de juin. Et à ce moment-là, le nom de notre équipe sera gravé sur la coupe.

Quand je suis arrivé à la cafétéria, M. Lambert avait déjà commencé les annonces au micro :

... et durant la finale des éliminatoires de la ligue Droit au but, les Pingouins électriques ont joué brillamment, perdant par un seul but, avec un pointage de 10 à 9.

Je n'étais même pas surpris. On pouvait toujours compter sur les habitants de Bellerive pour vanter les mérites de leurs Pingouins adorés, même lorsqu'ils perdaient. Nulle mention de l'équipe victorieuse. Aucune chance d'entendre : « Félicitations aux Flammes qui ont remporté la coupe, au terme de leur toute première saison. » Je parie que M. Lambert ne faisait même pas ça par méchanceté. Tout simplement, l'idée de parler d'une équipe originaire d'une autre ville ne lui avait pas traversé l'esprit.

J'ai contourné la file d'attente et je suis allé directement à l'endroit où était suspendu mon « projet scientifique ». Mon exclamation de surprise a fait sursauter tout le monde. Je suis pratiquement certain d'avoir aspiré la moitié de l'air dans la pièce.

Ma couverture bleue et les centaines de boules magiques de Mme B. avaient disparu!

Mme Spiro s'est approchée de moi :

— Bonjour, Clarence. Je suppose que tu aimerais savoir où est ton projet de sciences?

— Quelqu'un l'a mangé! ai-je gémi.

— Petit farceur! a-t-elle dit en riant. M. Pincourt était si impressionné par ton œuvre qu'il l'a inscrite à l'Expo-sciences d'Amérique du Nord, qui a lieu à Anchorage, en Alaska.

— En Alaska! ai-je répété, stupéfait. Mais c'est loin! L'expo-sciences ne dure que quelques jours, non? ai-je demandé en reprenant espoir. Ma... heu... galaxie va revenir bientôt?

— Oh, non! a-t-elle répondu. Après l'exposition, tous les projets vont faire le tour des écoles du continent pendant cinq mois et demi. C'est excitant, n'est-ce pas?

— Je n'en reviens pas, ai-je marmonné.

Je ne reverrais mes boules magiques que deux semaines avant mon prochain rendez-vous chez le dentiste, à un moment où je n'oserais plus y toucher!

Mme Spiro m'a regardé dans les yeux :

— Clarence, j'ai beaucoup admiré ton comportement ces deux dernières semaines. Quand je t'ai renvoyé du journal, tu aurais pu bouder et adopter une attitude négative. Au lieu de cela, tu as concentré ton énergie sur une activité constructive. Tu as complété un projet scientifique qui a dû te demander beaucoup d'efforts et de créativité.

Je me suis revu en train d'emballer nerveusement les boules magiques dans ma couverture et de les lancer par la fenêtre pour que ma mère ne les trouve pas.

— Ce qui mérite d'être fait mérite d'être bien fait, ai-je dit en soupirant.

— Eh bien, je crois que tu as mérité une deuxième chance, a-t-elle repris. J'aimerais que tu reviennes travailler avec moi au journal.

Mon moral a remonté en flèche. Tamia Aubin était redevenu journaliste! Maintenant, plus personne ne pourrait ignorer l'équipe Cendrillon de Mars. J'allais raconter toute l'histoire dans la section sportive de la *Gazette*.

Attention, *Sports Mag*! Me voici!

Le banquet sportif du mois de juin, qui avait lieu au centre communautaire, était le plus important événement de l'année pour les jeunes athlètes de Bellerive. Ce souper de poulet frit était l'occasion de remettre officiellement les trophées aux diverses équipes sportives, allant des joueurs de t-ball de la maternelle aux meneuses de claque du secondaire. Quelque part au cours de la cérémonie, les Flammes devaient recevoir la Coupe Fréchette.

Ils nous ont fait attendre. Oh! comme ils nous ont fait attendre! Ils ont remis tous les écussons scouts, tous les rubans de baseball, avant que ce soit notre tour. Ils nous avaient attribué une table à l'arrière de la salle, si loin de la scène que les autres gagnants ressemblaient à des fourmis. C'était un manque évident de respect. Mais cela ne nous a pas empêchés de faire la fête dans notre coin, empilant les os de poulet et arrosant notre victoire à coups de verres de boisson gazeuse. Les joueurs agitaient tous la main d'un air réjoui. C'étaient ces mains d'extraterrestres qui allaient se poser sur la Coupe Fréchette, au grand dépit de Rémi. Ces pourris de Bellerive pouvaient nous ignorer et nous reléguer au fond de la salle, mais ils ne pouvaient pas changer le fait que nous avions gagné.

Je parie que nous avons davantage mangé et bu que toutes les autres tablées. Évidemment, c'était en grande partie à cause de Mme Blouin. Vous souvenez-vous quand j'avais dit en avril qu'elle était grosse comme une barrique? Eh bien, elle avait encore grossi. Elle avait maintenant la largeur de trois personnes.

Après deux heures d'attente assommante, notre tour est enfin arrivé. M. Fréchette s'est levé avec un sourire factice plaqué sur la figure.

— Le moment est venu de remettre la Coupe Fréchette aux champions de la ligue Droit au but : les Flammes.

La foule a applaudi poliment. Ce n'était pas exactement l'ovation à laquelle les Pingouins avaient droit chaque année, mais c'était tout de même satisfaisant. Je me suis levé le premier afin de photographier l'équipe et l'entraîneur qui s'avançaient pour recevoir leur prix. La dernière édition de la *Gazette* sortait la semaine suivante, et je voulais publier une double page spectaculaire qui ferait l'envie de *Sports Mag*. J'avais même mon titre, mon meilleur à ce jour : La folie des finales.

Comme les applaudissements étaient plutôt discrets, nous avons entendu distinctement ces mots :

— Boum Boum, c'est le moment.

— Oui! s'est écrié joyeusement Jonathan. Nous allons

enfin avoir notre trophée!

Les joueurs étaient si pressés de monter sur la scène qu'ils n'ont pas remarqué que Boum Boum s'était figé comme une statue.

Mme Blouin a répété :

— Ça y est, Boum Boum. Le bébé arrive.

Toute l'équipe a rebroussé chemin pour accompagner Mme B. jusqu'à la porte. M. Fréchette est resté en plan sur la scène, sans personne à qui remettre son trophée.

Jean-Philippe a voulu se diriger vers la patinoire.

— Je vais chercher la surfaceuse.

— Non, merci! s'est empressée de dire Mme Blouin. On va prendre le camion.

Nous nous sommes donc encore retrouvés dans la salle d'attente du département d'obstétrique. Et pas seulement pour quelques minutes, cette fois.

Nous ne tenions pas en place. Nous avons fait les cent pas. Nous avons vidé la distributrice de friandises. Et surtout, nous avons parlé de la Coupe Fréchette. Malgré tous nos efforts, la prédiction de Rémi Fréchette se réalisait. Nous n'allions jamais mettre la main sur cette coupe.

— Rémi a dit, Rémi a dit, nous a imités Alexia en baissant le volume. Vous ne trouvez pas qu'il en a assez dit?

— Un trophée, ce n'est qu'un objet, a ajouté Fragile, philosophe. Qu'on le touche ou non, on l'a tout de même gagné.

Parfois, il faut le regard naïf d'un novice pour aller

directement au cœur de la question.

Soudain, l'entraîneur a surgi dans la salle. Il avait l'air de s'être enfoncé le doigt dans une prise de courant.

— C'est un trucmuche! a-t-il bredouillé.

— Ah, pas encore! a grogné Carlos. Je lui ai dit qu'elle mangeait trop de salade de chou!

— Non! a crié Boum Boum. C'est un bidule! Un zigoto! Un garçon!

Nous nous sommes réjouis sans faire trop de bruit, car l'infirmière nous observait. Mais au fond de nous, nous poussions des cris d'allégresse. Le plus jeune membre des Flammes venait de voir le jour!

— Comment va Mme B.? a demandé Alexia.

— Numéro un! a déclaré le nouveau papa. Elle se repose en ce moment. Mais je peux vous emmener voir le gugusse.

Nous sommes donc allés presser nos nez contre la vitre de la pouponnière. C'était un tout petit bonhomme enveloppé dans une couverture bleue. Il était ridé, chauve et édenté. On pouvait voir la ressemblance avec son père, mais il était tout de même mignon. Avec un peu de chance, il ressemblerait davantage à sa mère en grandissant.

Un carton fixé au petit lit portait son nom : Clétus Blouin fils.

— Clétus? nous sommes-nous écriés en chœur.

— Il porte mon nom, a dit fièrement l'entraîneur. Boum Boum est seulement le surnom que je portais quand je jouais dans la patente.

J'ai regardé le nouveau-né ouvrir la bouche dans un énorme bâillement avant de se rendormir paisiblement.

Un jour, me suis-je dit, quand il sera plus grand, je raconterai à Clétus Blouin fils l'histoire de ses parents et de la saison miraculeuse des Flammes de Mars. Il ne me croira pas. C'est une histoire si incroyable! Mais je la lui raconterai quand même.

C'est le rôle d'un journaliste.

Quelques mots sur l'auteur

« J'ai toujours adoré les sports, confie Gordon Korman. J'ai grandi à Montréal et à Toronto, des villes où le hockey occupe une place de choix. Ma mère dit qu'elle m'a baptisé Gordon en l'honneur de Gordie Howe, le joueur légendaire des Red Wings de Détroit. C'était son joueur favori quand elle était adolescente. »

Lorsqu'on demande à Gordon Korman où il a puisé son inspiration pour écrire les livres de la collection *Droit au but,* il répond : « J'ai commencé à jouer au hockey quand j'avais sept ans. J'adorais cela, mais je me suis toujours retrouvé dans des équipes commanditées par des entreprises aux noms qui faisaient honte, comme Service de nettoyage Restez propres et Restaurant Au poisson flottant. Je me souviens, une année, il y avait beaucoup de joueurs très costauds dans notre équipe. Aussi, nous pensions que nous pouvions passer pour « les durs » de la ligue… jusqu'à ce qu'on nous distribue nos chandails : Peinture et papier peint Jolie Polly! »

Gordon Korman a décidé par la suite de s'orienter vers la carrière d'écrivain plutôt que vers la LNH. Il a commencé à écrire le premier livre de la collection *Collège MacDonald, Deux farceurs au collège,* lorsqu'il était en septième année. À présent, il a plusieurs dizaines d'ouvrages à son actif et figure parmi les auteurs canadiens préférés des jeunes. Il habite à New York, aux États-Unis, avec sa femme et leurs trois enfants.